D1498288

Памяти
Дмитрия Сергеевича Лихачева

Н. Уткин.
Портрет А.С. Пушкина
для альманаха «Северные цветы». 1827.
С оригинала О. Кипренского

А.С. Пушкин | Alexander Pushkin

«*В надежде славы и добра...*»

«*In Hopes of Fame and Bliss to Come...*»

Избранная поэзия
Poetical works

МОСКВА ВАГРИУС

УДК 882
ББК 84(2Рос=Рус)1
П 91

Издательство благодарит за участие и поддержку в издании книги
ВГБИЛ им. М.И. Рудомино и Институт толерантности.

Автор проекта Е.Ю. Гениева

Составители И.Г. Ирская, Ю.Г. Фридштейн

Автор вступительной статьи А.А. Липгарт

Художник В.В. Гусейнов

Пушкин А.С.
П 91   «В надежде славы и добра...» = «In Hopes of Fame and Bliss to Come...»:
      избранная поэзия = poetical works [на русском языке с параллельным
      переводом на английский язык] / А.С. Пушкин = Alexander Pushkin;
      [составители И.Г. Ирская, Ю.Г. Фридштейн; автор вступ. ст. А.А. Липгарт]. —
      М.: Вагриус, 2008. – 496 с.

                    ISBN 978-5-9697-0542-5

В сборник избранной поэзии А.С. Пушкина на русском и английском языках вошли
стихотворения, поэмы, сказки, драматические произведения, роман в стихах
«Евгений Онегин».

                                                   УДК 882
                                                   ББК 84(2Рос=Рус)1

Охраняется Законом РФ об авторском праве

ISBN 978-5-9697-0542-5

НЕСКОЛЬКО ВСТУПИТЕЛЬНЫХ СЛОВ

Мы предлагаем вниманию читателей том избранных произведений Александра СергеевичаПушкина в переводах на английский язык.

Том этот открывает серию «Поэт», представляющую великих русских поэтов на языках, на которых они бытуют в европейской культуре.

Пушкин один из самых сложных авторов для перевода. Некоторые полагают, что он вообще непереводим, и, тем не менее, очень многие мастера зарубежной литературы делали и делают такие попытки.

Пушкинский том посвящается памяти Дмитрия Сергеевича Лихачева, который воспринимал Петербург через стихи великого поэта и который в своих статьях о русской культуре неизменно и настойчиво возвращался к тому, во что свято верил: утверждению, что именно поэзия Пушкина являет собой абсолютное воплощение русской национальной идеи.

Программа чтения, в рамках которой книжная серия «Поэт» будет издаваться, невозможна без того, что может быть названо нашими «вечными спутниками». Пушкин, Тютчев, Фет, Цветаева, Мандельштам... Изумительные русские поэты: горестной судьбы — божественного вдохновения — непререкаемого пророческого дара...

Е.Ю. Гениева
Генеральный директор
Всероссийской государственной библиотеки
иностранной литературы им. М.И. Рудомино

A SHORT INTRODUCTION

We would like to introduce to our readers a volume of selected works by Alexander Pushkin translated into the English language. This volume is the first in a series entitled The Poet, which will present the work of great Russian poets in leading European languages.

Pushkin is one of the most difficult writers to translate. There are those who consider that be is untranslatable, and nonetheless there are many foreign literature specialists who have translated him and continue to do so.

This Pushkin volume is dedicated to the memory of Academician Dmitry Likhachev for whom the poetry of Pushkin came to embody the spirit of St Petersburg, and who in his essays on Russian culture constantly returned to what was sacred to him and central to his thinking in Pushkin's poetry.

We cannot close without saying who will be the other poets after Pushkin in The Poet series: Tyutchev, Fet, Marina Tsvetaeva, Mandelshtam... All of them great Russian poets, prophetic and inspired, and with invariably tragic destinies...

Ekaterina Genieva
Director General
The All Russian State Library
of Foreign Literature, Moscow

А. Липгарт

ОБ АНГЛИЙСКИХ ПЕРЕВОДАХ ПОЭЗИИ
И ДРАМАТУРГИИ А. С. ПУШКИНА

Перед читателем собрание несходных по своей жанровой принадлежности «параллельных» поэтических текстов на русском и английском языках. Английские тексты были написаны в разное время разными людьми, отличающимися друг от друга степенью дарования, и объединяет эти тексты только то, что все они являются переводами произведений Пушкина.

Искушенный читатель, в определенной степени знакомый с проблемами художественного перевода, без труда назовет еще одну черту, которая в принципе должна бы объединять эти тексты. Даже не ознакомившись с ними и не сопоставив их с оригинальными текстами Пушкина, все те, для кого русский язык является родным, уже заранее будут сомневаться в самой возможности надлежащим образом передать на чужом языке своеобразие, живость и проникновенность пушкинских строк. И если в случае со многими другими поэтами вопрос о переводимости не будет решаться столь однозначно, то в связи с переводами произведений Пушкина первая и естественная реакция читателя может быть выражена словами — неблагодарный труд.

При ознакомлении с высказываниями на эту тему людей действительно сведущих читатель только укрепится в таком мнении. Не случайно же в замечаниях И. С. Тургенева о переводе «Евгения Онегина» на французский язык содержится ироническая фраза «Есть же на свете храбрые люди!!!», а о первом английском переводе этого пушкинского произведения сказано, что он «верности невероятной, изумительной — и такой же изумительной дубинности»[1]. Не менее убедительно звучат и слова К. И. Чуковского: «Что сказать об английских переводах «Евгения Онегина»? Читаешь их и с болью следишь из страницы в страницу, как гениально лаконическую, непревзойденную по своей дивной музыкальности речь одного из величайших мастеров этой русской речи переводчики всевозможными способами превращают в набор гладких, пустопорожних, затасканных фраз»[2]. На фоне этих достаточно категорических высказываний становится понятным и несколько извиняющийся тон, в котором сами переводчики говорят о своих попытках передать, например, архаическое звучание «Пророка» или фольклорные элементы «Бесов» («Не все эти качества утрачены в переводе»[3]), и стремление специалистов-филологов достичь некоего компромисса в отношении к переводам произведений Пушкина: «<...> возможно ли воссоздание в переводе «онегинской строфы», мелодики пушкинской речи, игры слов, всей суммы его стилистических приемов без ощутительных потерь? Или же повторные усилия переводчиков приблизиться к пушкинскому тексту должны иметь в виду постоянное, методически возобновляемое намерение воспитать в иностранном читателе Пушкина возможность восприятия самого подлинника, для чего переводы служат только преддверием, вспомогательным средством, искусом, обещающим в грядущем более радостные эстетические ощущения?»[4].

Об объективных различиях, существующих между русским и английским языками вообще и, в частности, между соответствующими системами стихосложения, написано немало[5]; если исходить уже хотя бы из этого, «ощутительные потери» при переводе представляются неизбежными. Если же учесть также и тот неоспоримый факт, что подавляющее большинство современных читателей являются скорее телезрителями или, в крайнем случае, читателями газет, далеко не блестяще ориентирующимися в собственной классической литературе, в возникновение племени юных или не очень юных западных пушкиноведов верится с трудом. И тогда у читателя неизбежно возникает мысль о практической невыполнимости данной задачи и о фактической «безадресности» перевода, после чего следует законный вопрос: стоит ли вообще переводить Пушкина и брать на себя этот заведомо неблагодарный труд?

Ответ на такой вопрос может быть только утвердительным: да, Пушкина переводить стоит, Пушкина нельзя не перевести на иностранные языки уже просто потому, что западные знатоки литературы сами уверенно называют его имя в одном ряду с другими бессмертными именами — Гомер, Данте, Шекспир, Кальдерон, Гете[6]. Переводы произведений этих бессмертных (например, Шекспира) на русский язык также далеко не идеальны, но едва ли русский читатель предпочел бы остаться даже без этих небезупречных текстов, дающих хотя бы отдаленное представление о подлиннике, довольствуясь смутной перспективой того, что когда-нибудь он обязательно выучит английский язык и сумеет, наконец, без посредников насладиться гармонией шекспировского стиха. Переводы классических произведений, несомненно, должны существовать, другое дело, каким будет их качество и что вообще можно ожидать от перевода.

Да, между разными языками существуют объективные различия: например, в английском языке чаще, чем в русском, употребляются односложные полнозначные слова, из-за чего преобладающая рифма будет мужской, а характерное для русской поэзии чередование мужских и женских окончаний, будучи воспроизведенным в английских переводах, покажется довольно странным и непривычным; английскому языку в целом также не свойственно использование слов с большим количеством согласных, из-за чего звуковое впечатление от русского текста и от его английского перевода часто бывает различным. Помимо этих очевидных несовпадений между названными языками имеются и другие, менее очевидные, но не менее значимые отличия — в первую очередь, по способам сочетания слов друг с другом, по их стилистическим характеристикам, по общей структуре предложения и т.д. В силу такого несходства полного соответствия перевода оригиналу не может быть в принципе.

Кроме того, при сопоставлении текста и его перевода следует учитывать особенности каждой литературной и историко-культурной традиции и стремиться к осознанию того, какое место занимает тот или иной переводимый текст в соответствующей традиции, а также обращать внимание на свойства индивидуальной художественной стилистической системы автора оригинального текста[7]. Это опять-таки усложняет задачу переводчика, потому что при переводе всегда сохраняется опасность сделать из Пушкина, например, Джона Донна или Карла Сэндберга или же до некоторой степени заслонить его своей собственной фигурой. Задача, действительно, оказывается сложной, но следует ли считать ее вообще невыполнимой, обязательно ли труд переводчика является неблагодарным (об уже упоминавшейся выше возможной «безадресности» перевода будет сказано несколько позже)?

Думается, что первым и основным требованием, которое следует предъявлять к любым переводам — в нашем случае, к переводам стихотворных текстов, — будет следующее: переводной текст не должен нарушать многочисленных и часто неписаных законов данного языка и входить в противоречие с его просодическими, лексическими, стилистическими, синтаксическими свойствами, так как в противном случае даже при наличии многих буквальных совпадений с подлинником перевод все же будет оставлять после себя впечатление тягостного косноязычия. Не менее существенным оказывается и вопрос о возможных ассоциациях историко-литературного плана, возникающих при чтении переводного текста, когда достаточно искушенный читатель, не зная о том, что имеет дело, например, с переводом стихотворения Пушкина, воспримет это стихотворение как неизвестное ему поэтическое произведение, которое, в зависимости от его жанровых и прочих особенностей, в принципе может принадлежать перу Байрона, Томаса Мура или (что менее вероятно) Томаса Грея, но которое он все-таки затруднился бы с уверенностью приписать какому-то из этих поэтов. В обоих случаях (и в связи с языковыми особенностями текста, и в связи с возможными литературными ассоциациями) речь идет пока что лишь о первом впечатлении, но оно-то как раз и является самым важным: если переводной текст сразу же воспринимается как плохие и неудачные стихи, если читатель сразу же соотносит его с внутренне чуждой этому тексту литературной традицией, то все дальнейшие рассуждения о качестве перевода и о степени близости его к оригиналу просто лишаются смысла и превращаются в схоластические упражнения, в механическую инвентаризацию «кассы букв и слогов» — разумеется, совершенно безобидную, но при этом явно бесполезную.

Не приходится сомневаться в том, что все те, кто переводил Пушкина на английский язык, делали это из любви к его творчеству. Уже в начале 20-х годов XIX века имя Пушкина стало известно в Англии, и к 1828 году его воспринимали как ведущего русского поэта. В 1830 году англичане имели возможность познакомиться с отрывками из «Бахчисарайского фонтана» в переводе И. И. Козлова, а в 1835 году в Петербурге писателем и переводчиком Джорджем Борро был опубликован сборник баллад под названием «Таргум»[8], в который были включены переводы пушкинских произведений, а также другое собрание стихотворений, «Талисман»[9], получившее такое заглавие по названию одного из включенных в него стихотворений Пушкина. Из современников и соотечественников Пушкина, переводивших его произведения уже после его смерти, следует упомянуть Анну Давыдовну Баратынскую (1814-1889), публиковавшую свои переводы под псевдонимом «The Russian Lady»; она была адресатом пушкинского стихотворения 1832 года «В альбом кнж. А. Д. Абамелек» — «Когда-то (помню с умиленьем)...».

В Англии работа по переводу произведений Пушкина в прошлом столетии была связана в первую очередь с именами Т. Б. Шоу, У. Р. Морфилла, Ч. Э. Тернера; из наиболее известных переводчиков Пушкина в XX веке назовем Джона Поллена, Доротею Пралл, Мориса Бэринга, Оливера Элтона, Уолтера Морисона, К. М. Бауру, Владимира Набокова, Чарльза Джонстона. В Америке первым переводчиком Пушкина стал У. Д. Льюис, опубликовавший в 1849 году перевод «Бахчисарайского фонтана»[10]; большую роль в популяризации творчества Пушкина в этой стране сыграл также Иван Панин, издавший в 1888 году в Бостоне собрание стихотворений поэта[11]. В ряду этих (равно как и не названных здесь) переводчиков Пушкина отдельного упоминания заслуживает Уолтер Арндт, автор прекрасных и единственных в своем роде английских переводов произведений великого русского поэта.

История переводов Пушкина на английский язык — это особая обширная тема, и мы не имеем возможности сколько-нибудь подробно затрагивать ее в рамках настоящей статьи. В связи с интересующим нас вопросом о том, каким было качество этих переводов, следует отметить, что многие из них несут на себе явный налет дилетантизма, как это было, например, в случае с переводами Джорджа Борро[12]. Среди профессионалов, посвятивших многие годы своей жизни переводу Пушкина, встречаются сторонники буквальных соответствий, в ходе своей работы создающие очевидно плохие, неудачные английские стихи[13]; исключительная добросовестность этих переводчиков не может компенсировать отсутствие у них подлинного поэтического дара, и их усилия в конечном итоге вызывают лишь сочувствие (хотя, возможно, сами они были вполне довольны своей участью, потому что занимались любимым делом, а не очень компетентные или небеспристрастные критики затем публиковали хвалебные отзывы об их работе[14]). Крайний случай такого далеко зашедшего буквализма, пример переводческого сизифова труда — английский текст «Евгения Онегина» и трехтомный комментарий к нему, выполненный Владимиром Набоковым: человеком, чей литературный дар не вызывает никаких сомнений, но чья конкретная огромная работа (подстрочный буквальный перевод, в котором из всех характеристик подлинника сохранен только ямбический ритм, и подробнейший комментарий, часто не имеющий прямого отношения к пушкинскому тексту) воспринимается как нечто самодовлеющее, как избранный автором перевода не слишком удачный способ самовыражения за счет оригинального пушкинского текста и в ущерб ему[15].

Перечень курьезов и неудач, сопутствующих переводу Пушкина на английский язык, можно продолжать до бесконечности, но все-таки переводы пушкинских произведений не были сплошными неудачами, свидетельством чему — многие стихотворные тексты, вошедшие в настоящий сборник. Отношение русских читателей к этим текстам будет неизбежно настороженным, но если отрешиться от некоторых стереотипов и избавиться от определенной предвзятости, то нельзя не поддаться очарованию таких, например, строк:

> «I recollect that wondrous meeting,
> That instant I encountered you,
> When like an apparition fleeting,
> Like beauty's spirit, past you flew».

Или

> «At moments when your graceful form
> In my embrace I long to capture,
> And from my lips a tender swarm
> Of love's endearments pour in rapture».

(первые строфы стихотворений «Я помню чудное мгновенье...» и «Когда в объятия мои...» в переводе Уолтера Арндта). Эти строки как-то не хочется разбирать: видно, что это хорошие английские стихи, не совсем Байрон, не совсем Томас Мур и совсем не Суинберн или Кристина Россетти, но об их авторстве, об их месте в литературной традиции или об их языковых характеристиках при первом чтении не думаешь и просто с благодарностью воспринимаешь их как достойный поэтический текст.

Уже несколько иные ощущения возникают при чтении первой строфы того же самого стихотворения «Я помню чудное мгновенье...» в переводе Э.Д. П.Бриггса:

> «I still remember all the wonder,
> The glorious thrill of meeting you,
> The momentary spell of splendour,
> Spirit of beauty pure and true».

Здесь «поддаться очарованию» по каким-то причинам не удается, и невольно задаешься вопросом — почему это так? Сопоставление перевода с оригинальным текстом укажет на 1) отсутствие рифмы между 1-й и 3-й строками, 2) наличие в переводе «лишних» слов типа «glorious thrill», «(spell of) splendour», «(spirit of beauty pure and) true», 3) лексические несовпадения («wonder» -«чудное мгновенье» и т. д.), 4) стилистически маркированное постпозитивное использование определений «pure and true», на что в оригинале нет и намека (второе прилагательное у Пушкина просто отсутствует, 5) изменение синтаксической структуры текста, когда сложное предложение оригинала в переводе превращается в простое с однородным перечислением. Однако этим ли объясняется то различие во впечатлении, которое производят два перевода одной и той же пушкинской строфы? Ведь перевод Э.Д. П.Бриггса «не очаровывает» еще до всякого сопоставления его с оригиналом, а текст Уолтера Арндта принимаешь сразу же, и опять-таки не обращаясь к пушкинскому стихотворению. В чем же тогда дело?

Ответ на этот вопрос в предварительном плане уже был дан выше. В переводе Уолтера Арндта ничто не оскорбляет языкового чувства читателя, ничто не идет вразрез, так сказать, с его внутренней идиоматикой и с его представлениями о том, как вообще звучат английские стихи (если таковые представления у читателя имеются). Э.Д. П.Бриггс, напротив, подвергает читателя тяжкому испытанию: недоумение возникает уже при виде необычного и нехарактерного для английской поэзии способа рифмовки, и в результате рифма привлекает к себе значительно больше внимания, чем она в данном контексте того заслуживает; однако одну лишь эту рифму можно было бы пережить, если бы ей не сопутствовали другие странности, а именно 1) соединение в рамках одного словосочетания двух весьма выразительных слов («glorious» и «thrill»), из-за чего словосочетание в целом приобретает избыточную выразительность, опять-таки не оправданную общим контекстом его употребления, и 2) помещение слова «spirit», в обычных условиях имеющего ударение на первом слоге, в ненормальную для него акцентную позицию, где ударение оказывается перенесенным на второй слог, из-за чего слову не удается органично вписаться в общий поэтический контекст.

На все это, конечно, можно было бы закрыть глаза и посоветовать себе «не переживать по пустякам», если бы эти кажущиеся «пустяки» не делали стихотворение крайне разбалансированным, если бы отдельные более или менее нейтральные (или, во всяком случае, не избыточно выразительные) составляющие текста не становились вдруг чуть ли не центральными его элементами, тем самым уничтожая даже намек на какую-то гармонию и соразмерность частей внутри поэтического целого. Из-за этой дисгармоничности второй из обсуждаемых здесь текстов сразу же попадает в категорию стихов, которые воспринимаются настороженно: после такого начала ожидаешь соответствующего продолжения, а именно этого любой читатель, не движимый исследовательским интересом и имеющий опыт знакомства с неудачными стихами, скорее всего, постарается избежать и не вздрагивать при виде новых несообразностей, наблюдающихся в последующих строфах:

«When sadness came upon me, endless,
In vain society's direst days,
I heard your voice, your accents tender,
And dreamt of heaven in your face» и т. д.

Данный перевод Э.Д. П.Бриггса включен в настоящий сборник не потому, что составителям в какой-то момент изменил вкус. Сделано это было для того, чтобы читатель переводов произведений Пушкина на английский язык мог получить представление о том, как очень во многих случаях звучат эти переводы, и сравнить их между собой (для этого в настоящем сборнике помещен перевод того же стихотворения, выполненный Уолтером Арндтом). Вообще же цель настоящей статьи заключается не в том, чтобы привести перечень «хороших» и «плохих» переводов Пушкина, но чтобы сказать о тех проблемах, которые объективно сопутствуют переводу поэтических текстов вообще и переводу пушкинских произведений в частности. По этой причине к теме неудачных стихов мы больше обращаться не будем; заметим лишь, что такие стихи могут появляться не только и не столько из-за того, что переводчик не знает, не чувствует своего собственного языка или не обладает достаточным поэтическим дарованием, сколько потому, что он не может отвлечься от поиска буквальных соответствий подлиннику и сосредоточиться на создании текста, который бы в первую очередь оказывал на читателя эстетическое воздействие, не утрачивая при этом звукового, ритмического и смыслового подобия оригиналу. Если это основное условие не соблюдено, какое-либо сопоставление перевода и переводимого текста оказывается бессмысленным, и далее в настоящей работе при сравнении пушкинских произведений с их английскими переводами мы будем говорить о других, более сложных проблемах, подразумевая при этом, что общее звучание, общий языковой облик рассматриваемых переводов не вызывают никаких нареканий.

Традиция говорить о классиках с придыханием и исключительно в превосходной степени имеет настолько глубокие корни, что многим читателям Пушкина покажется святотатственной уже сама мысль о том, что для его стихотворений можно установить некую иерархию и что они — даже если оставить в стороне скользкий вопрос об эстетической ценности («Каждая пушкинская строка — на вес золота!») — различаются, по крайней мере, по степени языковой сложности. Однако если на минуту отрешиться от подобных стереотипов, трудно будет не согласиться с тем, что текст «Анчара», к примеру, в языковом плане оказывается сложнее, чем текст эпиграммы «В Академии наук / Заседает князь Дундук». Если допустить возможность хотя бы такого противопоставления, то следующим логическим шагом будет создание некоего условного классификационного ряда, который образуют тексты, постепенно усложняющиеся по своим языковым характеристикам: эпиграммы и «альбомные стихи» («Гонимый рока самовластьем...» или «Долго сих листов заветных...»), затем — различные по своим тематическим и стилистическим характеристикам, но при этом не наделенные «сложной образностью» стихотворения («Я вас любил», «Я помню чудное мгновенье...»), затем — стихотворения со «сложной образностью» («Пророк», «Анчар»). За пределами этого ряда оказались пока что а) более или менее протяженные тексты, отличающиеся значительной тематико-стилистической неоднородностью — «Евгений Онегин», «Медный Всадник» и др., б) «технически» сложные поэтические тексты (с необычной метрической или строфической организацией), в) тексты с иной жанровой принадлежностью (сказки, поэмы и др.); об этих текстах и о трудностях, возникающих в связи с их переводами, будет сказано позднее, а пока сосредоточимся на только что предложенном нами «языковом» ряде.

При обсуждении переводов стихотворений Пушкина данная классификация, казалось бы, может иметь определенный смысл. В самом деле, почему бы не предположить, что при прочих равных условиях — то есть в случае, когда переводчику удается создать идиоматически приемлемый английский текст — стоящая перед ним задача применительно к стихотворениям, более простым в языковом плане, оказывается более легко выполнимой, чем при переводе текстов, наделенных «сложной образностью», которая неизбежно находит отражение на языковом уровне — например, в использовании «высокой» поэтической лексики? В результате степень близости перевода к оригиналу в разных случаях может оказаться разной из-за языковой специфики пушкинских текстов, и переводчику, создающему английскую версию «Анчара», придется затратить больше усилий, чем, скажем, Синтии Уитейкер, автору английского же «Князя Дундука»:

> «When the Academy meets,
> Prince Dunduk finds there a seat.
> People say it isn't fitting
> That Dunduk this honour has.
> Why then do we find him sitting?
> Just because he's got an ass».

При том, что сопоставление этого английского текста с русским оригиналом позволяет обнаружить некоторые расхождения между ними (к примеру, использование более прямого и грубого выражения для передачи строки «Потому что есть чем сесть»), эти несовпадения не кажутся столь уж значительными просто потому, что достаточно непритязательным является само пушкинское стихотворение. И если переводчику удается передать живость и лаконичность подлинника, то производимые им замены на лексическом и прочих уровнях не вызывают никаких нареканий в силу малой «над-содержательной», эстетической нагруженности языковых единиц в оригинальном тексте; для того чтобы пояснить эту мысль, приведем еще один пример — четверостишие «Нет ни в чем вам благодати: / С счастием у вас разлад: / И прекрасны вы некстати, / И умны вы невпопад» в переводе Уолтера Арндта:

> «You're the kind that always loses,
> Bliss and you are all at odds:
> You're too sweet when chance refuses
> And too clever when it nods».

Комментарии здесь, что называется, излишни: этот несомненно изящный, но не слишком сложный русский текст передан на английском языке в такой же яркой и запоминающейся форме, и вопрос о соответствиях здесь даже не встает (тем более, что в данном случае совпадение будет практически полным).

Задача, стоящая перед переводчиком, когда он имеет дело со стихотворениями «Я вас любил» или «Я помню чудное мгновенье...», будет несравненно более сложной просто потому, что более сложными будут и содержание оригинала, и используемый для передачи этого содержания язык. Говоря о переводах первой строфы второго из этих стихотворений, мы в предварительном плане уже могли убедиться в том, что далеко не всегда эта задача оказывается выполненной. Однако в случае с переводом Э.Д. П.Бриггса нами были отмечены не только несовпадения с подлинником, но и просто неудачные обороты речи; перевод стихотворения «На холмах Грузии лежит ночная мгла...», сделанный А. Майерсом, свободен от этих последних недостатков, но при этом по ознакомлении с данным текстом ощущения действительной близости его к оригиналу не возникает:

«The Georgian hills above lie shrouded in the night;
Aragva churns down in the hollow,
I feel both sad and gay, my grief suffused with light;
Your presence permeates my sorrow,
Just you and you alone... My melancholy fit
Is undisturbed, no outside thing to bother,
My heart once more is warmed to love, and it
Must love, for it can do no other».

Различие во впечатлении, возникающем при чтении перевода и оригинала, связано не с отдельными лексическими или морфо-синтаксическими заменами и ритмическими несовпадениями, но с тем общим «завышением» лексики, которое последовательно осуществляет А. Майерс, употребляя обороты с сильной стилистической окрашенностью («my grief suffused with light», «your presence permeates my sorrow», «my melancholy fit» и т. п.) вместо значительно более нейтральных пушкинских выражений («печаль моя светла», «печаль моя полна тобою», «унынья моего»). По общей «возвышенности» лексики данный английский текст сопоставим, например, с известным стихотворением Байрона «Farewell! if ever fondest prayer», но никак не с оригинальным пушкинским текстом, и причина названного расхождения заключается в том, что переводчик использовал «не тот» лексический пласт и в результате создал поэтическое произведение, достаточно далекое от оригинала.

Итак, эпиграммы и «альбомные стихи», с одной стороны, и, с другой стороны, лирические стихотворения, свободные от «сложной образности», могут быть противопоставлены друг другу как по своим языковым характеристикам, так и в связи с теми проблемами, которые возникают в ходе их перевода на иностранный язык. Однако возможно ли продолжить это противопоставление и дальше, при сравнении текстов, соответственно не наделенных и наделенных «сложной образностью»?

Безусловно, при работе со стихотворениями, отличающимися «сложной образностью», переводчику необходимо не только правильно оценить соотношение между сравнительно нейтральными и стилистически окрашенными элементами текста, но также и понять природу этой стилистической окрашенности, ее обусловленность общим содержанием и жанровой принадлежностью оригинального текста. В общем случае жанровые характеристики текста, имеющего достаточно прозрачное содержание, на языковом уровне отражаются вполне однозначно (отсюда использование «высокой» лексики при переводе «Памятника» или «Поэту» и «сказочно»-разговорных оборотов при переводе «Жениха»), но в стихотворениях со «сложной образностью» («Анчар») больше проблем возникает и при определении жанровой принадлежности текста, и, следственно, при выборе того стилистического пласта лексики, который бы соответствующим образом передал колорит оригинального текста. Читая перевод такого текста, сразу же готовишь себя к тому, что он будет неудачным: слишком уж тяжелая задача стоит перед переводчиком, и потому любые погрешности покажутся простительными, в них не будет ничего неожиданного. И тем радостней бывает знакомство с таким переводом, где все трудности преодолены, где найдено оптимальное сочетание разных пластов «возвышенной» и относительно нейтральной лексики и где переводчику удается создать образ, по силе и яркости, наверное, не уступающий пушкинскому, как это делает Уолтер Арндт в жутких и величественных строках своего «Анчара» («The Upas Tree»):

«On acres charred by blasts of hell,
In sere and brittle desolation,
Stands like a baleful sentinel
The Upas, lone in all creation.

Grim Nature of the thirsting plains
Begot it on a day of ire
And steeped its leaves' insensate veins
And filled its roots with venom dire.

The poison trickles through its bark
And, melting in the noonday blazes,
It hardens at the fall of dark
In resinous translucent glazes».

Общее впечатление от этого текста таково, что цитату хочется продолжить, хочется переписать его до конца, чтобы, в первую очередь, еще раз насладиться самим английским текстом. А когда это непосредственное читательское желание будет удовлетворено, можно заняться уже сопоставлением перевода с оригиналом и на данном примере убедиться в том, что в принципе даже такое поэтическое произведение может быть практически без искажений переведено на иностранный язык — конечно, при условии, что занимается этим настоящий мастер.

Итак, благодаря Уолтеру Арндту пушкинский «Анчар» обрел жизнь на английском языке, не утратив при этом своей «сложной образности». Согласно предложенной нами классификации пушкинских текстов по языковому параметру, это стихотворение (равно как «Пророк» и многие другие) будет отличаться, например, от стихотворения «Я вас любил» по степени сложности его языковой организации, и в связи с этим встает следующий вопрос: правомерно ли противопоставлять эти стихотворения уже в связи с переводом? Тождественны ли языковая «простота» или «сложность» «простоте» или «сложности» задачи, стоящей перед переводчиком? Что труднее — перевести «простое» стихотворение «Я вас любил» или «сложный» текст «Анчара»?

Думается, что на этом уровне предложенное противопоставление снимается. Прибегнуть к имеющемуся в английском языке пласту «высокой» лексики англосаксонского происхождения при переводе «Пророка», насыщенного церковнославянскими оборотами, едва ли труднее (ничуть не труднее!), чем найти «простые» — то есть действительно стилистически нейтральные — слова для передачи содержания «Я вас любил». В обоих случаях перед переводчиком стоит очень тяжелая задача, которую отнюдь не облегчает кажущаяся «простота» лирических стихотворений, свободных от «сложной образности». Поэтому предложенная «языковая» классификация текстов применительно к переводам оказывается значимой только отчасти, и на ее примере можно лишний раз убедиться в справедливости нехитрого умозаключения — не все «простое» в действительности просто.

Как уже говорилось выше, для пушкинских стихотворных произведений можно построить классификационный ряд и на основе других признаков — например, в связи с их «технической» сложностью или с их жанровой принадлежностью. Безусловно, онегинская строфа представляет для переводчика значительно больше проблем, чем любое стихотворение, написанное просто четырехстопным ямбом; безусловно, «Пророк» или «Подражания Корану» в жанровом отношении являются произведениями более сложными, чем «Цветок» или «И. И. Пущину». Однако наличие (либо отсутствие) у переводчика должной поэтической техники — вещь достаточно очевидная, и важным здесь будет лишь то, способен ли переводчик решить, насколько значимо в каждом случае сохранение формального сходства с оригиналом (применительно к онегинской строфе и к некоторым другим поэтическим формам ответ напрашивается сам собой, в других же ситуациях формальными соответствиями бывает возможно пожертвовать, если, например, используемый Пушкиным поэтический размер или способ рифмовки не представляется чем-то принципиально значимым). Проблему жанров применительно к переводам стоит всерьез обсуждать не ради констатации того, что содержательные (тематические) особенности оригинального текста должны находить отражение в переводе (в первую очередь, на языковом уровне), а лишь тогда, когда речь идет о «размывании» канона, об отступлении от того или иного жанра и обыгрывании его свойств. Эта последняя тема непосредственно связана с другим вопросом, который представляется чрезвычайно важным и обсуждением которого будет завершена настоящая статья — а именно, с проблемой тематико-стилистической неоднородности пушкинских произведений и возможностью передать эту неоднородность в текстах переводов.

Тематико-стилистической неоднородностью отличаются такие произведения Пушкина, как, например, «Медный Всадник». Несмотря на наличие у всего произведения некоей единой образно-стилистической основы, «высокая» лексика и нарочито архаизированные обороты типа «На берегу пустынных волн / Стоял он, дум великих полн», торжественно звучащие метафорические обороты и сравнения («Померкла старая Москва, / Как перед новою царицей / Порфироносная вдова»), развернутые однородные перечисления («Люблю тебя, Петра творенье...» и др.) достаточно определенно связываются с темой Петра и Петербурга, тогда как Евгений, его рассуждения и его несчастья описываются с помощью более «сниженной» лексики, где элементы разговорного языка («Жениться? Ну... зачем же нет? / Оно и тяжело, конечно <...>») причудливо переплетаются с разного рода клишированными «литературными» фразами, которые своей «неоригинальностью» подчеркивают существенные качества характера самого героя («Он кое-как себе устроит / Приют смиренный и простой», «<...> и так до гроба / Рука с рукой дойдем мы оба / И внуки нас похоронят»). Помимо этого глобального противопоставления, в содержательном плане соотносящегося с одной из главных тем «Медного Всадника», в тексте можно обнаружить также и другие тематико-стилистические пласты, менее значительные по объему и по месту в художественной системе данного произведения —например, не имеющие прямого отношения к повествованию вкрапления типа «Граф Хвостов, / Поэт, любимый небесами, / Уж пел бессмертными стихами / Несчастье невских берегов», где наблюдается «завышение» лексики, выделяющейся даже на фоне описаний Петра и Петербурга, что в конечном итоге создает иронический эффект.

Однако мы не будем вдаваться в более подробный анализ и воздержимся от дальнейшего дробления материала. Поскольку в данной статье нас занимают в первую очередь переводы Пушкина на английский язык, сказанное выше должно каким-то образом связываться с проблемами перевода. Связь здесь оказывается самой прямой и непосредственной: если переводчик не видит тематико-стилистической неоднородности оригинала или же если ему не удается воспроизвести эту неоднородность в переводе, то созданный им текст будет лишь бледным подобием подлинника, воспроизводящим только содержательную канву и отдельные стилистические особенности оригинального текста, но при этом очень далеко отстоящим от него по художественной сложности и по силе оказываемого на читателя воздействия. К чести Уолтера Арндта, чей перевод «Медного Всадника» включен в настоящий сборник, нужно отметить, что в целом он справился с этой нелегкой задачей и сумел создать текст, в котором названное тематико-стилистическое противопоставление прослеживается весьма четко и который (при всех неизбежных ограничениях, присущих переводу) способен дать англоговорящей аудитории представление о том, как звучит «Медный Всадник» на русском языке. Здесь мы не будем умножать число примеров и предоставим читателям самим убедиться в том, насколько справедлива такая оценка данного перевода Уолтера Арндта.

Между тематико-стилистической неоднородностью текста и его объемом, его жанровыми характеристиками, а также его принадлежностью к поэзии или к прозе нет прямой зависимости. Достаточно протяженные тексты, в принципе подлежащие чисто тематическому делению, в стилистическом плане часто оказываются однородными, неделимыми или почти неделимыми («Бахчисарайский фонтан»), что существенно упрощает задачу переводчика. По сравнению с «Медным Всадником» сопоставимый с ним по объему «Каменный гость» в тематико-стилистическом плане оказывается текстом менее сложным просто потому, что в нем наблюдается вполне очевидный контраст между разговорным языком и отдельными примерами «высокой» поэтической речи, — контраст, который в переводе этого текста воспроизвести, видимо, легче, чем при переводе «Медного Всадника», и который напрямую не связан с жанровыми особенностями текста. Ошибочным было бы также полагать, что тематико-стилистическая неоднородность присуща исключительно поэтическим текстам, поскольку в них более активно, чем в текстах прозаических, используется образный потенциал языка: исследования творчества Пушкина показывают, что именно в своих прозаических произведениях он достиг удивительной виртуозности в создании разнообразных тематико-стилистических планов[16], и здесь задача переводчика — если только он сам готов воспринять эту многоплановость — оказывается необыкновенно сложной.

Значительной тематико-стилистической неоднородностью отличается еще один шедевр Пушкина — его роман «Евгений Онегин». Переводчики, берущиеся за воссоздание «Евгения Онегина» на английском (или любом другом) языке, сталкиваются с целым рядом трудностей, среди которых чисто технические, версификационные проблемы (воспроизведение общей структуры онегинской строфы, сохранение рифмы и др.) для настоящего профессионала будут не самыми существенными. Может показаться, что сложность здесь заключается в другом: переводчики «Евгения Онегина», будучи иностранцами, не могут почувствовать национальный колорит этого произведения и передать на английском языке все особенности русского быта той эпохи, как, впрочем, и суть происходивших в то время дискуссий о путях развития русского языка и литературы — дискуссий, нашедших свое отражение в романе. Трудности здесь, несомненно, имеются, однако было бы недоразумением считать их вовсе непреодолимыми: для действительного понимания романа, для восприятия этого пушкинского произведения во всей его полноте и многообразии современному русскому читателю не в меньшей степени, чем иностранцу, необходим подробный историко-культурный комментарий, и если такие комментарии существуют и являются доступными для носителей русского языка, то нет никаких причин, почему ими не мог бы воспользоваться иностранный специалист-переводчик и восполнить пробелы, неизбежно имеющиеся у него в данной области.

Действительная сложность при переводе «Евгения Онегина», на наш взгляд, состоит в том, чтобы передать неподражаемую легкость и изменчивость пушкинской речи, чтобы эмоциональные лирические отступления по стилю не слились с относительно нейтральными описаниями природы, чтобы в тексте сохранилась авторская ирония, которой буквально пронизано все повествование, и чтобы части романа, особенно памятные русскому читателю — такие, как письмо Татьяны к Онегину или сцена их последнего объяснения, — в переводе не утратили своей простоты и проникновенности. Английские и американские переводчики неоднократно (на сегодняшний день — 10 раз) предпринимали попытки создать английского «Евгения Онегина», и применительно к нескольким текстам — в частности, к включенному в настоящий сборник переводу Дж.Э.Фэлена — можно сказать, что эти попытки увенчались успехом.

Рассмотрение любого из имеющихся переводов «Евгения Онегина» должно производиться в рамках отдельной большой статьи. В данной же работе могут быть упомянуты лишь некоторые черты перевода Дж.Э.Фэлена, представляющиеся наиболее существенными для оценки английского текста. Так, в наличии у переводчика должной поэтической техники убеждаешься уже при чтении нескольких начальных строф:

> «My uncle, man of firm convictions...
> By falling gravely ill, he's won
> A due respect for his afflictions —
> The only clever thing he's done <...>» и т. д.

Строго говоря, четвертая строка («И лучше выдумать не мог») передана Дж.Э.Фэленом неточно, перевод Ч.Джонстона, например, оказывается здесь ближе к оригиналу («And never played a shrewder trick»), но подобные несоответствия (равно как и явное «завышение» стиля при использовании слова «afflictions») связаны именно с «технической» стороной дела. И если читатель понимает это, если он способен отказаться от глубоко ложной посылки — «Никаких отступлений от подлинника, у Пушкина каждое слово драгоценно!» и т. п., если он не поддается искушению заняться «медленным чтением», когда каждое слово развивает свой ассоциативный ряд (чего при «нормальной» скорости чтения происходить не будет), то в этом случае поэтическая техника Дж.Э.Фэлена не вызовет особых нареканий.

Различные детали русского быта переданы в переводе вполне удовлетворительно. «Брусничная вода» (III, 3; 4), например, рецепт приготовления которой готовы привести в своих комментариях некоторые особенно дотошные исследователи, абсолютно точно переведена как «a drink of lingonberry flavour» или «lingonberry brew» (Ч.Джонстон использовал здесь «bilberry wine», «черничное вино»), а строка «С супругом чуть не развелась» (II, 31), опять-таки способная вызвать целый шквал энциклопедической информации, также звучит совершенно приемлемо: «And almost even left her spouse».

Не менее внятно звучит в переводе и пушкинская ирония — например, по поводу романтических настроений Ленского:

«He sang of parting and of pain,
Of something vague, of mists and rain;
He sang the rose, romantic flower,
And distant lands where once he'd shed
His living tears upon the bed
Of silence at a lonely hour;
He sang life's bloom gone pale and sere —
He'd almost reached his eighteenth year»
(«Он пел разлуку и печаль,
И *нечто*, и *туманну даль*,
И романтические розы;
Он пел те дальные страны,
Где долго в лоно тишины
Лились его живые слезы;
Он пел поблекший жизни цвет
Без малого в осьмнадцать лет»), II, 10.

Переводчику также с большой точностью удается воспроизвести общий тон лирических отступлений (ср. «Я помню море пред грозою...», I, 33 — «I recollect the ocean rumbling: / O how I envied then the waves — / Those rushing tides in tumult tumbling / To fall about her feet like slaves»), на языковом уровне четко отграничивая их от других тематико-стилистических пластов текста, пусть и близких к ним по общему «лирическому» звучанию — таких, как, например, письмо Татьяны:

«Another! No! In all creation
There's no one else whom I'd adore;
The heavens chose my destination
And made me thine for evermore!»
(«Другой!.. Нет, никому на свете
Не отдала бы сердца я!
То в вышнем суждено совете...
То воля неба: я твоя <...>»), III.

Столь же талантливо воссоздан Дж. Э. Фэленом и общий облик такого «иностилевого вкрапления» в основной текст «Евгения Онегина», каковым является Песня девушек (завершающая третью главу романа):

«Strike you up a rousing song,
Sing your secret ditty now,
Lure some likely lusty lad
To the circle of our dance»
(«Затяните песенку,
Песенку заветную,
Заманите молодца
К хороводу нашему»).

Понятно, что перечень подобных примеров можно продолжать до бесконечности, но здесь мы ограничимся теми, которые были только что приведены, поскольку уже на основе данных отрывков читатель сумеет в предварительном плане оценить художественные достоинства рассматриваемого перевода и составить представление о степени близости его к русскому оригиналу. Целостное же впечатление возникает только при ознакомлении с текстом перевода, к которому мы и хотели бы обратить читателя — с уверенностью в том, что данная работа Дж.Э.Фэлена заслуживает самого благожелательного внимания и уважения.

Теперь настало время подвести некоторые итоги и выяснить, какой вывод можно сделать на основе сказанного. Наши рассуждения были направлены на то, чтобы утвердить следующую основную мысль: несмотря на неизбежные сложности, с которыми сталкивается переводчик в процессе работы над текстом, несмотря на неизбежную разницу дарований авторов оригинального и переводного текста, в принципе на иностранном языке можно более или менее точно воссоздать произведения Пушкина, не только передавая их содержание, но сохраняя также и их художественные, эстетические особенности. Свидетельством тому — как уже упоминавшиеся нами тексты, так и многие другие, которые читатель обнаружит в данной книге или в разнообразных собраниях переводов Пушкина.

Итак, категорическое утверждение о невозможности должным образом перевести Пушкина снимается или, во всяком случае, из абсолютного переходит в разряд относительных. Уже поэтому труд переводчиков Пушкина нельзя считать бессмысленным и непродуктивным. Однако вопрос о том, насколько неблагодарен этот труд, по-прежнему остается: кому адресованы эти переводы, существуют ли англоговорящие читатели Пушкина, не способные выучить русский язык или не знающие его в достаточном объеме, но при этом действительно желающие познакомиться с произведениями поэта, или же переводчики в ходе этой работы, что называется, лишь тешат самих себя?

Ответ на этот вопрос будет очень простым. Переводы Пушкина предназначены всем тем, кто любит и понимает классическую литературу, всем тем, для кого (если речь идет об англоязычных читателях) имя Шекспира — не пустой звук. С произведениями Пушкина захотят познакомиться те, кто понимает разницу между скоропреходящим и вечным, те, кто не причисляет себя ни к какой элите и кого не увлекают постоянно возникающие и затем стремительно исчезающие сенсационные пустышки-однодневки. Те, кто видит радость в приобщении к великим творениям человеческого духа. И пусть число их будет невелико (наверное, таких людей и не может быть много), но они сумеют по достоинству оценить проделанную переводчиками Пушкина огромную работу, которую поэтому нельзя назвать неблагодарной. Напротив, это высокий и благодарный труд.

ПРИМЕЧАНИЯ

1. Тургенев И. С. Полное собрание сочинений и писем в 28 т. Письма в 13 т. Л., 1968. Т. XIII, кн. 1. С. 182-183. (Письмо к П. В. Анненкову от 20 января 1882 года).

2. Чуковский К. И. Онегин на чужбине // Дружба народов. 1988. № 4. С. 246.

3. «It is for these qualities that Pushkin is held as the father of the modern Russian language and literature. Not all of them are lost in translation» (An Introduction to «Alexander Pushkin» / Selected and edited by A. D. P. Briggs. London, 1997. P. XIX.).

4. Алексеев М. П. Пушкин и мировая литература. Л., 1987. С. 358-359.

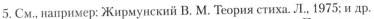

5. См., например: Жирмунский В. М. Теория стиха. Л., 1975; и др.

6. «Новейшее время знает, что Александр Сергеевич Пушкин принадлежит к числу тех бессмертных, первым представителем которых был Гомер, и которое насчитывали в Европе еще лишь имена Данте, Шекспира, Кальдерона и Гете. К этим бессмертным пяти примыкает шестым Пушкин» (J. von Guenther. Pouschkin. Der Hippogryph, Zweites Heft, München, 1923; цит. по статье: Нейштадт В. Пушкин в оценке западно-европейской критики // Вестник АН СССР. 1937. № 2–3. С. 219).

7. См. в связи с этим: Эткинд Е. Г. Художественный перевод: искусство и наука // Вопросы языкознания. 1970. № 4. С. 25.

8. Borrow George. Targum; or, Metrical Translations from Thirty Languages and Dialects. St. Petersburg, 1835.

9. Borrow George. The Talisman. From the Russian of Alexander Pushkin. With Other Pieces. St. Petersburg, 1835.

10. The Bakchesarean Fountain and Other Poems, by Various Authors. Translated by William D. Lewis. Philadelphia, 1849.

11. Poems of Alexander Pushkin. Translated by Ivan Panin. Boston, 1888.

12. Алексеев М. П. Русско-английские литературные связи (XVIII век первая половина XIX века): Литературное наследство. М., 1982. Т. 91. С. 606-613.

13. Большое количество подобных неудачных переводов читатель найдет в сборнике: Pushkin Alexander. The Works / Selected and edited with an Introduction by Avrahm Yarmolinsky. New York, 1936.

14. См. в связи с этим: Алексеев М. П. Пушкин и мировая литература. Л., 1987. С. 359.

15. Критические замечания об этой работе Владимира Набокова высказывали многие специалисты (см.: Чуковский К. И. Указ, соч.; Левин Ю. Д. Новый английский перевод «Евгения Онегина» // Русская литература. 1981. № 1. С. 220—221); весьма жесткую и вместе с тем, как нам кажется, совершенно справедливую оценку этого перевода дал Уолтер Арндт «[Перевод Набокова это] ритуальное убийство, выполненное из-за ненасытной лексической некрофилии», «<...> the sad ritual murder performed for the purposes of an ever more insatiable lexical necrophilia» (Arndt W. An Inrtoduction to «Pushkin Threefold». New York, 1972. P. XVIII).

16. См. в этой связи исключительные по глубине и тонкости работы академика В. В. Виноградова: его книгу «Стиль Пушкина». М., 1941 (глава «Стиль повествовательной прозы Пушкина», с. 514-582); сборник его статей под общим названием «О языке художественной прозы». М., 1980 (статья «Стиль «Пиковой дамы»», с. 176-239); и др.

Andrey Lipgart

CONCERNING THE ENGLISH TRANSLATIONS OF PUSHKIN'S POETRY AND DRAMA

The reader is having before his eyes a collection of «parallel» poetic texts belonging to different genres and written in the Russian and English languages. The English texts were produced at different times by various people whose natural literary capacities were by far dissimilar, and the only thing that unifies these texts is the fact that all of them are translations of Pushkin's works.

An experienced reader to a certain extent familiar with the problems of literary translation would have no difficulty in specifying one more trait which in principle should unite these texts. Even before having a closer look at them and comparing them with Pushkin's originals the native speakers of Russian would a priori doubt whether it is at all possible to properly render in a different language the originality, the liveliness and the moving character of Pushkin's lines. And if in connection with so many other poets the problem of translatability is not solved that unambiguously, the first and the natural reaction of a Russian reader to Pushkin's translations may be expressed with the help of the words — an unrewarding labour.

After familializing himself with what those in the know have said on the subject a reader would become even more indomitable in his opinion. It is not incidental that I. S. Turgenev's remarks on a French translation of «Eugene Onegin» contain an ironical phrase «There are brave people in this world!!!», while the first English translation of this text is reported to be of an «unbelievable, astonishing exactness — and of the equally astonishing blockheadedness»[1]. The following words of K. I. Tchuckovsky sound no less convincing: «What can one say about the English translations of «Eugene Onegin»? You read them and at every page you see with pain how the translators in all imaginable ways turn the brilliantly laconic speech of one of the greatest masters of this Russian speech — unsurpassed in its wonderful melodiousness — into a collection of smooth, empty, hackneyed phrases»[2]. Against the background on these rather categorical pronouncements it is easier to understand both the somewhat apologetic tone in which the translators themselves speak about their attempts to render the archaic diction of «The Prophet» or the folklore elements in «The Demons» («It is for these qualities that Pushkin is held as the father of the modern Russian language and literature. Not all of them are lost in translation»[3]), and the desire of professional philologists to arrive at some compromise with respect to translations of Pushkin's works: «<...> is it at all possible to recreate in translation «the Onegin stanza», the melody of Pushkin's speech, the play upon words and the sum total of his stylistic devices without appreciable losses? Or the repeated attempts of the translators to get closer to Pushkin's text are made because of their constant and systematically renewed intention to raise a foreign reader to a level when he would be able to comprehend the original itself, and to achieve this the translations serve merely as a kind of a threshold, a complementary tool, a temptation promising the more pleasing aesthetic impressions in the future?»[4].

There exists an extensive literature which describes the objective differences between the Russian and the English languages in general and between the corresponding systems of versification in particular[5]; these differences alone being taken into account, «the appreciable losses» in translation seem to be inevitable. Seeing also that the overwhelming majority of modern readers are TV-watchers or, at best, the readers of newspapers who are by no means well-versed in their own classical literature, one can hardly believe that, to use Osip Mandelstam's phrase, a «tribe of young Pushkinologists» is likely to appear in the West in the foreseeable future. And here the reader would inevitably come to think that this task cannot be carried out in practice and that in actual fact such translations have no concrete addressee, after which the natural question arises: is it at all worthwhile to translate Pushkin and to venture upon this obviously unrewarding labour?

This question may be answered only in the affirmative: yes, it is necessary to translate Pushkin, it is impossible not to translate him into foreign languages simply because the Western connoisseurs of literature themselves unfailingly mention him side by side with other immortal names — Homer, Dante, Shakespeare, Calderon, Goethe[6]. The translations of works by those immortals (for instance, Shakespeare) into Russian are not at all perfect, but it is unlikely that the Russian reader would prefer to do without even those faulty texts which give him at least a remote idea of what the original sounds like, and would nourish the vague hope that one day, no doubt, he would learn the English language and succeed at long last in enjoying the harmony of Shakespeare's verse without the help of any intermediaries. The translations of classical works clearly should exist; it is a different matter what their quality would be and what in general one might expect from a translation.

True, there exist objective discrepancies between different languages: thus, in the English language monosyllabic notional words are used more frequently than in Russian, and for this reason in English poetry the prevailing rhyme is masculine while the alternation of masculine and feminine endings typical of the Russian poetry would seem rather strange and unusual when reproduced in the English translations; the use of words with an accumulation of consonants is not characteristic of the English language either, that is why the acoustic impression a Russian text and its English counterpart produce upon the reader very often may be quite different. Apart from these obvious discrepancies there are other — less conspicuous, but no less significant — differences between the two languages: first of all, in ways of bringing words together and in the stylistic peculiarities of the latter, in the general structure of sentences and so on. That is why the total and complete correspondence between the original and its translations is in principle impossible.

Moreover, when comparing a text with its translation one should take into account the peculiarities of each particular literary, cultural and historical tradition and try to understand what place is occupied by this or that original text in the respective tradition, as well as to pay attention to the properties of an individual imaginative-stylistic system of the author of a text subjected to translation[7]. This again complicates the task of the translator still further, for in the process of translation there always remains a danger of turning Pushkin into John Donne or Carl Sandburg, for example, or of overshadowing him to a certain extent by the translator's own figure. The task then appears to be very difficult indeed, but does it mean that it is in general unsurmountable, that the translator's labour is necessarily unrewarding (the above-mentioned «addresslessness» of translations will be discussed a bit later)?

It seems that the first and the main requirement any translation should meet — in our case, these are the translations of poetic texts — is the following: the translation must not violate the numerous and often unwritten laws of a given language and must not be out of keeping with its prosodic, lexical, syntactic and stylistic system, for otherwise even if the translation does contain many direct and literal parallels with the original the former would still impress one as something drearily and hopelessly tongue-tied. Another no less important problem is that of the possible associations of the literary and historical kind evoked in a person's mind in the process of reading the translation, when a sufficiently well-versed reader even without knowing that he is dealing with a translation of Pushkin's poem, for example, would treat this text as a poetic work which he is not familiar with and which, depending on its genre, could in principle have been written by Byron, by Thomas Moore or (less likely) by Thomas Gray but which he would fail to attribute to one of these poets with any degree of certainty. In both cases (that is, in connection with the linguistic peculiarities of a text and with the possible literary parallels) we have so far been speaking about the first impression only, but it is this impression that turns out to be most important: if the text of the translation is immediately comprehended as bad and faulty poetry, if the reader unmistakably relates it to a literary tradition intrinsically alien to this text, any further pondering on the quality of the translation and its closeness to the original becomes simply meaningless and deteriorate into mere scholastic exercises, into a mechanical «inventorying of letters and syllables» — an undertaking which is, very naturally, quite harmless, but at the same time definitely useless.

There is no doubt about the fact that all those who translated Pushkin into English did it because they loved his works. Already in the beginning of 1820s his name became known in England, and by 1828 he was recognized there as the leading Russian poet. In 1830 the English people had an opportunity to read excerpts from «The Bakchesarean Fountain» in I. I. Kozlov's translation, and then in 1835 in Petersburg a writer and translator George Borrow published a collection of ballads under the general heading «Targum»[8] in which translations of some Pushkin's works were included, and another collection of poems, «The Talisman»[9], its title having been borrowed from a poem by Pushkin printed in this book. Speaking about Pushkin's contemporaries and compatriots who translated his works already after his death one should mention Anna Davydovna Baratynskaya (1814-1889), the addressee of Pushkin's poem of 1832 «Когда-то (помню с умиленьем)...»; she published her translations under the pseudonym «The Russian Lady».

In England the work on Pushkin's translations in the 19th century was connected with the names of Thomas B. Shaw, W. R. Morfill, C. E. Turner; among the more prominent 20th century translators of Pushkin one should mention John Pollen, Mrs. Dorothea Prall, Moris Baring, Oliver Elton, Walter Morison, C. M. Bowra, Vladimir Nabokov, Charles Johnston. The first American translator of Pushkin was W. D. Lewis who published his translation of «The Bakchesarean Fountain» in 1849[10]; another person who contributed greatly to popularizing Pushkin's works in America was Ivan Panin, he published a collection of Pushkin's poetic works in 1888 in Boston[11]. Among the translators of Pushkin (including those who have not been named here) special mentioning should be made of Walter Arndt, the author of marvellous and unique English translations of the great Russian poet's works.

The history of Pushkin's translations into English is a special enormous subject, and we have no possibility to tackle it in greater detail within the limits of this article. The point which interests us at present is the quality of these translations, and in this connection it is necessary to note that many of them are obviously dilettantish, as it was the case with George Borrow's translations, for example[12]. Some professional translators who devoted many years of their lives to Pushkin took delight in finding literal word-by-word correlations, and as a result they created definitely bad, lame English verses[13]; the exceptional painstakingness of these people cannot compensate for the absence of real poetic talent, and their efforts in the final analysis may cause only sympathy (although it is very probable that they themselves were quite satisfied with their lot, for they were doing the thing they liked the way they chose, while not really competent or not quite disinterested critics published laudatory reviews of their work[14]). The extreme case of this far-gone literalness, the example of a translator's wasted labour is the English text of «Eugene Onegin» and the three volume commentary to it produced by Vladimir Nabokov — a person who was undoubtedly endowed with a literary talent, but whose stupendous work in question (a word-for-word translation in which out of all the poetic traits of the original only the iambic rhythm is preserved, and the meticulous commentary often totally unrelated to Pushkin's text) appears to be something self-sufficient, an ill-chosen way of the translator's self-expression at the expense of the original text and to the detriment of it[15].

The list of curiosities and failures accompanying Pushkin's translations into English can be extended indefinitely, but still the translations of Pushkin's works were not totally unsuccessful; this might be proved if one turns to many poetic texts included in the present collection. The attitude of Russian readers to these texts would inevitably and pardonably be distrustful, but if one forgets about some stereotypes and gets rid of certain preconceived ideas, it is impossible not to be impressed by the following lines, for example:

«I recollect that wondrous meeting,
That instant I encountered you,
When like an apparition fleeting,
Like beauty's spirit, past you flew».

Or

«At moments when your graceful form
In my embrace I long to capture,
And from my lips a tender swarm
Of love's endearments pour in rapture».

(these are the first stanzas of Pushkin's poems «Я помню чудное мгновенье...» and «Когда в объятия мои...» translated by Walter Arndt). Somehow one does not feel like analysing these lines: evidently these are good English verses, not exactly Byron, not exactly Thomas Moore, and clearly not Swinburne of Christina Rossetti, but their authorship, their place within the literary tradition or their linguistic characteristics are not something that you are thinking about when reading them for the first time; you just gratefully comprehend them as noteworthy poetic texts.

When one reads the first stanza of the poem « Я помню чудное мгновенье...» in A. D. P. Briggs' translation the impression would be different:

«I still remember all the wonder,
The glorious thrill of meeting you,
The momentary spell of splendour,
Spirit of beauty pure and true». ·

Here one feels that for some reasons it is difficult to be charmed by these lines, and the natural question to arise in this connection is — why is it so? The comparison of the translation with the original text would show 1) that in the former the first and the third lines are unrhymed, 2) that in the translation there are superfluous words like «glorious thrill», «(spell of) *splendour*», «(spirit of beauty pure and *true*», 3) that there are lexical discrepancies between the two («wonder» — «чудное мгновенье...» и т.д.), 4) that in the translation one comes across the stylistically marked use of the attributes «pure and true» in postposition which has got nothing to do with the original (in Pushkin's text the second adjective is simply not there), 5) that the syntactic structure of the text is changed, for the compound sentence of the original in translation is substituted by the simple one with the enumeration of homogeneous parts. But are these the reasons for the difference in the impression the translations of «Я помню чудное мгновенье...» by Walter Arndt and A. D. P. Briggs produce? In fact A. D. P. Briggs' translation «does not charm» the reader well before comparing it with the original, while Walter Arndt's text is accepted at once — and again, well before turning to Pushkin's poem. What is the matter then?

A preliminary answer to this question has already been given above. In Walter Arndt's translation there is nothing to insult the linguistic taste of a reader, there is nothing in it to contradict the reader's «inner idiomaticity», so to say, his idea of what English verses in general should sound like (provided, of course, that the reader actually does have such an idea). A. D. P. Briggs, on the contrary, generously and constantly tries the patience on his readers: one feels bewildered already at the way of rhyming — unusual for, and untypical of, the English poetry, and as a result the rhyme attracts much more attention than it could possibly be afforded in a given context. But this rhyme as such could have been put up with, had it not been accompanied by other oddities, namely 1) using within one and the same word-combination two quite expressive words («glorious» and «thrill»), which makes the word-combination as a whole look excessively colourful, this not being justified by the general context of its usage, and 2) placing the word «spirit» (normally with the stress on the first syllable) in an accentual position which is abnormal for it, when the stress is shifted to the second syllable and the word fails to look natural in the general poetic context.

All this, of course, may be overlooked, one may advise oneself not to bother about trivialities, but unfortunately these alleged «trivialities» make the poem extremely disbalanced, and some more or less neutral (or, at any rate, not particularly colourful) elements of the text suddenly become something aesthetically crucial for it, thus destroying the very hint at the harmony and balance between the parts within the poetic whole. It is this lack of harmony that immediately places the second of the above texts in the category of poems to be treated with suspicion: after such a beginning you expect the corresponding continuation, and this is precisely the thing that any reader who is not engaged in a special investigation and who has an experience of dealing with not so good poetry would be very likely to try and avoid so as not to shudder at the sight of the new incongruities which are speedily coming in the next stanzas:

«When sadness came upon me, endless,
In vain society's direst days,
I heard your voice, your accent tender.
And dreamt of heaven in your face», and so on.

This translation by A. D. P. Briggs is included in the present collection not because its compilers at some moment have inexplicably lost the power of discrimination. In fact it has been done in order to enable the reader of Pushkin's translations to have a better idea of what those translations in so many cases sound like, and to compare them with each other (with this objective in view Walter Ardnt's translation of «Я помню чудное мгновенье...» is adduced in this collection).

However, if we were to specify the main idea of the article, we would say that it has got nothing to do with giving a list of «good» and «bad» translations of Pushkin; its actual aim is to describe the problems which are objectively there when poetic texts in general and Pushkin's texts in particular are subjected to translation. For this reason we are not going to discuss the not so good poetry any longer and will just say in passing that such verses may appear not so much because the translator does not know, does not feel his own language or does not possess a sufficient literary talent, but because he cannot liberate himself from looking for literal correspondences and concentrate on creating a text which would impress the reader aesthetically without losing at the same time the acoustic, rhythmical and conceptual affinity with the original. If this main requirement has not been met, any comparison of the translation with the translated text becomes senseless, and further on while comparing Pushkin's works with their English translations we shall discuss other, more complicated problems assuming that no reservations are called for in connection with the general acoustic form and the general linguistic characteristics of the texts under analysis.

The tradition of speaking about classics with bated breath and in the superlative only is so deeply rooted that many readers of Pushkin would find it sacrilegious to establish some hierarchy for his poems and to say — even if the dubious question of aesthetic value is not touched upon («Every Pushkin's line is priceless!») — that they differ, at any rate, with the respect to their linguistic complexity. But if one forgets about these stereotypes for a moment, it would be difficult not to agree that the text of «The Upas Tree» («Анчар»), for instance, is linguistically more difficult than that of an epigram «В Академии наук / Заседает князь Дундук». If at least this juxtaposition is allowed, the next logical step would be creating a very tentative working classification of texts which are gradually becoming more and more complex linguistically: epigrams and «album verses» («Гонимый рока самовластьем...» ог «Долго сих листов заветных...»), then — texts with various thematic and stylistic characteristics, which are devoid of «complicated imagery» («Я вас любил», «Я помню чудное мгновенье...»), and then — texts with this «complicated imagery» («Пророк», «Анчар»). In this classification so far there has been not place for a) more or less lengthy texts endowed with a considerable thematic-stylistic heterogenuity («Eugene Onegin», «The Bronze Horseman», and others), b) «technically» complex poetic texts (with an unusual metrical or stanza structure), c) texts belonging to other genres (fairy-tales, narrative poems and so on); these texts as well as the difficulties arising in connection with their translations will be discussed later, and at the moment we shall concentrate on the linguistic classification which has just been suggested.

It might seem that when speaking about the translations of Pushkin's poems this classification does make sense. Really, why not assume that other things being equal — that is, when the translator succeeds in creating an idiomatically acceptable English text — the task he is faced with while dealing with the poems less complex linguistically would be easier than in the case of translating texts endowed with «complex imagery» which is inevitably reflected on the linguistic level — for instance, when the «high» poetic lexis is used? As a consequence of it the «extent of closeness to the original» in various situations would be different due to the linguistic peculiarities of Pushkin's texts, and a translator creating the English «Анчар» would have to make greater effort than the author of the English «Князь Дундук»:

> «When the Academy meets,
> Prince Dunduk finds there a seat.
> People say it isn't fitting
> That Dunduk this honour has.
> Why then do we find him sitting?
> Just because he's got an ass»
> (translated by C. Whittaker).

Even though the comparison of this English text with the Russian original shows some points of divergence between the two (the use of a more straightforward and rough expression in the translation to render Pushkin's fourth line «потому что есть чем сесть»), these discrepancies do not appear so significant simply because the poem itself is not particularly sophisticated. And if the translator manages to retain the liveliness and the laconicism of the original, the changes he introduces on the lexical and other levels of the text's linguistic organization do not cause any disagreement due to the inconsiderable «supraconceptual», aesthetic relevance of the linguistic units in the original; to illustrate this point we shall adduce another example — the quatrain «Нет ни в чем вам благодати: / С счастием у вас разлад: / И прекрасны вы некстати, / И умны вы невпопад» in Walter Arndt's translation:

> «You're the kind that always loses,
> Bliss and you are all at odds:
> You're too sweet when chance refuses
> And too clever when in nods».

Any comments here would be superfluous: this undeniably exquisite, but not very complicated Russian text has been given an equally bright and memorable English counterpart, and so the problem of divergences and similarities in this case does not arise (especially as here the correspondence between the two is practically complete). The task a translator is confronted with when dealing with the poems «Я вас любил» or «Я помню чудное мгновенье...» is incomparably more difficult as both the content of the original and the language used in it for rendering this content are more complicated. When we were speaking about the translations of the first stanza of the second poem, we came to a preliminary conclusion that this task in not always accomplished successfully. But in connenction with A. D. P. Briggs' translation we have pointed out not only to its deviations from the original, but also to some rather awkward turns of phrase; A. Myers' translation of the poem «На холмах Грузии лежит ночная мгла...» is free from these shortcomings, but at the same time after reading this text one would not say that it is really close to the original:

> «The Georgian hills above lie shrouded in the night;
> Aragva churs down in the hollow,
> I feel both sad and gay, my grief suffused with light;
> Your presence permeates my sorrow,
> Just you and you alone... My melancholy fit
> Is undisturbed, no outside thing to bother,
> My heart once more is warmed to love, and it
> Must love, for it can do no other».

The difference in the impression the original and the translation produce on the reader is not so much due to separate lexical and morpho-syntactic substitutions or rhythmical discrepancies, but to the general «highflowing» of the lexis which is consistently done by A. Myers when he uses very colourful phrases («my grief suffused with light», «your presence permeates my sorrow», «my melancholy fit» and so on) instead of the much more neutral Pushkin's expressions («печаль моя светла», «печаль моя полна тобою», «унынья моего»). Its lexis being excessively «poetic», this English text is comparable, let us say, to a well-known Byron'a poem «Farewell! if ever fondest prayer», but clearly not to Pushkin's original text, and this incongruity can be explained by the fact that the translator had used the wrong stylistic layer and as a result had created a poetic work quite remote from the original.

It follows that epigrams and «album verses», on the one hand, and lyrical poems free from «complex imagery», on the other hand, may be juxtaposed with respect both to their linguistic characteristics and to the problems which arise when the texts are being translated into a foreign language. But is it possible to extend this juxtaposition still further and use it in the comparison of texts endowed with, and free from, «complex imagery» respectively?

It goes without saying that when a translator works with poems containing «complex images» he should not only correctly assess the relationship between the relatively neutral and stylistically marked elements of the text, but also to understand the nature of this stylistic colouring, it's being determined by the general content and by the genre peculiarities of the original. Most of the time the genre characteristics of a text which has a sufficiently lucid content are reflected on the linguistic level quite unambiguously (hence the use of «poetic» lexis in the translations of «Памятник» or «Поэту» and of «fairy-talish»-conversational phrases in those of «Жених»), but when one tackles the poems with «complex imagery» he faces more problems both in specifying the genre of the text and, consequently, in choosing the particular stylistic layer to properly render the stylistic colouring of the original. Even before finishing reading a translation of such a text you try to get reconciled to the thought that it would be unsuccessful: the tasks of the translator is too complicated, and that is why any fault would seem forgivable, there would be nothing unexpected in it. And hence the more pleasant it is to read a translation where all the above difficulties have been overcome, where the optimal combination of the different layers of «poetic» and comparatively neutral lexis has been found and where the translator has managed to create an image which is possibly no less strong and bright than the original Pushkin's image, the way it is done by Walter Arndt in the horrifying and majestic lines of his «Анчар» («The Upas Tree»):

«On acres charred by blasts of hell,
In sere and brittle desolation,
Stands like a baleful sentinel
The Upas, lone in all creation.

Grim Nature of the thirsting plains
Begot it on a day of ire
And steeped its leaves' insensate veins
And filled its roots with venom dire.

The poison trickles through its bark
And, melting in the noonday blazes,
It hardens at the fall of dark
In resinous translucent glazes».

The general impression this text produces is such that one feels like going on with this quotation, one would like to rewrite it up to the end — first of all, in order to enjoy the English text itself once again. And when this ingenuous desire of a reader is satisfied, he might pass on to comparing the translation with the original and find out on the basis of this example that in principle even such a poetic work may be translated into a foreign language without distortions — provided, very naturally, that it is done by the real expert.

Thus, due to the efforts of Walter Arndt Pushkin's «Анчар» has gained life in the English language without losing its «complex imagery». According to the linguistically based classification of Pushkin's texts suggested above this poem (as well as «Пророк» and many others) differs, for example, from the poem «Я вас любил» with respect to its linguistic complexity, and here the following question arises: is it admissible to juxtapose these poems already in connection with their translations? Are the linguistic «simplicity» or «complexity» of a text related to the «simplicity» or «complexity» of a task to be accomplished by the translator? What is more difficult — to translate a «simple» poem «Я вас любил» or a «complex» text of «Анчар»?

It seems that on this level the above juxtaposition becomes irrelevant. It is hardly more difficult (by no means more difficult!) to turn to the layer of English «poetic» lexis of the Anglo-Saxon origin when translating «Пророк» which is replete with Church-Slavonic constructions, than to find «simple» — meaning really stylistically unmarked — words for rendering the content of «Я вас любил». In both cases the task a translator faces is very difficult indeed, and it is not made easier by the alleged «simplicity» of the lyrical poems free from «complex imagery». That is why the above «linguistic» classification of texts is only partly relevant when one speaks about translations, which once again proves the validity of a not very sophisticated pronouncement — not everything «simple» is actually so elementary.

As we have already said, Pushkin's poetic texts may be classified on the basis of other criteria as well — for instance, in connection with their «technical» complexity or their genre properties. Thus, the Onegin stanza is undoubtedly more complex for translation than any poem written simply in iambic tetrameter; the genre of «Пророк» or «Подражания Корану» is undoubtedly more complex than that of the poems «Цветок» or «И. И. Пущину». But the question of whether the translator possesses or, on the contrary, lacks the necessary versification skills is something fairly obvious, and the only really important thing here would be the translator's ability to make up his mind for the extent to which retaining the formal similarity with the original is significant in each particular case (the answer is self-evident when one deals with the Onegin stanza and some other poetic forms; in other situations formal correspondences may be sacrificed if Pushkin's meter or rhyme, for example, do not seem to be particularly important). The problem of genres should be at all discussed with respect to translations not for stating that the conceptual (thematic) peculiarities of the original must be reproduced in the translation (first of all, on the linguistic level), but only when one observes the «blurring» of a literary canon, when its properties are being violated and played upon. The latter point is directly connected with another question which is of paramount importance here and the discussion of which will conclude the present article — namely, the problem of the thematic-stylistic heterogenuity of Pushkin's works and the possibility to retain this heterogenuity in translation.

Thematic-stylistic heterogenuity is characteristic of such Pushkin's works as «The Bronze Horseman», for example. In spite of this text possessing some unifying imaginative-stylistic basis, the «poetic» lexis and the turns of phrase which sound deliberately archaic like «На берегу пустынных волн / Стоял он, дум великих полн», the solemn metaphorical expressions and comparisons («Померкла старая Москва, / Как перед новою царицей / Порфироносная вдова»), the sustained enumerations of homogeneous constructions («Люблю тебя, Петра творенье...» and others) are rather definitely associated with the theme of Peter the Great and St. Petersburg, while Eugene, his contemplations and his misfortunes are described with the help of the «lower» lexis, and here the colloquialisms («Жениться? Ну... зачем же нет? / Оно и тяжело, конечно <...>») are artfully interwoven with various cliched «literary» phrases, their «unoriginality» only emphasizing some essential traits of Eugene's character («Он кое-как себе устроит / Приют смиренный и простой», «<...> и так до гроба / Рука с рукой дойдем мы оба / И внуки нас похоронят»). Apart from this global juxtaposition conceptually related to one of the main themes of «The Bronze Horseman», in this text one may find other thematic-stylistic layers — less extensive and less significant as far as the place they occupy within the artistic system of this text is concerned, for instance, insertions not immediately relevant to the main line of narration such as «Граф Хвостов, / Поэт, любимый небесами, / Уж пел бессмертными стихами / Несчастье невских берегов», where one can observe the «highflowing» of the lexis standing out even against the background of Peter the Great's and St. Petersburg's descriptions, which in the final analysis creates an ironic effect.

But we shall not undertake a more detailed investigation and will refrain from splitting the material still further. As in the present article we are primarily concerned with the English translations of Pushkin's works, all the above should somehow be connected with the problems of translation. This connection turns out to be clear and straightforward: if a translator does not notice the thematic-stylistic heterogenuity of the original or if he fails to retain this heterogenuity in translation, the text he will eventually create is going to be an insipid replica of the original, still rendering its content and some of its stylistic features but basically being much inferior to it from the point of view of the artistic complexity and the intensity of the impression produced upon the reader. It must be noted that to Walter Ardnt's honour (his translation of «The Bronze Horseman» is included in the present book) he managed to cope with this task and to create a text in which the above thematic-stylistic contrast is presented very vividly and which (whatever the inevitable limitations typical of all translations may be) can give the English-speaking public an idea of what «The Bronze Horseman» sounds like in Russian. Here we would like to stop at that and not adduce any other examples letting the reader to see with his own eyes whether our assessment of Walter Arndt's translation is at all justified.

There is no direct correlation between the thematic-stylistic heterogenuity of a text and its length, its genre and its belonging to prose or poetry. Thus, quite protracted texts which in principle may be subjected to a purely thematic stratification, very often prove to be stylistically homogeneous, indivisible or almost indivisible («The Bakchesarean Fountain»), this greatly simplifying the task of the translator. As compared to «The Bronze Horseman», the «Stone Guest» which has similar dimensions turns out to be less thematically and stylistically involved, for in it one can observe a fairly obvious contrast between the spoken language and some examples of «poetic» speech — a contrast easier to be reproduced when translating this text than in the translation of «The Bronze Horseman», and not really connected with the genre peculiarities of this work of art. It would also be a mistake to think that thematic-stylistic heterogenuity is typical of poetic text exclusively because in them the «imaginative» potential of a language is used more actively than in prosaic texts: the investigations of Pushkin's works have shown that it was in his prosaic works that he achieved amazing virtuosity in creating various thematic-stylistic planes[16], and here the translator's task — if only he is ready to comprehend this multiplicity of planes -proves to be very complicated indeed.

A considerable thematic-stylistic heterogenuity is characteristic of one more Pushkin's masterpiece — his novel in verse «Eugene Onegin». Those translators who undertake recreating «Eugene Onegin» in the English or any other language are confronted with a number of difficulties among which the purely «technical» versification problems (reproducing the general structure of the Onegin stanza, retaining the rhyme and so on) would not be of serious significance for a real professional. It might seem that the difficulties here lie in another sphere: the translators of «Eugene Onegin» — non-Russians that they are — cannot feel the «national flavour» of this work of art and, consequently, cannot render in English all the peculiarities of Russian life of that period or the essence of the discussions concerning the ways for the possible development of the Russian language and literature — the discussions which took place at that time and which were reflected in the novel. No doubt, these difficulties are objectively there, but it would be a mistake to believe that they are totally unsurmountable: for the real understanding of the novel, for comprehending this Pushkin's work in its globality and diversity both foreign and Russian readers nowadays require a comprehensive historical and cultural commentary, and if such commentaries exist and are available to the native speakers of Russian, then there is absolutely no reason why a foreign specialist in translation should not be able to use them in order to compensate for the lacunae he would inevitably have in this field.

In our opinion, the real difficulty in translating «Eugene Onegin» consists in rendering the inimitable elegance and variability of Pushkin's speech, so that the emotional lyrical digressions would not coincide stylistically with the relatively neutral descriptions of nature, so that the text would retain the author's irony which literally underlies the whole narration, and so that the parts of the novel especially memorable to Russian readers — such as Tatyana's letter to Onegin or the scene of their last conversation — would not lose their artlessness and their moving character in the translation. English and American translators have several times (to be exact — 10 times up to now) undertaken the creating of the English «Eugene Onegin», and in some cases — in particular, with respect to the translation by J. E. Falen included in the present collection — it may be said that their attempts have been a success.

The serious investigation of any of the existing translations of «Eugene Onegin» must be carried out in a special detailed publication. As for our article, here we can only mention some traits of J. E. Falen's translation, which appear to be the most important for assessing this English text. Thus, the fact that the translator does have the necessary versification skills becomes clear already after reading several opening stanzas:

> «My uncle, man of firm convictions...
> By falling gravely ill, he's won
> A due respect for his afflictions —
> The only clever thing he's done <...>» and so on.

A strict critic would say that the fourth line («И лучше выдумать не мог») in J. E. Falen's rendering is not true to the original, that Ch. Johnston's translation is closer to Pushkin's text («And never played a shrewder trick»), but such discrepancies (as well as the obvious «highflowing» of style when using the word «afflictions») are connected precisely with the «technical» side of the matter. And if the reader understands it, if he is able to liberate himself from the profoundly false assumption — «No deviations from original, every

Pushkin's word is priceless!» and so on — if he does not yield to the temptation of indulging in «slow reading» when each word develops an associative plane of its own (which does not happen when a text is read with its «normal» speed), — then the poetic skills of J. E. Falen would not seem particularly inferior.

Various details of Russian life are rendered in this translation quite satisfactorily. «Брусничная вода» (III, 3; 4), for example, the recipe for which some excessively painstaking scholars are ready to adduce in their commentaries, is translated with absolute exactness as «a drink of lingonberry flavour» or «lingonberry brew» (Ch. Johnston used here the word-combination «bilberry wine», «черничное вино», which was not a very happy choice), and the line «С супругом чуть не развелась» (II, 31), which is capable of causing another welter of encyclopedic knowledge also sounds quite acceptable: «And almost even left her spouse».

Pushkin's irony in this translation is no less articulate; cf. the lines describing Lensky's romantic moods:

> «He sang of parting and of pain,
> Of something vague, of mists and rain;
> He sang the rose, romantic flower,
> And distant lands where once he'd shed
> His living tears upon the bed
> Of silence at a lonely hour;
> He sang life's bloom gone pale and sere —
> He'd almost reached his eighteenth year»
> («Он пел разлуку и печаль.
> И *нечто*, и *туманну даль*,
> И романтические розы;
> Он пел те дальные страны,
> Где долго в лоно тишины
> Лились его живые слезы;
> Он пел поблекший жизни цвет
> Без малого в осьмнадцать лет»), II, 10.

The translator also manages to faithfully reproduce the general diction of the lyrical digressions (cf. «Я помню море пред грозою...», I, 33 — «I recollect the ocean rumbling: /O how I envied then the waves — / Those rushing tides in tumult tumbling / To fall about her feet like slaves»), clearly distinguishing them on the linguistic level from the other thematic-stylistic layers of the text, even if these latter are close to the former in their overall «lyrical» tone — such as Tatyana's letter, for example:

> «Another! No! In all creation
> There's no one else whom I'd adore;
> The heavens chose my destination
> And made me thine for evermore!»
> («Другой!.. Нет, никому на свете
> Не отдала бы сердца я!
> То в высшем суждено совете...
> То воля неба: я твоя <...>»), III.

J. E. Falen displays the same ability when recreating the general sound of such an «alien stylistic insertion» in the main text of «Eugene Onegin» as the «Song of the Maids» (which concludes the third chapter of the novel):

«<...> Strike you up a rousing song,
Sing your secret ditty now,
Lure some likely lusty lad
To the circle of our dance»
(«Затяните песенку,
Песенку заветную,
Заманите молодца
К хороводу нашему»).

It is clear that such examples may be multiplied infinitely, but here we shall confine ourselves to those adduced above, for already on the basis of these extracts a reader would be able to make a preliminary assessment of the artistic qualities of the translation under discussion and to have an idea of the degree of its closeness to the Russian original. As for the more comprehensive impression, it will appear only after one gets acquainted with the text of the translation which we would like to turn our readers to — with the firm belief that the work done by J. E. Falen deserves one's attention and respect.

Now the time has come to arrive at some generalizations and to find out what conclusions we have come to. Our reasoning here was aimed at proving the following main idea: whatever the inevitable difficulties a translator is confronted with in the process of working on the text may be, whatever the inevitable difference in the literary talent of the author of the original text and of the translator is, still it is possible in principle to recreate Pushkin's works in a foreign language with a fair degree of faithfulness, not just rendering their content, but simultaneously retaining their artistic, aesthetic peculiarities. The proof to it — the texts which have already been mentioned here as well as many others which can be found both in this book and in the various collections of translations of Pushkin's works.

Thus the categorical statement about the impossibility to properly translate Pushkin is cancelled or, at any rate, becomes something relative, and not absolute, it is already for this reason that the work of Pushkin's translators should not be considered senseless and unproductive. But the problem of it being rewarding or not still remains: whom are these translations meant for, do the English readers of Pushkin really exist (those who cannot learn Russian or who do not know it well enough, but who would really like to become familiar with the poet's works), or it may be that in the course of this work the translators are just amusing themselves?

The answer to this question is very simple. Translations from Pushkin are meant for all those who love and understand classical literature, all those in whom (if we speak about English readers) Shakespeare's name evokes some definite associations. Those who would like to become familiar with Pushkin's works understand the difference between that which is transient and that which is there to stay, they do not associate themselves with any elite and they are not enchanted by the constantly appearing and speedily disappearing one-day nonentities. It will be those who find joy in getting nearer to the great creations of human spirit. And even if their number is small (perhaps such people cannot be numerous), still they would be really able to appreciate the enormous work done by the translators of Pushkin, the

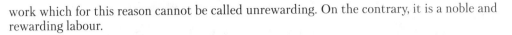

work which for this reason cannot be called unrewarding. On the contrary, it is a noble and rewarding labour.

NOTES

1. Тургенев И. С. Полное собрание сочинений и писем в 28 т. Письма в 13 т. Л., 1968. Т. XIII, кн. 1. С. 182-183. (Письмо к П. В. Анненкову от 20 января 1882 года).

2. Чуковский К. И. Онегин на чужбине // Дружба народов. 1988. № 4. С. 246.

3. An Introduction to «Alexander Pushkin» / Selected and edited by A. D. P. Briggs. London, 1997. P. XIX.

4. Алексеев М. П. Пушкин и мировая литература. Л., 1987. С. 358-359.

5. Cf., for example: Жирмунский В. М. Теория стиха. Л., 1975; and others.

6. «The modern time knows that Alexander Sergeevich Pushkin belongs to those immortal ones the first representative of whom was Homer and among whom in Europe only the names of Dante, Shakespeare, Calderon, Goethe may be mentioned. The sixth person joining those immortal five is Pushkin» (J. von Guenther. Pouschkin. Der Hippogryph, Zweites Heft, München, 1923; the present quotation is a translation of the Russian text by V. Neishtadt: Нейштадт В. Пушкин в оценке западно-европейской критики // Вестник АН СССР. 1937. № 2-3. С. 219).

7. In this connection see: Эткинд Е. Г. Художественный перевод: Искусство и наука // Вопросы языкознания. 1970. № 4. С. 25.

8. Borrow George. Targum; or, Metrical Translations from Thirty Languages and Dialects. St. Petersburg, 1835.

9. Borrow George. The Talisman. From the Russian of Alexander Pushkin. With Other Pieces. St. Petersburg, 1835.

10. The Bakchesarean Fountain and Other Poems, by Various Authors. Translated by William D. Lewis. Philadelphia, 1849.

11. Poems of Alexander Pushkin. Translated by Ivan Panin. Boston, 1888.

12. Cf.: Алексеев М. П. Русско-английские литературные связи (XVIII век первая половина XIX века): Литературное наследство. М., 1982. Т. 91. С. 606-613.

13. A great amount of such faulty translations may be found in the following book: Pushkin Alexander. The Works / Selected and edited with an Introduction by Avrahm Yarmolinsky. New York, 1936.

14. See in this connection: Алексеев М. П. Пушкин и мировая литература. Л., 1987. С. 359.

15. This particular work of Vladimir Nabokov had been criticised by a number of specialists (cf.: Чуковский К. И. Указ, соч.; Левин Ю. Д. Новый английский перевод «Евгения Онегина» // Русская литература. 1981. № 1. С. 220-221); a severe and at the same time at any rate, in our opinion an absolutely correct assessment of this translation was suggested by Walter Arndt who equated it with «the sad ritual murder performed for the purposes of an ever more insatiable lexical necrophilia» (Arndt W. An Introduction to «Pushkin Threefold». New York, 1972. P. XVIII).

16 In this connection see the exceptionally profound and detailed works by Academician V. V. Vinogradov: his book «Стиль Пушкина». М., 1941 (the chapter «Стиль повествовательной прозы Пушкина», с. 514-582); a collection of his articles under the general heading «О языке художественной прозы». М., 1980 (the article «Стиль «Пиковой дамы»», с. 176-239); and others.

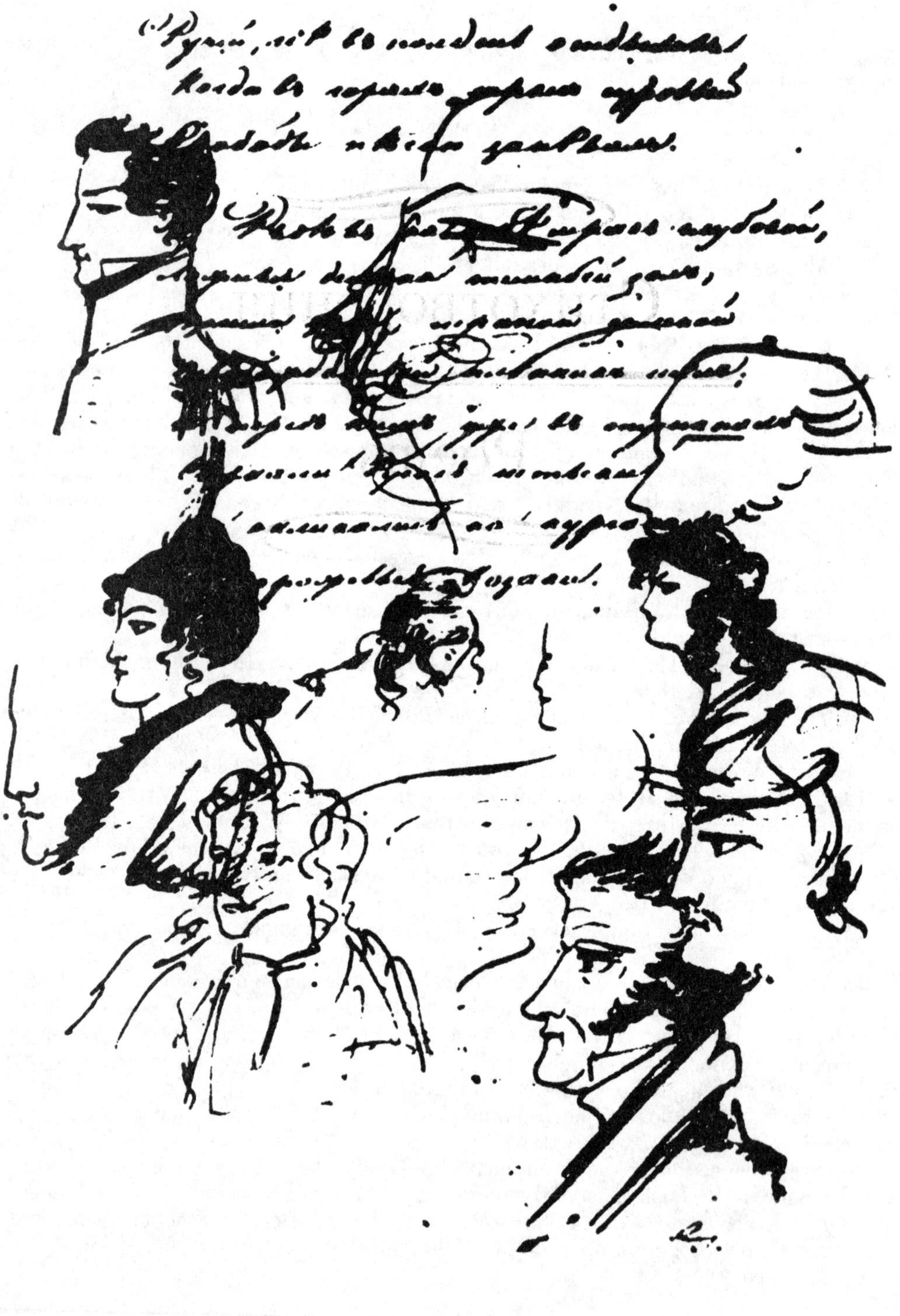

Стихотворения

Poems

СКАЗКИ

Noël

Ура! в Россию скачет
Кочующий деспо́т.
Спаситель горько плачет,
А с ним и весь народ.
Мария в хлопотах Спасителя стращает:
«Не плачь, дитя, не плачь, суда́рь:
Вот бука, бука — русский царь!»
Царь входит и вещает:

«Узнай, народ российский,
Что знает целый мир:
И прусский и австрийский
Я сшил себе мундир.
О радуйся, народ: я сыт, здоров и тучен;
Меня газетчик прославлял;
Я ел, и пил, и обещал —
И делом не замучен.

Узнай еще в прибавку,
Что сделаю потом:
Лаврову дам отставку,
А Соца — в желтый дом;
Закон постановлю на место вам Горголи,
И людям я права людей.
По царской милости моей,
Отдам из доброй воли».

От радости в постеле
Распрыгалось дитя:
«Неужто в самом деле?
Неужто не шутя?»
А мать ему: «Бай-бай! закрой свои ты глазки;
Пора уснуть уж наконец,
Послушавши как царь-отец
Рассказывает сказки».

1818

FAIRY TALES
Noël

Hurrah! To Russia gallops
The despot who has roamed.
The Christ shed bitter teardrops
And, withal, people moaned.
Now, Mary, troubled, scares the Savior with a saying:
«Oh, Baby, cry not, cry not, Sire:
Bogeyman'll get you — the Russian tsar!»
The Tsar walks in, pontificating:

«The rest of the world is informed,
But learn, oh people Russian:
I made myself two uniforms,
Both Austrian and Prussian.
Rejoice, oh nation mine; I'm fit and stout and sated:
My name the newsmen glorified;
I ate and drank and certified —
And work on me ne'er grated.

And listen, in addition,
To then what I'll espouse:
Lavrov will get a pension
And Sots the crazy house;
With the rule of law, Gorgoli I'll replace,
And to people, peoples's rights,
By dint of royal will and might,
I'll bestow with grace».

In bed, from jubilation,
The Babe burst into tears:
«Is this not joculation?
Is all this really near?»
Then mother said to Him: «Close your eyes, don't wail;
It's time to go to sleep, by far,
But listen how our Father-Tsar
Narrates his fairy tales».

Translated by Cynthia Whittaker

К ЧААДАЕВУ

Любви, надежды, тихой славы
Недолго нежил нас обман,
Исчезли юные забавы,
Как сон, как утренний туман;
Но в нас горит еще желанье,
Под гнетом власти роковой
Нетерпеливою душой
Отчизны внемлем призыванье.
Мы ждем с томленьем упованья
Минуты вольности святой,
Как ждет любовник молодой
Минуты верного свиданья.
Пока свободою горим,
Пока сердца для чести живы,
Мой друг, отчизне посвятим
Души прекрасные порывы!
Товарищ, верь: взойдет она,
Звезда пленительного счастья,
Россия вспрянет ото сна,
И на обломках самовластья
Напишут наши имена!

1818

TO CHAADAEV

Our dreams of love and modest glory,
delusive hopes now quickly sped,
our pranks and games, our youth's brief story
like sleep or morning mist are fled;
and yet, within, desires still quicken,
our souls impatient for their hour,
while yoked beneath a fateful power
our country calls to us, heart-stricken.
We wait now, wearied-out with yearning
lest sacred freedom come too late,
as some young lover, too, might wait
the tryst for which his heart is burning.
So while for freedom's flame we live
and honor in our breast we treasure,
friend, let us to our homeland give
the noblest that our souls can measure.
My comrade, trust: she will yet rise
that star of captivating splendor,
the sleep will leave our country's eyes
and on the shards of tsardom's grandeur
our two names will be incised.

Translated by Alan Myers

ЧЕРНАЯ ШАЛЬ

Молдавская песня

Гляжу как безумный на черную шаль,
И хладную душу терзает печаль.

Когда легковерен и молод я был,
Младую гречанку я страстно любил.

Прелестная дева ласкала меня;
Но скоро я дожил до черного дня.

Однажды я созвал веселых гостей;
Ко мне постучался презренный еврей.

«С тобою пируют (шепнул он) друзья;
Тебе ж изменила гречанка твоя».

Я дал ему злата и проклял его
И верного позвал раба моего.

Мы вышли; я мчался на быстром коне;
И кроткая жалость молчала во мне.

Едва я завидел гречанки порог,
Глаза потемнели, я весь изнемог...

В покой отдаленный вхожу я один...
Неверную деву лобзал армянин.

Не взвидел я света; булат загремел..
Прервать поцелуя злодей не успел.

Безглавое тело я долго топтал,
И молча на деву, бледнея, взирал.

Я помню моленья... текущую кровь...
Погибла гречанка, погибла любовь.

С главы ее мертвой сняв черную шаль,
Отер я безмолвно кровавую сталь.

Мой раб, как настала вечерняя мгла,
В дунайские волны их бросил тела.

С тех пор не целую прелестных очей,
С тех пор я не знаю веселых ночей.

Гляжу как безумный на черную шаль,
И хладную душу терзает печаль.

1820

THE BLACK SHAWL

As of senses bereft at a black shawl I stare,
And my chill heart is tortured with deadly despair.

When dreaming too fondly in credulous youth,
I loved a Greek maiden with passion and truth.

My Greek girl was gentle and loving and fair;
But my joy quickly sank in a day of despair.

Once I feasted gay friends; ere the banquet was o'er
A Jew, the accursed, softly knocked at my door.

«Thou art laughing», he whispered, «in pleasure's mad whirl;
But she hath betrayed thee, thy young Grecian girl».

I cursed him; but gold as a guerdon I gave,
And took as companion my trustiest slave.

My swift charger I mounted; at once we depart,
And the soft voice of pity was stil'd in my heart.

The Greek maiden's dwelling I hardly could mark,
For my limbs they grew faint, and my eyes they grew dark.

I silently entered — alone, and amazed;
An Armenian was kissing the girl as I gazed.

I saw not the light; but I seized my good blade;
The betrayer ne'er finished the kiss that betrayed.

On his warm headless body I trampled, then spurn'd,
And silent and pale to the maiden I turned.

I remember her prayers — in her blood how she strove;
Then perished my Greek girl — then perished my love.

I tore the black shawl from her head as she lay,
Wiped the blood-dripping weapon, and hurried away.

When the mists of the evening rose gloomy, my slave
Threw each corpse in the Danube's dark fast-rolling wave.

Since then no bewildering eyes can delight;
Since then I forbear festive banquets at night.

As of senses bereft at a black shawl I stare,
And my chill heart is tortured with deadly despair.

Translated by William R. Morfill

Я пережил свои желанья,
Я разлюбил свои мечты;
Остались мне одни страданья,
Плоды сердечной пустоты.

Под бурями судьбы жестокой
Увял цветущий мой венец;
Живу печальный, одинокий,
И жду: придет ли мой конец?

Так, поздним хладом пораженный,
Как бури слышен зимний свист,
Один на ветке обнаженной
Трепещет запоздалый лист.

1821

НОЧЬ

Мой голос для тебя и ласковый и томный
Тревожит позднее молчанье ночи темной.
Близ ложа моего печальная свеча
Горит; мои стихи, сливаясь и журча,
Текут, ручьи любви, текут, полны тобою.
Во тьме твои глаза блистают предо мною,
Мне улыбаются, и звуки слышу я:
Мой друг, мой нежный друг... люблю... твоя...
                                твоя...

1823

I've lived to bury my desires,
And see my dreams corrode with rust;
Now all that's left are fruitless fires
That burn my empty heart to dust.

Struck by the storms of cruel Fate
My crown of summer bloom is sere;
Alone and sad I watch and wait,
And wonder if the end is near.

As conquered by the last cold air,
When winter whistles in the wind,
Alone upon a branch that's bare
A trembling leaf is left behind.

Translated by Maurice Baring

NIGHT

My murmurous soliloquy of thee oppresses
The hush of midnight with its languorous caresses.
Beside the couch whereon I drowsing lie there glows
A fretful candle, and my verse wells up and flows
Till purling streams of love, full-carged with thee, run through me.
Then, shimmering through the dusk, thy lustrous eves turn to me,
They smile at me and make a whisper as they shine:
My dearest, tender one... my love... I'm thine... I'm thine.

Translated by Walter Arndt

ТЕЛЕГА ЖИЗНИ

Хоть тяжело подчас в ней бремя,
Телега на ходу легка;
Ямщик лихой, седое время,
Везет, не слезет с облучка.

С утра садимся мы в телегу;
Мы рады голову сломать
И, презирая лень и негу,
Кричим: пошел! . . . . ,

Но в полдень нет уж той отваги;
Порастрясло нас; нам страшней
И косогоры и овраги;
Кричим: полегче, дуралей!

Катит по-прежнему телега;
Под вечер мы привыкли к ней
И дремля едем до ночлега,
А время гонит лошадей.

1823

THE WAGGON OF LIFE

Though creaking sometimes with the load,
Life's running waggon scarcely rocks.
Grey Time conducts us down the road;
This driver never leaves the box.

We climb upon the boards at dawn
Full of wild devilmend and crowing;
Spurning the languid life with scorn.
We cry, 'Go on, get fucking going!'

But by midday we've lost that boldness,
Feeling the waggon shake and judder.
Dread are the heights and dizzy gorges.
We cry, 'Slow down, you silly bugger!'

On goes the waggon round the bend.
By evening well we know the rhythm.
Nodding, we ride to our journey's end
Time's waggon ever-onward driven.

Translated by Anthony D. P. Briggs

АНДРЕЙ ШЕНЬЕ

Посвящено Н.Н. Раевскому

Ainsi, triste et captif, ma lyre toutefois s'éveillait...

Меж тем, как изумленный мир
На урну Байрона взирает,
И хору европейских лир
Близ Данте тень его внимает,

Зовет меня другая тень,
Давно без песен, без рыданий
С кровавой плахи в дни страданий
Сошедшая в могильну сень.

Певцу любви, дубрав и мира
Несу надгробные цветы.
Звучит незнаемая лира.
Пою. Мне внемлет он и ты.

1825

Фрагмент.

ANDRÉ CHÉNIER

(dedicated to N. N. Raevsky)

Ainsi, triste et captif, ma lyre, toutefois s'éveillait...

While awestruck all of Europe bends
Its gaze upon the urn of Byron,
And he the choir of bards attends,
A shade in Dante's high environ,

I hear another shadow call,
Who once, of songs and sobbing cheated,
By Terror's bloodstained planks retreated
Beneath the grave's umbrageous pall.

Sepulchral flowers I bring the poet
Of love and groves and comity.
A lyre resounds, though none yet know it.
I sing — heard but by him and thee.

Translated by Walter Arndt

Fragment.

К***

Я помню чудное мгновенье:
Передо мной явилась ты,
Как мимолетное виденье,
Как гений чистой красоты.

В томленьях грусти безнадежной,
В тревогах шумной суеты,
Звучал мне долго голос нежный
И снились милые черты.

Шли годы. Бурь порыв мятежный
Рассеял прежние мечты,
И я забыл твой голос нежный,
Твои небесные черты.

В глуши, во мраке заточенья
Тянулись тихо дни мои
Без божества, без вдохновенья,
Без слез, без жизни, без любви.

Душе настало пробужденье:
И вот опять явилась ты,
Как мимолетное виденье,
Как гений чистой красоты.

И сердце бьется в упоенье,
И для него воскресли вновь
И божество, и вдохновенье,
И жизнь, и слезы, и любовь.

1825

TO...

I recollect that wondrous meeting,
That instant I encountered you,
When like an apparition fleeting,
Like beauty's spirit, past you flew.

Long since, when hopeless grief distressed me,
When noise and turmoil vexed, it seemed
Your voice still tenderly caressed me,
Your dear face sought me as I dreamed.

Years passed; their stormy gusts confounded
And swept away old dreams apace.
I had forgotten how you sounded,
Forgot the heaven of your face.

In exiled gloom and isolation
My quiet days meandered on,
The thrill of awe and inspiration
And life, and tears, and love, were gone.

My soul awoke from inanition,
And I encountered you anew,
And like a fleeting apparition,
Like beauty's spirit, past you flew.

My pulses bound in exultation,
And in my heart once more unfold
The sense of awe and inspiration,
The life, the tears, the love of old.

Translated by Walter Arndt

TO ANNA KERN

I still remember all the wonder,
The glorious thrill of meeting you,
The momentary spell of splendour,
Spirit of beauty pure and true.

When sadness came upon me, endless,
In vain society's direct days.
I heard your voice, your accents tender,
And dreamt of heaven in your face.

Years passed, with stormy days diffusing
My young dreams into empty space,
And I forgot your voice's music
And heaven's beauty in your face.

Then far from home in exile, chastened,
I watched the weary days go by.
No tears for me, no inspiration,
No sense of God, no love, no life.

You came again. My soul remembered
The glorious thrill of meeting you,
The momentary spell of splendour,
Spirit of beauty pure and true.

Now once again my heart is racing.
Proclaiming the renewal of
My former tears, my inspiration,
My sense of God, and life, and love.

Translated by Anthony D. P. Briggs

Если жизнь тебя обманет,
Не печалься, не сердись!
В день уныния смирись:
День веселья, верь, настанет.

Сердце в будущем живет;
Настоящее уныло:
Всё мгновенно, всё пройдет;
Что пройдет, то будет мило.

1825

Life may not fulfil its promise,
Be not angry or dismayed,
Do not dread the dismal days —
Days of happiness are coming.

Love is in the future tense,
Not the unsatisfyng present.
All that happens passes hence;
That which passes shall be pleasant.

Translated by Anthony D. P. Briggs

19 ОКТЯБРЯ

Роняет лес багряный свой убор,
Сребрит мороз увянувшее поле,
Проглянет день как будто поневоле
И скроется за край окружных гор.
Пылай, камин, в моей пустынной келье;
А ты, вино, осенней стужи друг,
Пролей мне в грудь отрадное похмелье,
Минутное забвенье горьких мук.

Печален я: со мною друга нет,
С кем долгую запил бы я разлуку,
Кому бы мог пожать от сердца руку
И пожелать веселых много лет.
Я пью один; вотще воображенье
Вокруг меня товарищей зовет;
Знакомое не слышно приближенье,
И милого душа моя не ждет.

Я пью один, и на брегах Невы
Меня друзья сегодня именуют...
Но многие ль и там из вас пируют?
Еще кого не досчитались вы?
Кто изменил пленительной привычке?
Кого от вас увлек холодный свет?
Чей глас умолк на братской перекличке?
Кто не пришел? Кого меж вами нет?

Он не пришел, кудрявый наш певец,
С огнем в очах, с гитарой сладкогласной:
Под миртами Италии прекрасной
Он тихо спит, и дружеский резец
Не начертал над русскою могилой
Слов несколько на языке родном,
Чтоб некогда нашел привет унылый
Сын севера, бродя в краю чужом.

Сидишь ли ты в кругу своих друзей,
Чужих небес любовник беспокойный?
Иль снова ты проходишь тропик знойный
И вечный лед полунощных морей?
Счастливый путь!.. С лицейского порога
Ты на корабль перешагнул шутя,
И с той поры в морях твоя дорога,
О волн и бурь любимое дитя!

19 OCTOBER

The woods have cast their crimson foliage,
The faded field is silvery with frost;
The sun no sooner glimmers than it's lost
Behind drab hills; the world's a hermitage.
Burn brightly, pine-logs, in my lonely cell;
And you, wine, friend to chilly autumn days,
Pour into me a comfortable haze,
Brief respite from the torments of my soul.

Perhaps some friend is driving up by stealth,
Hoping to surprise me; his face will press
Against my window; I'll rush out, embrace
Him warmly, from the heart, then drink his health
And talk, and laugh away our separation
Till dawn. I drink alone; no one will come;
The friends who crow around me in this room
Are phantoms born of my imagination.

I drink alone, while on the Neva's banks
My comrades speak my name, propose a toast...
And who besides myself has missed the feast?
Are there not other spaces in your ranks?
Who else betrays the ritual gathering?
Who has been snatched away by the cold world?
Whose voice is silent when the roll is called?
Who has not come? Who's absent from the ring?

Our curly-headed songster is not there,
With his sweet-tuned guitar and blazing eyes;
Beneath fair myrtles and Italian skies
He calmy sleeps; and on his sepulchre
No friendly chisel has cut out a verse
In Russian, which some stranger in exile
Who wanders there might see, and pause awhile
To mourn a fellow-countryman's resting-place.

And are you seated at the gathering,
Horizon-seeker, you unresting soul,
Or are you off again, for the north pole
And the hot tropics? Pleasant voyaging!
I'm envious of you! Ever since you strode
Out of the school-gates, smiling, and leapt on
The first convenient ship, you've been the son
Of waves and storms, the sea has been your road.

Ты сохранил в блуждающей судьбе
Прекрасных лет первоначальны нравы:
Лицейский шум, лицейские забавы
Средь бурных волн мечталися тебе;
Ты простирал из-за моря нам руку,
Ты нас одних в младой душе носил
И повторял: «На долгую разлуку
Нас тайный рок, быть может, осудил!»

Друзья мои, прекрасен наш союз!
Он как душа неразделим и вечен —
Неколебим, свободен и беспечен
Срастался он под сенью дружных муз.
Куда бы нас ни бросила судьбина,
И счастие куда б ни повело,
Всё те же мы: нам целый мир чужбина;
Отечество нам Царское Село.

Из края в край преследуем грозой,
Запутанный в сетях судьбы суровой,
Я с трепетом на лоно дружбы новой,
Устав, приник ласкающей главой...
С мольбой моей печальной и мятежной,
С доверчивой надеждой первых лет,
Друзьям иным душой предался нежной;
Но горек был небратский их привет.

И ныне здесь, в забытой сей глуши,
В обители пустынных вьюг и хлада,
Мне сладкая готовилась отрада:
Троих из вас, друзей моей души,
Здесь обнял я. Поэта дом опальный,
О Пущин мой, ты первый посетил;
Ты усладил изгнанья день печальный,
Ты в день его Лицея превратил.

Ты, Горчаков, счастливец с первых дней,
Хвала тебе — фортуны блеск холодный
Не изменил души твоей свободной:
Всё тот же ты для чести и друзей.
Нам разный путь судьбой назначен строгой;
Ступая в жизнь, мы быстро разошлись:
Но невзначай проселочной дорогой
Мы встретились и братски обнялись.

Yet in your wanderings you have faithfully
Preserved the spirit of our boyhood years:
Amid the gales still echoed in yours ears
The shouts and merriment of Tsarskoye;
You stretch a hand to us, we know we ride
Safe in your heart wherever you may sail;
And I recall your words: 'It's possible
Our fate is to be scattered far and wide!'

How excellent our union is, how rare!
Beating with one pulse still, as when we first
Linked fast in love, by friendly muses nursed;
In perfect freedom, perfectly secure.
Wherever fate decrees that we must go,
Wherever fortune leads us by the hand,
We're still the same: the world a foreign land,
Our mother country — Tsarskoye Selo.

From place to place driven by the storm, and caught
In nets of a harsh fate, I sought to rest
My weary head upon new friendship's breast,
And trembled when I found what I had sought.
But I deceived myself; for though I gave
My heart with all the ardency of youth,
Bitterly I found that trust, and truth,
Were far away in Petersburg, or the grave.

And then, here in this haunt of freezing winds
And blizzards, hope renewed itself, I found
Green shoots emerging from the stony ground;
A brief, sweet solace. Three of you, dear friends,
I embraced here! I could not speak for joy
When you, first, Pushchin, called on me, and chased
Away the dismal thoughts of a disgraced
Poet, as once you cheered a lonely boy.

And you, whom fortune always blessed, I greet you,
Dear Gorchakov! The frigid glare of fame
Has not impaired your heart; you are the same
Free spirit, loyal to your friends and virtue.
Widely divergent are the paths we trace;
Life early separated us; and yet,
When on a country road by chance we met,
There was a brother's warmth in your embrace.

Когда постиг меня судьбины гнев,
Для всех чужой, как сирота бездомный,
Под бурею главой поник я томной
И ждал тебя, вещун пермесских дев,
И ты пришел, сын лени вдохновенный,
О Дельвиг мой: твой голос пробудил
Сердечный жар, так долго усыпленный,
И бодро я судьбу благословил.

С младенчества дух песен в нас горел,
И дивное волненье мы познали;
С младенчества две музы к нам летали,
И сладок был их лаской наш удел:
Но я любил уже рукоплесканья,
Ты, гордый, пел для муз и для души;
Свой дар как жизнь я тратил без вниманья,
Ты гений свой воспитывал в тиши.

Служенье муз не терпит суеты;
Прекрасное должно быть величаво:
Но юность нам советует лукаво,
И шумные нас радуют мечты...
Опомнимся — но поздно! и уныло
Глядим назад, следов не видя там.
Скажи, Вильгельм, не то ль и с нами было,
Мой брат родной по музе, по судьбам?

Пора, пора! душевных наших мук
Не стоит мир; оставим заблужденья!
Сокроем жизнь под сень уединенья!
Я жду тебя, мой запоздалый друг —
Приди; огнем волшебного рассказа
Сердечные преданья оживи;
Поговорим о бурных днях Кавказа,
О Шиллере, о славе, о любви.

Пора и мне... пируйте, о друзья!
Предчувствую отрадное свиданье;
Запомните ж поэта предсказанье:
Промчится год, и с вами снова я,
Исполнится завет моих мечтаний;
Промчится год, и я явлюся к вам!
О, сколько слез и сколько восклицаний,
И сколько чаш, подъятых к небесам!

When I was envious even of the shades
Who share my house, since every face had turned
Against me, even my famiy, I yearned
For you, enchanter of Permessian maids,
My Delvig — and you came, amazingly!
You child of inspired indolence, your voice
Re-kindled fires and made my heart rejoice
At the benevolence of my destiny.

The spirit of song was present in us both,
We shared its agitation and delight
When we were young; two muses paused in flight
And lit on us, nursing each tender growth.
But I grew greedy for applause; your pride
Made you sing for the muses and your soul;
I squandered my whole life, a prodigal;
In quietness your talents multiplied.

The muses won't allow frivolity,
To serve the beautiful one must be sober.
But April's whisper is not like October,
Wordly desires work on us devilishly...
We try to call a halt — but it's too late!
We turn round, try to find our lost tracks through
The snow, but can't. That's how it was with you
And I, Wilhelm, my brother in art and fate!

It's time, it's time! The world's not worth the fret
Of all that hunting fever: come, Wilhelm,
Join me here where that fever can grow calm
In solitude. I wait for you; you're late —
Brighten my embers, let our discourse move
Like dawn across those wild Caucasian heights
You and I knew; and where a thought alights
Let's muse awhile — on Schiller, fame, or love.

For me, too, it is time... My friends, feast well!
I will imagine mirth and revelry;
Moreover, here's a poet's prophecy:
One more swift year and I'll accept your call;
Everything I want will come to pass;
The months speed by — I'm at your celebrations!
How many tears! How many exclamations!
And lifted high, how many a brimming glass!

И первую полней, друзья, полней!
И всю до дна в честь нашего союза!
Благослови, ликующая муза,
Благослови: да здравствует Лицей!
Наставникам, хранившим юность нашу,
Всем честию, и мертвым и живым,
К устам подъяв признательную чашу,
Не помня зла, за благо воздадим.

Полней, полней! и, сердцем возгоря,
Опять до дна, до капли выпивайте!
Но за кого? о други, угадайте...
Ура, наш царь! так! выпьем за царя.
Он человек! им властвует мгновенье.
Он раб молвы, сомнений и страстей;
Простим ему неправое гоненье:
Он взял Париж, он основал Лицей.

Пируйте же, пока еще мы тут!
Увы, наш круг час от часу редеет;
Кто в гробе спит, кто дальный сиротеет;
Судьба глядит, мы вянем; дни бегут;
Невидимо склоняясь и хладея,
Мы близимся к началу своему...
Кому ж из нас под старость день Лицея
Торжествовать придется одному?

Несчастный друг! средь новых поколений
Докучный гость и лишний, и чужой,
Он вспомнит нас и дни соединений,
Закрыв глаза дрожащею рукой...
Пускай же он с отрадой хоть печальной
Тогда сей день за чашей проведет,
Как ныне я, затворник ваш опальный,
Его провел без горя и забот.

1825

And first let's drink to us, our sparkling throng!
And when we've drunk, let's fill our glasses full
Once more, and drink a blessing on our school:
Bless it, triumphant muse — may it live long!
The teachers of that youthful brotherhood,
The dead, the living, we will honour them,
Pressing our grateful lips to the cool rim,
Recall no wrongs, but praise all that was good.

More wine, up to brim! Our hearts on fire
For the next toast, let's raise the crimson glass!
Whom do we honour now? — but can't you guess?
That's right! Long live the Tsar! We toast the Tsar.
He is a man; confusions, passions, sway
His life like everyone's; he is the slave
Of the passing moment... So, his crimes forgive:
He captured Paris, founded our Lycée.

Let us enjoy the feast while we are here!
Alas, our band has dwindled; one is sealed
In the black grave, one's wandering in far fields;
Fate glances, drops her gaze... we disappear;
The days flash by, in one year we have grown
Unnoticeably closer to our end...
Which one of us, in his old age, my friends,
Will celebrate the founding day alone?

Sad guest of those who will not understand
His tedious words, who barely suffer him,
He will recall us and, his eyes grown dim,
To heavy lids will lift a trembling hand...
May he, too, find a poignant consolation
And drink to our friendship in a cup of wine,
As now, in this disgraced retreat of mine,
I've drowned my sadness in your celebration.

Translated by Donald M. Thomas

ЗИМНИЙ ВЕЧЕР

Буря мглою небо кроет,
Вихри снежные крутя;
То, как зверь, она завоет,
То заплачет, как дитя,
То по кровле обветшалой
Вдруг соломой зашумит,
То, как путник запоздалый,
К нам в окошко застучит.

Наша ветхая лачужка
И печальна и темна.
Что же ты, моя старушка,
Приумолкла у окна?
Или бури завываньем
Ты, мой друг, утомлена,
Или дремлешь под жужжаньем
Своего веретена?

Выпьем, добрая подружка
Бедной юности моей,
Выпьем с горя; где же кружка?
Сердцу будет веселей.
Спой мне песню, как синица
Тихо за морем жила;
Спой мне песню, как девица
За водой поутру шла.

Буря мглою небо кроет,
Вихри снежные крутя;
То, как зверь, она завоет,
То заплачет, как дитя.
Выпьем, добрая подружка
Бедной юности моей,
Выпьем с горя: где же кружка?
Сердцу будет веселей.

1825

WINTER EVENING

Storm has set the heavens scowling,
Whirling gusty blizzards wild,
Now they are like beasts a-growling,
Now a-wailing like a child;
Now along the brittle thatches
They will scud with rustling sound,
Now against the window latches
Like belated wanderers pound.

Our frail hut is glum and sullen,
Dim with twilight and with care.
Why, dear granny, have you fallen
Silent by the window there?
Has the gale's insistent prodding
Made your drowsing senses numb,
Are you lulled to gentle nodding
By the whirling spindle's hum?

Let us drink for grief, let's drown it,
Comrade of my wretched youth,
Where's the jar? Pour out and down it,
Wine will make us less uncouth.
Sing me of the tomtit hatching
Safe beyond the ocean blue,
Sing about the maiden fetching
Water at the morning dew.

Storm has set the heavens scowling,
Whirling gusty blizzards wild,
Now they sound like beasts a-growling,
Now a-wailing like a child.
Let us drink for grief, let's drown it,
Comrade of my wretched youth,
Where's the jar? Pour out and down it,
Wine will make us less uncouth.

Translated by Walter Arndt

ПРОЗАИК И ПОЭТ

О чем, прозаик, ты хлопочешь?
Давай мне мысль какую хочешь:
Ее с конца я завострю,
Летучей рифмой оперю,
Взложу на тетиву тугую,
Послушный лук согну в дугу,
А там пошлю наудалую,
И горе нашему врагу!

1825

К ВЯЗЕМСКОМУ

Так море, древний душегубец,
Воспламеняет гений твой?
Ты славишь лирой золотой
Нептуна грозного трезубец.

Не славь его. В наш гнусный век
Седой Нептун земли союзник.
На всех стихиях человек —
Тиран, предатель или узник.

1826

PROSE AND POETRY

Why, writer, toil with plodding prose?
Give me whatever thought you chose:
To pointed sharpness I will edge it.
With winged meters will I fledge it,
Will fit it to the tautened thew,
And bending my obedient bow,
Will send it flashing far and true,
And woe betide our common foe!

Translated by Walter Arndt

TO VYAZEMSKY

It seems the sea, that scourge of ages,
Contrives your genius to inspire?
You laud upon your golden lyre
Old Neptune's trident as he rages.

Don't waste your praise. These days you'll find
That sea and land have no division.
On any element mankind
Is tyrant, traitor, or in prison.

Translated by Alan Myers

ПРИЗНАНИЕ

К Александре Ивановне Осиповой

Я вас люблю, хоть я бешусь,
Хоть это труд и стыд напрасный,
И в этой глупости несчастной
У ваших ног я признаюсь!
Мне не к лицу и не по летам...
Пора, пора мне быть умней!
Но узнаю по всем приметам
Болезнь любви в душе моей:
Без вас мне скучно, — я зеваю;
При вас мне грустно, — я терплю;
И, мочи нет, сказать желаю,
Мой ангел, как я вас люблю!
Когда я слышу из гостиной
Ваш легкий шаг, иль платья шум,
Иль голос девственный, невинный,
Я вдруг теряю весь свой ум.
Вы улыбнетесь — мне отрада;
Вы отвернетесь — мне тоска;
За день мучения — награда
Мне ваша бледная рука.
Когда за пяльцами прилежно
Сидите вы, склонясь небрежно,
Глаза и кудри опустя, —
Я в умиленье, молча, нежно
Любуюсь вами, как дитя!..
Сказать ли вам мое несчастье,
Мою ревнивую печаль,
Когда гулять, порой, в ненастье,
Вы собираетеся вдаль?
И ваши слезы в одиночку,
И речи в уголку вдвоем,
И путешествие в Опочку,
И фортепьяно вечерком?..
Алина! сжальтесь надо мною.
Не смею требовать любви:
Быть может, за грехи мои,
Мой ангел, я любви не стою!
Но притворитесь! Этот взгляд
Всё может выразить так чудно!
Ах, обмануть меня не трудно!..
Я сам обманываться рад!

1826

CONFESSION

I love — though I rage at it,
Though it is shame and toil misguided,
And to my folly self-derided
Here at your feet I will admit!
It ill befits my years, my station,
Good sense has long been overdue!
And yet, by every indication,
Love's plague has stricken me anew:
You're out of sight — I fall to yawning;
You're here — I suffer and feel blue,
And barely keep myself from owning,
Dear elf, how much I care for you!
Why, when your guileless girlish chatter
Drifts from next door, your airy tread,
Your rustling dress, my senses scatter
And I completely lose my head.
You smile — I flush with exultation;
You turn away — I'm plunged in gloom;
Your pallid hand is compensation
For a whole day of fancied doom.
When to the frame with artless motion
You bend to cross-stitch, all devotion,
Your eyes and ringlets down-beguiled,
My heart goes out in mute emotion
Rejoicing in you like a child!
Dare I confess to you my sighing,
How jealously I chafe and balk
When you set forth, at times defying
Bad weather, on a lengthy walk?
And then your solitary crying,
Those twosome whispers out of sight,
Your carriage to Opochka plying,
And the piano late at night...
Aline! I ask but to be pitied,
I do not dare to plead for love;
Love, for the sins I have committed,
I am perhaps not worthy of.
But make believe! Your gaze, dear elf,
Is fit to conjure with, believe me!
Ah, it is easy to deceive me!...
I long to be deceived myself!

Translated by Walter Arndt

ПРОРОК

Духовной жаждою томим,
В пустыне мрачной я влачился,
И шестикрылый серафим
На перепутье мне явился;
Перстами легкими как сон
Моих зениц коснулся он:
Отверзлись вещие зеницы,
Как у испуганной орлицы.
Моих ушей коснулся он,
И их наполнил шум и звон:
И внял я неба содроганье,
И горний ангелов полет,
И гад морских подводный ход,
И дольней лозы прозябанье.
И он к устам моим приник,
И вырвал грешный мой язык,
И празднословный и лукавый,
И жало мудрыя змеи
В уста замершие мои
Вложил десницею кровавой.
И он мне грудь рассек мечом,
И сердце трепетное вынул
И угль, пылающий огнем,
Во грудь отверстую водвинул.
Как труп в пустыне я лежал,
И бога глас ко мне воззвал:
«Восстань, пророк, и виждь, и внемли,
Исполнись волею моей,
И, обходя моря и земли,
Глаголом жги сердца людей».

1826

THE PROPHET

Athirst for spiritual good,
I dragged my steps through wastelands weary,
Until a six-winged seraph stood
Before me on a crossroads dreary;
He touched my eyes, or so it seemed,
With fingers light as if I dreamed:
Now armed with a prophetic power
They opened wide like birds that cower.
His touch then lighted on my ears,
Which filled with music of the spheres;
I heard the heaven's subtle shaking,
The flight of angels up above,
The tread of sea beasts as they move,
The life in valley vineyards waking.
And now towards my lips he bent,
From whence my sinful tongue he rent,
With all its slanders, idly blurted,
And now a wise old serpent's sting
Into my mouth, a nerveless thing,
His skilled and bloody hand inserted.
Then with a sword my breast he split,
Drew out my very heart, still racing,
A blazing coal instead of it
Within my gaping chest then placing.
As corpse-like on the sand I lay,
The voice of God I heard to say,
«Arise, O prophet, watch and listen,
To execute my will and plan,
Cross land and sea, fulfill your mission,
With words ignite the heart of man!»

Translated by Alan Myers

И. И. ПУЩИНУ

Мой первый друг, мой друг бесценный!
И я судьбу благословил,
Когда мой двор уединенный,
Печальным снегом занесенный,
Твой колокольчик огласил.
Молю святое провиденье:
Да голос мой душе твоей
Дарует то же утешенье,
Да озарит он заточенье
Лучом лицейских ясных дней!

1826

СТАНСЫ

В надежде славы и добра
Гляжу вперед я без боязни:
Начало славных дней Петра
Мрачили мятежи и казни.

Но правдой он привлек сердца,
Но нравы укротил наукой,
И был от буйного стрельца
Пред ним отличен Долгорукий.

Самодержавною рукой
Он смело сеял просвещенье,
Не презирал страны родной:
Он знал ее предназначенье.

То академик, то герой,
То мореплаватель, то плотник,
Он всеобъемлющей душой
На троне вечный был работник.

Семейным сходством будь же горд;
Во всем будь пращуру подобен:
Как он, неутомим и тверд,
И памятью, как он, незлобен.

1826

TO I. I. PUSHCHIN

My oldest friend, companion peerless!
I too blessed fate when far up north
In my retreat remote and cheerless,
Adrift in dismal snow, so fearless
Your little sleigh bell tinkled forth.
Now providential dispensation
Grant that my voice may bless, I pray,
Your soul with equal consolation,
And bear into you prison station
Of bright Lyceum days a ray!

Translated by Walter Arndt

STANZAS

In hopes of fame and bliss to come
I gaze ahead with resolution;
The dawn of Peter's sun was glum
With turmoil and with execution.

But he used truth to conquer hearts,
Enlightenment to soften manners;
He honored Dolgoruki's arts
Above wild janissaries' banners.

He with a sovereign's fearless hand
Lit page on page of learning's story;
He did not spurn our native land,
Aware of its predestined glory.

He was now sage, now hero-king,
Now wright, now mate, as might determine
His spirit all-encompassing —
Eternal craftsman born to ermine.

Hold, then, your kin in proud regard,
Your life in all to his comparing,
Unflagging be like him, and hard.
And like him, of resentment sparing,

Translated by Walter Arndt

НА ТРАГЕДИЮ ГР. ХВОСТОВА,

изданную с портретом Колосовой

Подобный жребий для поэта
И для красавицы готов:
Стихи отводят от портрета,
Портрет отводит от стихов.

1820—1826

Нет ни в чем вам благодати;
С счастием у вас разлад:
И прекрасны вы некстати,
И умны вы невпопад.

1820—1826

ON THE TRAGEDY OF COUNT KHVOSTOV
Published with a portrait of Kolosova

A sim'lar fate awaits the poet
As for the beauteous one sublime.
His verse distracts us from her portrait,
Her portrait distracts us from his lines.

Translated by Cynthia Whittaker

You're the kind that always loses,
Bliss and you are all at odds:
You're too sweet when chance refuses
And too clever when it nods.

Translated by Walter Arndt

Во глубине сибирских руд
Храните гордое терпенье,
Не пропадет ваш скорбный труд
И дум высокое стремленье.

Несчастью верная сестра,
Надежда в мрачном подземелье
Разбудит бодрость и веселье,
Придет желанная пора:

Любовь и дружество до вас
Дойдут сквозь мрачные затворы,
Как в ваши каторжные норы
Доходит мой свободный глас.

Оковы тяжкие падут,
Темницы рухнут — и свобода
Вас примет радостно у входа,
И братья меч вам отдадут.

1827

MESSAGE TO SIBERIA

In deep Siberian mines retain
A proud and patient resignation;
Your grievous toil is not in vain
Nor yet your thought's high aspiration.

Grief's constant sister, hope is nigh,
Shines out in dungeons black and dreary
To cheer the weak, revive the weary;
The hour will come for which you sigh,

When love and friendship reaching through
Will penetrate the bars of anguish,
The convict warrens where you languish,
As my free voice now reaches you.

Each hateful manacle and chain
Will fall; your dungeons break asunder;
Outside waits freedom's joyous wonder
As comrades give you swords again.

Translated by Alan Myers

АРИОН

Нас было много на челне;
Иные парус напрягали,
Другие дружно упирали
В глубь мощны весла. В тишине
На руль склонясь, наш кормщик умный
В молчанье правил грузный челн;
А я — беспечной веры полн, —
Пловцам я пел... Вдруг лоно волн
Измял с налету вихорь шумный...
Погиб и кормщик и пловец! —
Лишь я, таинственный певец,
На берег выброшен грозою,
Я гимны прежние пою
И ризу влажную мою
Сушу на солнце под скалою.

1827

ARION

A goodly number shipped as crew;
some helped to set the sail and trim it,
while others, straining to the limit,
dug deep the oars. In silence, too,
our trusty helmsman checked our motion
and, wordless, steered our weighty craft;
while I, still carefree, sang and laughed
to cheer the oars... Then fore and aft
a roaring tempest ripped the ocean,
engulfing helmsman, mast, and yeard! —
But I, the enigmatic bard,
was saved and cast up on the shoreline,
and tune my lyre with skillful stroke,
white drying off my sodden cloak
beneath the rocks here in the sunshine.

Translated by Alan Myers

ТАЛИСМАН

Там, где море вечно плещет
На пустынные скалы,
Где луна теплее блещет
В сладкий час вечерней мглы,
Где, в гаремах наслаждаясь,
Дни проводит мусульман,
Там волшебница, ласкаясь,
Мне вручила талисман.

И, ласкаясь, говорила:
«Сохрани мой талисман:
В нем таинственная сила!
Он тебе любовью дан.
От недуга, от могилы,
В бурю, в грозный ураган,
Головы твоей, мой милый,
Не спасет мой талисман.

И богатствами Востока
Он тебя не одарит,
И поклонников пророка
Он тебе не покорит;
И тебя на лоно друга,
От печальных чуждых стран,
В край родной на север с юга
Не умчит мой талисман...

Но когда коварны очи
Очаруют вдруг тебя,
Иль уста во мраке ночи
Поцелуют не любя —

Милый друг! от преступленья,
От сердечных новых ран,
От измены, от забвенья
Сохранит мой талисман!»

1827

THE TALISMAN

Where the sea forever dances
Over lonely cliff and dune,
Where sweet twilight's vapor glances
In a warmer-glowing moon,
Where with the seraglio's graces
Daylong toys the Mussulman,
An enchantress 'mid embraces
Handed me a talisman.

'Mid embraces I was bidden:
«Guard this talisman of mine:
In it secret power is hidden!
Love himself has made it thine.
Neither death nor ills nor aging,
My beloved, does it ban,
Nor in gales and tempest raging
Can avail my talisman.

«Never will it help thee gather
Treasures of the Orient coast,
Neither to thy harness tether
Captives of the Prophet's host;
Nor in sadness will it lead thee
To a friendly bosom, nor
From this alien southland speed thee
To the native northern shore.

«But whenever eyes designing
Cast on thee a sudden spell,
In the darkness lips entwining
Love thee not, but kiss too well:
Shield thee, love, from evil preying,
From new heart-wounds — that it can,
From forgetting, from betraying
Guards thee this my talisman.»

Translated by Walter Arndt

ВОСПОМИНАНИЕ

Когда для смертного умолкнет шумный день
          И на немые стогны града
Полупрозрачная наляжет ночи тень
          И сон, дневных трудов награда,
В то время для меня влачатся в тишине
          Часы томительного бденья:
В бездействии ночном живей горят во мне
          Змеи сердечной угрызенья;
Мечты кипят; в уме, подавленном тоской,
          Теснится тяжких дум избыток;
Воспоминание безмолвно предо мной
          Свой длинный развивает свиток;
И с отвращением читая жизнь мою,
          Я трепещу и проклинаю,
И горько жалуюсь, и горько слезы лью,
          Но строк печальных не смываю.

1828

REMEMBRANCE

When for us mortal men the noisy day is stilled,
  And, the mute spaces of the town
With half-transparent nightly shadow filled,
  Sleep, daily toil's reward, drifts down,
Then is it that for me the gloom and quiet breed
  Long hours of agonized prostration;
On my nocturnal languor more intently feed
  The asps of mortal desolation;
The fancies seethe at will, and the despondent mind
  Groans with excess of grim reflection;
Relentless Memory will wordlessly unwind
  Her long, long scroll for my inspection;
With loathing I peruse the record of my years,
  I execrate, I quail and falter,
I utter bitter plaints, and hotly flow my tears,
  But those sad lines I cannot alter.

Translated by Walter Arndt

Дар напрасный, дар случайный,
Жизнь, зачем ты мне дана?
Иль зачем судьбою тайной
Ты на казнь осуждена?

Кто меня враждебной властью
Из ничтожества воззвал,
Душу мне наполнил страстью,
Ум сомненьем взволновал?..

Цели нет передо мною:
Сердце пусто, празден ум,
И томит меня тоскою
Однозвучный жизни шум.

1828

Gift of life so useless, why
Did you have to come to me?
Why were you condemned to die
By some secret destiny?

From the void why did I start,
Summoned by a hostile force,
Putting passion in my heart,
In my mind doubt and remorse?

There's no goal, I shall not strive;
Blank my mind, my heart is empty.
I am weary that my life
Murmurs on inconsequently.

Translated by Anthony D. P. Briggs

ТЫ И ВЫ

Пустое *вы* сердечным *ты*
Она обмолвясь заменила,
И все счастливые мечты
В душе влюбленной возбудила.
Пред ней задумчиво стою;
Свести очей с нее нет силы;
И говорю ей: как *вы* милы!
И мыслю: как *тебя* люблю!

1828

Счастлив, кто избран своенравно
Твоей тоскливою мечтой,
При ком любовью млеешь явно,
Чьи взоры властвуют тобой;
Но жалок тот, кто молчаливо,
Сгорая пламенем любви,
Потупя голову ревниво,
Признанья слушает твои.

1828

THOU AND YOU

The pale «you are» by warm «thou art»
Through careless slip of tongue replacing,
She sent within the love-struck heart
All sorts of happy fancies racing.
I stand before her all beguiled;
I stare at her, and the old Adam
Blurts out: You are all kindness, Madam!
And thinks: God, how I love thee, child!

Translated by Walter Arndt

Blest he who at your fancy's pleasure
Your dreamy, languid ardor won,
Whose every glance you heed and treasure,
Before all eyes by love undone;
But pity him who, heart and bowels
With love's consuming flame ablaze,
Must hear in silence your avowals,
While jealous anguish clouds his gaze.

Translated by Walter Arndt

АНЧАР

В пустыне чахлой и скупой,
На почве, зноем раскаленной,
Анчар, как грозный часовой,
Стоит — один во всей вселенной.

Природа жаждущих степей
Его в день гнева породила,
И зелень мертвую ветвей
И корни ядом напоила.

Яд каплет сквозь его кору,
К полудню растопясь от зною,
И застывает ввечеру
Густой прозрачною смолою.

К нему и птица не летит
И тигр нейдет — лишь вихорь черный
На древо смерти набежит —
И мчится прочь, уже тлетворный.

И если туча оросит,
Блуждая, лист его дремучий,
С его ветвей, уж ядовит,
Стекает дождь в песок горючий.

Но человека человек
Послал к анчару властным взглядом:
И тот послушно в путь потек
И к утру возвратился с ядом.

Принес он смертную смолу
Да ветвь с увядшими листами,
И пот по бледному челу
Струился хладными ручьями;

Принес — и ослабел и лег
Под сводом шалаша на лыки,
И умер бедный раб у ног
Непобедимого владыки.

А князь тем ядом напитал
Свои послушливые стрелы
И с ними гибель разослал
К соседам в чуждые пределы.

1828

THE UPAS TREE

On acres charred by blasts of hell,
In sere and brittle desolation,
Stands like a baleful sentinel
The Upas, lone in all creation.

Grim Nature of the thirsting plains
Begot it on a day of ire
And steeped its leaves' insensate veins
And filled its roots with venom dire.

The poison trickles through its bark
And, melting in the noonday blazes,
It hardens at the fall of dark
In resinous translucent glazes.

That tree of death no bird will try
Or tiger seek: the storm wind vicious
Alone will darkly brush it by
And speed away, its breath pernicious.

And should a rain cloud overhead
Bedouse the brooding foliage, straying,
The boughs a lethal moisture shed,
The glowing sand with venom spraying.

Yet to that tree was man by man
With but an eyelid's flicker beckoned,
Sped duly forth that day, and ran,
And brought the poison by the second:

Brought waxen death back, and a bough
With leaves already limp and faded,
And from his wan and pallid brow
The sweat in clammy streams cascaded.

He brought it, faltered, and lay prone
On reeds beneath the vaulted tenting
And, luckless slave, died at the throne
Of that dread magnate unrelenting.

And on this venom arrows fed,
Obedient to the prince's orders,
And death and desolation spread
On fellowmen beyond the borders.

Translated by Walter Arndt

ЦВЕТОК

Цветок засохший, безуханный,
Забытый в книге вижу я;
И вот уже мечтою странной
Душа наполнилась моя:

Где цвел? когда? какой весною?
И долго ль цвел? и сорван кем,
Чужой, знакомой ли рукою?
И положен сюда зачем?

На память нежного ль свиданья,
Или разлуки роковой,
Иль одинокого гулянья
В тиши полей, в тени лесной?

И жив ли тот, и та жива ли?
И нынче где их уголок?
Или уже они увяли,
Как сей неведомый цветок?

1828

THE FLOWER

A scentless flower, with leaves all dry,
    Forgotten, in a book I see;
And lo! strange thoughts to occupy
    The mind arise there suddenly.

When blew the flower? In spring-time bland?
    Who plucked it? And how long ago?
Was it a friend's, or stranger's, hand
    That placed it there? *Why* was it so?

Does it of meeting sweet remind?
    Or painful parting, Heaven-decreed?
Do we a walk recorded find
    In quiet wood — by verdant mead?

Are they still living at this hour?
    And where is now their pleasant home?
Or, like the poor, forgotten flower,
    Are they to memory lost become?

Translated by Charles Th. Wilson

На холмах Грузии лежит ночная мгла;
    Шумит Арагва предо мною.
Мне грустно и легко; печаль моя светла;
    Печаль моя полна тобою,
Тобой, одной тобой... Унынья моего
    Ничто не мучит, не тревожит,
И сердце вновь горит и любит — оттого,
    Что не любить оно не может.

1829

Я вас любил: любовь еще, быть может,
В душе моей угасла не совсем;
Но пусть она вас больше не тревожит;
Я не хочу печалить вас ничем.
Я вас любил безмолвно, безнадежно,
То робостью, то ревностью томим;
Я вас любил так искренно, так нежно,
Как дай вам Бог любимой быть другим.

1829

The Georgian hills above lie shrouded in the night;
    Aragva churns down in the hollow,
I feel both sad and gay, my grief suffused with light;
    Your presence permeates my sorrow,
Just you and you alone... My melancholy fit
    Is undisturbed, no outside thing to bother,
My heart once more is warmed to love, and it
    Must love, for it can do no other.

Translated by Alan Myers

I loved you once: of love, perhaps, an ember
Within my soul is not extinguished yet;
But let that be no prompting to remember,
Or be a cause of sadness or regret.
I loved you once, quite hopeless, dumbly tender,
By jealousy and diffidence oppressed;
I loved you once with such complete surrender
As may God grant you may again be blessed.

Translated by Alan Myers

Брожу ли я вдоль улиц шумных,
Вхожу ль во многолюдный храм,
Сижу ль меж юношей безумных,
Я предаюсь моим мечтам.

Я говорю: промчатся годы,
И сколько здесь ни видно нас,
Мы все сойдем под вечны своды —
И чей-нибудь уж близок час.

Гляжу ль на дуб уединенный,
Я мыслю: патриарх лесов
Переживет мой век забвенный,
Как пережил он век отцов.

Младенца ль милого ласкаю,
Уже я думаю: прости!
Тебе я место уступаю:
Мне время тлеть, тебе цвести.

День каждый, каждую годину
Привык я думой провождать,
Грядущей смерти годовщину
Меж их стараясь угадать.

И где мне смерть пошлет судьбина?
В бою ли, в странствии, в волнах?
Или соседняя долина
Мой примет охладелый прах?

И хоть бесчувственному телу
Равно повсюду истлевать,
Но ближе к милому пределу
Мне всё б хотелось почивать.

И пусть у гробового входа
Младая будет жизнь играть,
И равнодушная природа
Красою вечною сиять.

1829

When I stroll down a busy street
Or linger in a crowded church
Or if wild youth and I should meet —
I let my idle dreams emerge.

I tell myself: the world keeps turning.
However many of us are here,
We're all bound for the vaults eternal,
And someone's hour is always near.

A lone oak-tree attracts my gaze;
I think: this patriarch sublime
Will long outlive these empty days,
As it outlived my father's time.

When I caress a little child
I think: Farewell, I've had my day.
You take my place, I'm reconciled —
Yours is to thrive, mine to decay.

I always say goodbye in thought
Each day, each year, and try to guess
Which day in which year will have brought
The anniversary of my death.

Where is my death? Where is my doom?
In battle? Far afield? At sea?
Or will perhaps some nearby combe
Encompass what remains of me?

Although the senseless human frame
Cares not at all where it should moulder.
I'd like to end up, all the same,
Near places that I once thought golden.

And at the entrance to my tomb
May young life frolic dissolutely,
And may impassive Nature bloom,
Shining with everlasting beauty.

Translated by Anthony D. P. Briggs

Когда в объятия мои
Твой стройный стан я заключаю
И речи нежные любви
Тебе с восторгом расточаю,
Безмолвна, от стесненных рук
Освобождая стан свой гибкий,
Ты отвечаешь, милый друг,
Мне недоверчивой улыбкой;
Прилежно в памяти храня
Измен печальные преданья,
Ты без участья и вниманья
Уныло слушаешь меня...
Кляну коварные старанья
Преступной юности моей
И встреч условных ожиданья
В садах, в безмолвии ночей.
Кляну речей любовный шепот,
Стихов таинственный напев,
И ласки легковерных дев,
И слезы их, и поздний ропот.

1830

At moments when your graceful form
In my embrace I long to capture,
And from my lips a tender swarm
Of love's endearments pour in rapture —
Without a word your supple shape
From my encircling arms unfolding,
You make your answer by escape
And smile at me, all trust withholding;
Too keenly mindful in your heart
Of past betrayal's doleful mention,
You bide in listless inattention
And hear me not and take no part...
I curse the cunning machinations
That were my sinful youth's delight,
Those hours awaiting assignations
In gardens, in the dead of night.
I curse the lover's whispered suing,
And tuneful verse's magic aids,
Caress of rashly trusting maids,
Their tears, and their belated ruing.

Translated by Walter Arndt

ПОЭТУ

Поэт! не дорожи любовию народной.
Восторженных похвал пройдет минутный шум;
Услышишь суд глупца и смех толпы холодной:
Но ты останься тверд, спокоен и угрюм.

Ты царь: живи один. Дорогою свободной
Иди, куда влечет тебя свободный ум,
Усовершенствуя плоды любимых дум,
Не требуя наград за подвиг благородный.

Они в самом тебе. Ты сам свой высший суд;
Всех строже оценить умеешь ты свой труд.
Ты им доволен ли, взыскательный художник?

Доволен? Так пускай толпа его бранит
И плюет на алтарь, где твой огонь горит,
И в детской резвости колеблет твой треножник.

1830

TO A POET

No poet should set store by public acclamation.
Ecstatic praise will pass, an instant in the ear;
The empty crowd will laugh, the fool have his oration,
But you must stay quite calm, unbending, and austere.

A king, then, live alone. You choose your destination,
Go where your questing mind shall now elect to steer
To bring perfection to the thoughts you hold most dear,
Requiring no rewards, achieving consummation —

They lie within yourself. As judge you are the best;
In valuing your works, severer than the rest,
Do they bring you delight, O artist most exacting?

They please you? Well, then, let the crowd protest
And spit upon the shrine where burns your fire blessed,
And rock your tripod in their childish, rough play-acting.

Translated by Alan Myers

4*

ЭЛЕГИЯ

Безумных лет угасшее веселье
Мне тяжело, как смутное похмелье.
Но, как вино — печаль минувших дней
В моей душе чем старе, тем сильней.
Мой путь уныл. Сулит мне труд и горе
Грядущего волнуемое море.

Но не хочу, о други, умирать;
Я жить хочу, чтоб мыслить и страдать;
И ведаю, мне будут наслажденья
Меж горестей, забот и треволненья:
Порой опять гармонией упьюсь,
Над вымыслом слезами обольюсь,
И может быть — на мой закат печальный
Блеснет любовь улыбкою прощальной.

1830

СТИХИ,
СОЧИНЕННЫЕ НОЧЬЮ
ВО ВРЕМЯ БЕССОННИЦЫ

Мне не спится, нет огня;
Всюду мрак и сон докучный.
Ход часов лишь однозвучный
Раздается близ меня.
Парки бабье лепетанье,
Спящей ночи трепетанье,
Жизни мышья беготня...
Что тревожишь ты меня?
Что ты значишь, скучный шепот?
Укоризна, или ропот
Мной утраченного дня?
От меня чего ты хочешь?
Ты зовешь или пророчишь?
Я понять тебя хочу,
Смысла я в тебе ищу...

1830

ELEGY

Extinguished are my years of carefree laughter;
They weigh me down, a heavy morning after.
But, just like wine, the grief I must assuage
Within my soul grows stronger now with age.
My road is grim. My future sea is stormy
And promises but grief and toil before me.

But, O my friends, I have no wish to sink;
I burn to live, to suffer, and to think;
I know there will be joy and delectation
Among the griefs, the cares and agitation,
The ecstasy of harmony be mine,
My fancy draw sweet tears from me like wine,
And it may be — upon my sad declining
True love will smile, a valediction shining.

Translated by Alan Myers

VERSES
COMPOSED DURING
A SLEEPLESS NIGHT

I can't sleep, though it is dark,
Lights are out, the lucky slumber.
Moments of my night are numbered
By a monotonous tick-tock,
Fate foretold in women's chatter,
In the sleepy night a flutter,
Life itself, a little mouse,
Scurrying. Dark thoughts are roused —
Where's your meaning, weary whisper?
Do you chide the lazy listener
For a lost day petering out?
How can I begin to suit you?
Call to me, or tell my future.
Let me understand you! Oh,
Is there sense? I need to know.

Translated by Anthony D. P. Briggs

Для берегов отчизны дальной
Ты покидала край чужой;
В час незабвенный, в час печальный
Я долго плакал пред тобой.
Мои хладеющие руки
Тебя старались удержать;
Томленья страшного разлуки
Мой стон молил не прерывать.

Но ты от горького лобзанья
Свои уста оторвала;
Из края мрачного изгнанья
Ты в край иной меня звала.
Ты говорила: «В день свиданья
Под небом вечно голубым,
В тени олив, любви лобзанья
Мы вновь, мой друг, соединим».

Но там, увы, где неба своды
Сияют в блеске голубом,
Где тень олив легла на воды,
Заснула ты последним сном.
Твоя краса, твои страданья
Исчезли в урне гробовой —
А с ними поцелуй свиданья...
Но жду его; он за тобой...

1830

Bound for the distant coast that bore you,
You left behind this alien clime,
And long that hour I wept before you,
That unforgotten, mournful time.
With fingers chill and numbed of feeling
I clutched you, begged you not to leave,
Parting's fierce pangs with moans appealing
To nourish still and let me grieve.

But from our sorrowing embraces
You tore away your lips and hand,
And from an exile's prison-places
You called me to another land.
«Let us await another meeting
'Neath skies of everlasting blue,
In olive shades,» you kept repeating,
«Love's kisses, friend, we shall renew.»

But there, alas, where heaven's quarters
Are steeped in azure lucence deep,
Where olives shade the sheltered waters,
You fell into eternal sleep.
Now all your beauty, all you suffered,
Are lost in the sepulchral urn,
And those reunion kisses proffered —
But I shall claim them, comes my turn.

Translated by Walter Arndt

Перед гробницею святой
Стою с поникшею главой...
Всё спит кругом; одни лампады
Во мраке храма золотят
Столпов гранитные громады
И их знамен нависший ряд.

Под ними спит сей властелин,
Сей идол северных дружин,
Маститый страж страны державной,
Смиритель всех ее врагов,
Сей остальной из стаи славной
Екатерининских орлов.

В твоем гробу восторг живет!
Он русский глас нам издает;
Он нам твердит о той године,
Когда народной веры глас
Воззвал к святой твоей седине:
«Иди, спасай!» Ты встал — и спас.

Внемли ж и днесь наш верный глас,
Встань и спасай царя и нас,
О старец грозный! на мгновенье
Явись у двери гробовой,
Явись: вдохни восторг и рвенье
Полкам, оставленным тобой!

Явись и дланию своей
Нам укажи в толпе вождей,
Кто твой наследник, твой избранный!
Но храм — в молчанье погружен,
И тих твоей могилы бранной
Невозмутимый, вечный сон...

1831

AT KUTUZOV'S GRAVE

Before the hallowed burial-stead
I linger here with lowered head...
All sleep, save in the twilight solemn
The temple candelabra gild
Tall granites, column after column,
And rows of standards, pendent, stilled.

Beneath them lies that lord of clans,
That idol of the northern lands,
The mighty realm's revered defender
Who all its enemies subdued,
The last of that illustrious gender,
Imperial Catherine's eagle brood.

Live ardor in your grave-site glows!
From it a Russian story flows,
Relates that hour when by the nation
Your silver-templed age was bid
With voice of trustful invocation
To «come and save!» You rose — and did.

Now hark again the voice of trust,
Arise and save the Tsar and us,
One instant, ancient grim preserver,
Appear at the sepulchral cleft,
Appear, and breathe new dash and fervor
Into the regiments you left.

Appear, and with your sacred hand
Point out among our leaders' band
Your true inheritor, your chosen...
But mute the temple chambers loom,
In calm, eternal slumber frozen
Sleeps the indomitable tomb.

Translated by Walter Arndt

КЛЕВЕТНИКАМ РОССИИ

О чем шумите вы, народные витии?
Зачем анафемой грозите вы России?
Что возмутило вас? волнения Литвы?
Оставьте: это спор славян между собою,
Домашний, старый спор, уж взвешенный судьбою,
Вопрос, которого не разрешите вы.

    Уже давно между собою
    Враждуют эти племена;
    Не раз клонилась под грозою
    То их, то наша сторона.
    Кто устоит в неравном споре:
    Кичливый лях иль верный росс?
Славянские ль ручьи сольются в русском море?
    Оно ль иссякнет? вот вопрос.

    Оставьте нас: вы не читали
    Сии кровавые скрижали;
    Вам непонятна, вам чужда
    Сия семейная вражда;
    Для вас безмолвны Кремль и Прага;
    Бессмысленно прельщает вас
    Борьбы отчаянной отвага —
    И ненавидите вы нас...
    За что ж? ответствуйте: за то ли,
Что на развалинах пылающей Москвы
    Мы не признали наглой воли
    Того, под кем дрожали вы?
    За то ль, что в бездну повалили
Мы тяготеющий над царствами кумир
    И нашей кровью искупили
    Европы вольность, честь и мир?

TO THE SLANDERERS OF RUSSIA

Bards of the Nations, say, what set you seething,
Threats of Anathema at Russia breathing?
What roused your wrath? That Poland stirs again?
Desist: this strife pits Slavs against each other
It has been weighed by Fate, like many another
In an old dispute, past your scope and ken.

Long since these tribes of hostile brothers
Have vied among themselves and warred,
And now the ones now the others
Have had to bow before the sword.
Who shall outlive that grim commotion,
The boastful Pole, the stalwart Russ?
Shall Slavic brooklets merge in Russia's ocean,
Shall it dry out? Leave it to us!

Desist: to you these bloodstained tables
Remain unread, the clannish fables
Of this our internecine feud
Are undeciphered, unreviewed;
The voice of Kremlin, Praga, calls you
But stirs no echo; the mystique
Of desperate fortitude enthralls you,
And then your hatred of us... Speak:

Is it for this, perchance, you hate us
That Moscow's blazing shell defied decrees
Of a vainglorious dictator's,
While you were writhing on your knees?
Or that we smashed that idol towering
Above the realms, so Europe gained release
And, saved by Russian blood, is flowering
Anew in freedom, honor, peace?

Вы грозны на словах — попробуйте на деле!
Иль старый богатырь, покойный на постеле,
Не в силах завинтить свой измаильский штык?
Иль русского царя уже бессильно слово?
    Иль нам с Европой спорить ново?
    Иль русский от побед отвык?
Иль мало нас? Или от Перми до Тавриды,
От финских хладных скал до пламенной Колхиды,
    От потрясенного Кремля
    До стен недвижного Китая,
    Стальной щетиною сверкая,
    Не встанет русская земля?
    Так высылайте ж нам, витии,
    Своих озлобленных сынов:
    Есть место им в полях России,
    Среди нечуждых им гробов.

1831

Come, challenge us with deeds, not ringing quarrels!
Is the old hero, resting on his laurels,
Unfit to mount the Ismail bayonet?
Has then the Russian Tsar's word lost its omen?
Are we unused to Western foemen,
With Russian triumphs sated yet?
Are we too few? From Perm to Tauris gleaming,
From Finnish crags to ardent Colchis teeming,
From Kremlin, rocked upon its stand,
To China's battlements unshaken,
Bright steel her bristles, shall not waken,
Shall not rise up the Russian land?
Send on, then, sacred mischief-makers,
Send your embittered sons and braves:
There's room for them in Russian acres
Amid not unfamiliar graves.

Translated by Walter Arndt

ЭХО

Ревет ли зверь в лесу глухом,
Трубит ли рог, гремит ли гром,
Поет ли дева за холмом —
  На всякий звук
Свой отклик в воздухе пустом
  Родишь ты вдруг.

Ты внемлешь грохоту громов,
И гласу бури и валов,
И крику сельских пастухов —
  И шлешь ответ;
Тебе ж нет отзыва... Таков
  И ты, поэт!

1831

В АЛЬБОМ

Долго сих листов заветных
Не касался я пером;
Виноват, в столе моем
Уж давно без строк приветных
Залежался твой альбом.
В именины, очень кстати,
Пожелать тебе я рад
Много всякой благодати,
Много сладостных отрад, —
На Парнасе много грома,
В жизни много тихих дней
И на совести твоей
Ни единого альбома
От красавиц, от друзей.

1832

ECHO

Where beasts in trackless forest wail
Where horns intone, where thunders flail,
Or maiden chants in yonder vale —
    To every cry
Through empty air you never fail
    To speed reply.

You listen to the thunder knells,
The voice of gales and ocean swells,
The shepherd's hail in hills and dells
    And you requite;
But unrequited stay... This spells
    The poet's plight.

Translated by Walter Arndt

ALBUM VERSE

True, my pen these private pages
Has not touched in many a day;
In my drawer, I must say,
Lorn of friendly lines for ages
Languishing your album lay.
On your nameday then addressing
Timely compliments to you,
Let me wish you every blessing,
Every soothing solace too,
Lots of thunder on Parnassus,
Lots of days of restful calm,
And a conscience free of harm
From a single album passus
Owed to friend or to Madame.

Translated by Walter Arndt

КРАСАВИЦА

Всё в ней гармония, всё диво,
Всё выше мира и страстей;
Она покоится стыдливо
В красе торжественной своей;
Она кругом себя взирает:
Ей нет соперниц, нет подруг;
Красавиц наших бледный круг
В ее сиянье исчезает.

Куда бы ты ни поспешал,
Хоть на любовное свиданье,
Какое б в сердце ни питал
Ты сокровенное мечтанье, —
Но, встретясь с ней, смущенный, ты
Вдруг остановишься невольно,
Благоговея богомольно
Перед святыней красоты.

1832

THE BEAUTY

All harmony, all marvel, she,
Above the world and passionless:
She rests serene shamefastedly
In her triumphant loveliness;
She looks around her left and right:
She has no rival and no peer:
The beauties of our pallid sphere
Have vanished in her blinding light.

Bound for whatever be your goal,
Though to a lover's tryst you speed,
However precious in your soul
A day-dream you may hide and feed;
Yet, meeting her, unwillingly
You of a sudden dazed and mute
Shall halt devoutly to salute
Her beauty and her sanctity.

Translated by Maurice Baring

IN A BEAUTY'S ALBUM

All harmony, all wondrous fairness,
Aloof from passions and the world,
She rests, with tranquil unawareness
In her triumphant beauty furled.
When all about her eyes hold muster,
Nor friends, nor rivals can be found,
All our beauties' pallid round
Extinguished wholly be her luster.

And were you bound I know not where,
Be it to love's embraces bidden,
Or what choice vision you may bear
In heart's most private chamber hidden, —
Yet, meeting her, you will delay,
Struck by bemusement in mid-motion,
And pause in worshipful devotion
At beauty's sacred shrine to pray.

Translated by Walter Arndt

Не дай мне Бог сойти с ума.
Нет, легче посох и сума;
   Нет, легче труд и глад.
Не то, чтоб разумом моим
Я дорожил; не то, чтоб с ним
   Расстаться был не рад:

Когда б оставили меня
На воле, как бы резво я
   Пустился в темный лес!
Я пел бы в пламенном бреду,
Я забывался бы в чаду
   Нестройных, чудных грез.

И я б заслушивался волн,
И я глядел бы, счастья полн,
   В пустые небеса;
И силен, волен был бы я,
Как вихорь, роющий поля,
   Ломающий леса.

Да вот беда: сойди с ума,
И страшен будешь как чума,
   Как раз тебя запрут,
Посадят на цепь дурака
И сквозь решетку как зверка
   Дразнить тебя придут.

А ночью слышать буду я
Не голос яркий соловья,
   Не шум глухой дубров —
А крик товарищей моих,
Да брань смотрителей ночных,
   Да визг, да звон оков.

1833

Don't let me lose my mind, oh, God;
I'd sooner beg with sack and rod
   Or starve in sweat and dust.
Not that I treasure my poor mind,
Or would bemoan it should I find
   That part from it I must:

If they but left me free to roam,
How I would fly to make my home
   In deepest forest gloom!
In blazing frenzy would I sing,
Be drugged by fancies smoldering
   In rank and wondrous fume.

And I would hear the breakers roar,
And my exultant gaze would soar
   In empty skies to drown:
Unbridled would I be and grand
Like the great gale that rakes the land
   And mows the forest down.

But woe befalls whose mind is vague:
They dread and shun you like the plague,
   And once the jail-gate jars,
They bolt the fool to chain and log
And come as to a poor mad dog
   To tease him through the bars.

And then upon the evenfall
I'd hear no nightingale's bright call,
   No oak tree's murmurous dreams —
I'd hear my prison-mates call out,
And night attendants rail and shout,
   And clashing chains, and screams.

Translated by Walter Arndt

For God's sake, let me not go mad;
far better beggar's staff and plaid,
        and toil or hunger choose.
But not that I would grimly cling
to intellect as to a thing
        I greatly fear to lose:

Were I but left a liberty
to roam at will, exultantly
        I'd race by woods and streams!
And sing delirious, overjoyed,
oblivious in a swirling void
        of wild and wondrous dreams.

Enrapt in dreams that never cloy,
I'd gaze aloft, suffused with joy,
        into the empty skies;
I would be willful, wild, and free,
a whirlwind roaring from the sea,
        destroying as it flies.

But there's the rub: once lose your mind
and you're terror to mankind;
        they'll take you when they please,
attach you to the idiot's chain
and through the bars time and again
        they'll come to poke and tease.

At night the sounds that I shall hear
will not be nightingales, I fear;
        no oak woods' solemn strains
but cries of those who share my plight,
the curse of warders in the night,
        and shrieks and clank of chains.

Translated by Alan Myers

Пора, мой друг, пора! покоя сердце просит —
Летят за днями дни, и каждый час уносит
Частичку бытия, а мы с тобой вдвоем
Предполагаем жить... И глядь — как раз — умрем.
На свете счастья нет, но есть покой и воля.
Давно завидная мечтается мне доля —
Давно, усталый раб, замыслил я побег
В обитель дальную трудов и чистых нег.

1834

It's time, my dear, it's time! The heart demands its quittance —
As day flies after day and each bears off its pittance
Withdrawn from living's store and meanwhile you and I
Draw up our plans to live... And then — why, then, we'll die.
No happiness exists, but there is calm and freedom;
And long an enviable fate I've dreamed on —
And long, a worn-out slave, I've contemplated flight
To some far-off abode of art and pure delight.

Translated by Alan Myers

Юношу, горько рыдая, ревнивая дева бранила;
   К ней на плечо преклонен, юноша вдруг задремал.
Дева тотчас умолкла, сон его легкий лелея,
   И улыбалась ему, тихие слезы лия.

1835

Я думал, сердце позабыло
Способность легкую страдать,
Я говорил: тому, что было,
Уж не бывать! уж не бывать!
Прошли восторги, и печали,
И легковерные мечты...
Но вот опять затрепетали
Пред мощной властью красоты.

1835

Bitterly sobbing, the maid chid the youth with jealous reproaches;
    Facing her, propped on a shoulder, sleep took him all unawares.
Straightway the maiden was still, lulling his gossamer slumber,
    Letting her tears flow on, quietly smiling at him.

Translated by Walter Arndt

I was assured my heart had rested
Its urge to suffer long before;
What used to be, I had protested,
Shall be no more! shall be no more!
Deceitful dreams forever hidden,
Forsaken raptures, sorrows banned...
Yet here afresh they stir me, bidden
By Beauty's sovereign command.

Translated by Walter Arndt

Exegi monumentum.

Я памятник себе воздвиг нерукотворный,
К нему не зарастет народная тропа,
Вознесся выше он главою непокорной
       Александрийского столпа.

Нет, весь я не умру — душа в заветной лире
Мой прах переживет и тленья убежит —
И славен буду я, доколь в подлунном мире
       Жив будет хоть один пиит.

Слух обо мне пройдет по всей Руси великой,
И назовет меня всяк сущий в ней язык,
И гордый внук славян, и финн, и ныне дикой
       Тунгус, и друг степей калмык.

И долго буду тем любезен я народу,
Что чувства добрые я лирой пробуждал,
Что в мой жестокий век восславил я свободу
       И милость к падшим призывал.

Веленью Божию, о муза, будь послушна,
Обиды не страшась, не требуя венца;
Хвалу и клевету приемли равнодушно,
       И не оспоривай глупца.

1836

A MONUMENT

I've raised myself no statue made with hands;
The People's path to it no weeds will hide.
Rising with no submissive head, it stands
Above the pillar of Napoleon's pride.
No! I shall never die; in sacred strains
My soul survives my dust, and flies decay —
And famous shall I be, while there remains
A single Poet 'neath the light of day.
Through all great Russia will go forth my fame,
And every tongue in it will name my name;
And by the nation long shall I be loved,
Because my lyre their nobler feelings moved;
Because I strove to serve them with my song,
And called forth mercy for the fallen throng.
Hear God's command, O Muse, obediently,
Nor dread reproach, nor claim the Poet's bay;
To praise and blame alike indifferent be,
And let fools say their say!

Translated by John Pollen

Поэмы

Narrative Poems

БАХЧИСАРАЙСКИЙ ФОНТАН

> Многие, так же как и я,
> посещали сей фонтан; но
> иных уже нет, другие
> странствуют далече.
>
> *Сади*

Гирей сидел, потупя взор;
Янтарь в устах его дымился;
Безмолвно раболепный двор
Вкруг хана грозного теснился.
Все было тихо во дворце;
Благоговея, все читали
Приметы гнева и печали
На сумрачном его лице.
Но повелитель горделивый
Махнул рукой нетерпеливой:
И все, склонившись, идут вон.

Один в своих чертогах он;
Свободней грудь его вздыхает,
Живее строгое чело
Волненье сердца выражает.
Так бурны тучи отражает
Залива зыбкое стекло.

Что движет гордою душою?
Какою мыслью занят он?
На Русь ли вновь идет войною,
Несет ли Польше свой закон,
Горит ли местию кровавой,
Открыл ли в войске заговор,
Страшится ли народов гор,
Иль козней Генуи лукавой?

Нет, он скучает бранной славой,
Устала грозная рука;
Война от мыслей далека.

THE FOUNTAIN OF BAKHCHISARAY

> Many have visited this
> fountain, as I have done; but
> some are no more, others
> are wandering afar.
>
> *Sadi*

With brooding eyes sat Khan Girey
Blue smoke his amber mouthpiece shrouded;
About their fearsome ruler crowded
The Court in sedulous array.
Deep silence reigned about the prince;
All numbly scanned the least reflection
Of irritation or dejection
On his beclouded countenance.
But now a gesture of impatience
From the imperious lord of nations
Made all bow low and melt away.

Enthroned alone remains Girey;
More freely labors now his breathing,
More clearly now his scowls betray
The surf of passion's inward seething.
Thus clouds, the brow of heaven wreathing,
Are mirrored in a changeful bay.

On what high issues is he poring?
What would his haughty mind essay?
To Russia will he fare with warring,
On Poland force his sword and sway?
Is he aflame with bloody vengeance,
Are plots uncovered in his host,
Do mountain tribes alarm him most
Or devious Genoa's subtle engines?

No — he has tired of armored fame,
That formidable arm is tame;
The lure of stratagems has faded.

Ужель в его гарем измена
Стезей преступною вошла,
И дочь неволи, нег и плена
Гяуру сердце отдала?

Нет, жены робкие Гирея,
Ни думать, ни желать не смея,
Цветут в унылой тишине;
Под стражей бдительной и хладной
На лоне скуки безотрадной
Измен не ведают оне.
В тени хранительной темницы
Утаены их красоты:
Так аравийские цветы
Живут за стеклами теплицы.
Для них унылой чередой
Дни, месяцы, лета проходят
И неприметно за собой
И младость и любовь уводят.
Однообразен каждый день,
И медленно часов теченье.
В гареме жизнью правит лень;
Мелькает редко наслажденье.
Младые жены, как-нибудь
Желая сердце обмануть,
Меняют пышные уборы,
Заводят игры, разговоры,
Или при шуме вод живых,
Над их прозрачными струями
В прохладе яворов густых
Гуляют легкими роями.
Меж ними ходит злой эвнух,
И убегать его напрасно:
Его ревнивый взор и слух
За всеми следует всечасно.
Его стараньем заведен
Порядок вечный. Воля хана
Ему единственный закон;
Святую заповедь Корана
Не строже наблюдает он.
Его душа любви не просит;
Как истукан, он переносит
Насмешки, ненависть, укор,
Обиды шалости нескромной,
Презренье, просьбы, робкий взор,
И тихий вздох, и ропот томный.

Should rank defilement have invaded
His harem on betrayal's spoor,
A child of charms enchained have traded
Her ardent heart to a giaour?

No — Girey's wives, subdued of bearing,
Designs still less than wishes daring,
In melancholy stillness blush;
Their guard is vigilant and dreaded,
They harbor no deceit, embedded
Deep in their drear unsolaced hush.
In stealth their beauty blooms and wanes,
A sombre dungeon for its bower:
Thus blossoms of Arabia flower
Beneath the sheltering hothouse panes.
For them, disconsolately flow
Days, months, and years in changeless rhythm,
And, all unnoticed as they go,
Take youth and love and ardor with them.
Of even hue is every day.
And slow the current of the hours.
Sloth holds the Harem's life in sway,
And seldom sweet enjoyment flowers.
The youthful wives, by forced resort
To pastimes of whatever sort,
Will choose among their gorgeous raiments,
Engage in games and entertainments,
Or, deep in shade of sycamores,
By well-springs babbling near their quarters,
May sport in gauzy threes and fours,
Beribboned by the shining waters.
A baleful eunuch wanders here;
To counter him is vain endeavor:
His unrelenting eye and ear
Are fixed on all their movements, ever.
Their changeless order bears his seal.
The sum and essence of his functions
Lies in his master's word and weal,
Nor the august Koran's injunctions
Does he observe with greater zeal.
His soul spurns love; a graven idol
Of unconcern, he does not bridle
At hatred, scorn, reproach; he brooks
The taunts which wanton mischief utters,
Disdain, appeal, submissive looks,
Unspeaking sighs, and languid mutters.

Ему известен женский нрав;
Он испытал, сколь он лукав
И на свободе и в неволе:
Взор нежный, слез упрек немой
Не властны над его душой;
Он им уже не верит боле.

Раскинув легкие власы,
Как идут пленницы младые
Купаться в жаркие часы,
И льются волны ключевые
На их волшебные красы,
Забав их сторож неотлучный,
Он тут; он видит, равнодушный,
Прелестниц обнаженный рой;
Он по гарему в тьме ночной
Неслышными шагами бродит;
Ступая тихо по коврам,
К послушным крадется дверям,
От ложа к ложу переходит;
В заботе вечной, ханских жен
Роскошный наблюдает сон,
Ночной подслушивает лепет;
Дыханье, вздох, малейший трепет —
Все жадно примечает он;
И горе той, чей шепот сонный
Чужое имя призывал
Или подруге благосклонной
Порочны мысли доверял!

Что ж полон грусти ум Гирея?
Чубук в руках его потух;
Недвижим, и дохнуть не смея,
У двери знака ждет эвнух.
Встает задумчивый властитель;
Пред ним дверь настежь. Молча он
Идет в заветную обитель
Еще недавно милых жен.

Беспечно ожидая хана,
Вокруг игривого фонтана
На шелковых коврах оне
Толпою резвою сидели
И с детской радостью глядели,
Как рыба в ясной глубине
На мраморном ходила дне.
Нарочно к ней на дно иные

No stranger he to women's hearts,
He knows how wily are their arts
At large or in the dungeon's throe:
Eyes melting, tears' appealing source,
Are impotent to stay his course;
He ceased to trust them long ago.

When, fragrant hair in loose undress,
The youthful captives, on an outing
To feel the heart of day the less,
Have gone to bathe, clear fountains spouting
About their lovely nakedness,
He, all enjoyment's guard unswerving,
Is there, impassively observing
That welter of unveiled delight.
He stalks the shaded harem night,
Inaudible his feline gliding;
Across the carpets' soundless deeps
To the obsequious door he creeps,
In secret aisle on aisle bestriding;
What sensuous slumber might reveal
He summons to his shrewd ordeal.
Each whisper of the darkness scouting;
Quick breathing, sighing, languid pouting —
He dockets with relentless zeal;
And woe to her whose slumbrous mutters
Perchance another's name impart,
Or who to trusted ear unshutters
Unlawful stirrings of her heart!

What sorrows marks the Ruler's bearing?
The hookah wafts its fumes no more;
The Eunuch, not a tremor daring,
Awaits his signal at the door.
The pensive potentate has risen,
The portals gape. In silence grim
He enters the secluded prison
Of wives but lately dear to him.

His visitation biding blithely
Round playful fountains, sprawling lithely
On silken rugs, our beauties lark;
One frisky troop beguile their leisure
By watching with a childish pleasure
The darting fishes glint and spark
Against the marble's lucent dark;
Some, doubly willful and capricious,

Роняли серьги золотые.
Кругом невольницы меж тем
Шербет носили ароматный
И песнью звонкой и приятной
Вдруг огласили весь гарем:

Т а т а р с к а я   п е с н я

1

«Дарует небо человеку
Замену слез и частых бед:
Блажен факир, узревший Мекку
На старости печальных лет.

2

Блажен, кто славный брег Дуная
Своею смертью освятит:
К нему навстречу дева рая
С улыбкой страстной полетит.

3

Но тот блаженней, о Зарема,
Кто, мир и негу возлюбя,
Как розу, в тишине гарема
Лелеет, милая, тебя».

Они поют. Но где Зарема,
Звезда любви, краса гарема? —
Увы, печальна и бледна,
Похвал не слушает она;
Как пальма, смятая грозою,
Поникла юной головою;
Ничто, ничто не мило ей:
Зарему разлюбил Гирей.

Он изменил!.. Но кто с тобою,
Грузинка, равен красотою?
Вокруг лилейного чела
Ты косу дважды обвила;
Твои пленительные очи
Яснее дня, чернее ночи;
Чей голос выразит сильней
Порывы пламенных желаний?
Чей страстный поцелуй живей
Твоих язвительных лобзаний?
Как сердце, полное тобой,
Забьется для красы чужой?

Drop golden earrings to the fishes.
Slave maidens, weaving all among,
Serve cooling sherbet, tart and fruity,
And to an air of tuneful beauty
Make all the Harem with song:

Tartar song

1

«Man's way on earth the Heavens checker
By turns with wretchedness and tears:
Blest is the Fakir, eyeing Mecca
At evenfall of weary tears.

2

Blest they who hallow Danube's valley
Afresh with mortal sacrifice:
To them, with lips on fire, will rally
The lovely maids of Paradise.

3

But blest, Zarema, more than these,
Who, spurning worldly clash and riot,
In the seraglio's peaceful ease
May lull you, sweetest one, in quiet.»

They sing... Zarema, though, is far,
The Harem's queen, love's brightest star! —
Alas, all pale and overwrought,
She does not hear praise. Distraught,
A palm by tempest bent and spread.
She sadly hangs her lovely head.
No thing can hearten her or spur:
Girey has ceased from loving her.

Betrayed!.. But how can one believe you
Excelled in charms? By whom conceive you
Outshone? Around your lily brow is laid
A double coil of raven braid;
Your wonder-working eyes seem able
To blind the day, make night more sable;
Who sounds with fuller voice than you
The transports of enflamed desire?
Whose gifts of passion could outdo
Your fierce caresses' festering fire?
Enchantment tasted in your arms —
Who would essay another's charms?

Но, равнодушный и жестокий,
Гирей презрел твои красы
И ночи хладные часы
Проводит мрачный, одинокий
С тех пор, как польская княжна
В его гарем заключена.

Недавно юная Мария
Узрела небеса чужие;
Недавно милою красой
Она цвела в стране родной.
Седой отец гордился ею
И звал отрадою своею.
Для старика была закон
Ее младенческая воля.
Одну заботу ведал он:
Чтоб дочери любимой доля
Была, как вешний день, ясна,
Чтоб и минутные печали
Ее души не помрачали,
Чтоб даже замужем она
Воспоминала с умиленьем
Девичье время, дни забав,
Мелькнувших легким сновиденьем.
Все в ней пленяло: тихий нрав,
Движенья стройные, живые
И очи томно-голубые.
Природы милые дары
Она искусством украшала;
Она домашние пиры
Волшебной арфой оживляла;
Толпы вельмож и богачей
Руки Марииной искали,
И много юношей по ней
В страданье тайном изнывали.
Но в тишине души своей
Она любви еще не знала
И независимый досуг
В отцовском замке меж подруг
Одним забавам посвящала.

Давно ль? И что же! Тьмы татар
На Польшу хлынули рекою:
Не с столь ужасной быстротою
По жатве стелется пожар.
Обезображенный войною,
Цветущий край осиротел;

Yet Khan Girey has been eluding
Your spell, from cruelty or scorn,
Those cooling hours from dusk to morn
He has been solitary, brooding —
Since first the Polish princess, doomed
To harem life, was here entombed.

    Fair Mary had but little time
Been planted in this alien orchard —
A lovely flower, till lately nurtured
To blossom in her native clime.
She was her graybeard father's pride
Joy of his years' receding tide.
The maiden's every youthful whim
Was the indulgent father's order.
A sole wish animated him
That Providence should but accord her
Life's bright spring; that each day be passed
So that no shadow of displeasure
Should mar the comfort of his treasure,
That even as a bride at last
She should remember, tenderhearted,
Her maidenhood, those joyous days
That like a fleeting dream departed.
All spoke for her: her quiet ways,
Her movements, lithe and swift to view,
And eyes, a languishment of blue.
Kind Nature's gifts of heart and brains
With art's accomplishments she mated,
And with her harp's bewitching strains
Their homely feasting animated;
For her fair hand there came contending
The rich in gold and in estate,
And many a youth, in secret rending
His heart for her, bemoaned his fate.
But to her spirit Love was late
To make his way with soft incursions;
Her unsequestered leisure hours
In the paternal grounds and towers
Were spent in innocent diversions.

    How long? Alas! The Tartar swarm
On Poland's marches poured in rivers:
Not with such rushing fury quivers
The fire across a field of corn.
By warlike devastation savaged,
New-orphaned lay the blooming land,

Исчезли мирные забавы;
Уныли селы и дубравы,
И пышный замок опустел.
Тиха Мариина светлица...
В домовой церкви, где кругом
Почиют мощи хладным сном,
С короной, с княжеским гербом
Воздвиглась новая гробница...
Отец в могиле, дочь в плену,
Скупой наследник в замке правит
И тягостным ярмом бесславит
Опустошенную страну.

Увы! Дворец Бахчисарая
Скрывает юную княжну.
В неволе тихой увядая,
Мария плачет и грустит.
Гирей несчастную щадит:
Ее унынье, слезы, стоны
Тревожат хана краткий сон,
И для нее смягчает он
Гарема строгие законы.
Угрюмый сторож ханских жен
Ни днем, ни ночью к ней не входит;
Рукой заботливой не он
На ложе сна ее возводит;
Не смеет устремиться к ней
Обидный взор его очей;
Она в купальне потаенной
Одна с невольницей своей;
Сам хан боится девы пленной
Печальный возмущать покой;
Гарема в дальнем отделеньи
Позволено ей жить одной:
И, мнится, в том уединеньи
Сокрылся некто неземной.
Там день и ночь горит лампада
Пред ликом девы пресвятой;
Души тоскующей отрада,
Там упованье в тишине
С смиренной верой обитает,
И сердцу все напоминает
О близкой, лучшей стороне;
Там дева слезы проливает
Вдали завистливых подруг;
И между тем, как всё вокруг

The dear pacific pastimes banned,
Oak groves and hamlets charred and ravaged,
The noble castle's keeps unmanned.
Maria's morning room is muted...
The crypt wherein, in marble dressed,
Ancestral relics lie at rest,
Embossed with princely crown and crest,
Sees a fresh sepulchre recruited...
The orphaned princess snatched by arms,
A grasping heir succeeds upon her,
By now a galling yoke's dishonor
His rule has brought to ravished farms.

    The Khan's serail is now confining,
O grievous thought! the young princess.
Mute bondage has Maria pining
In tears of utter hopelessness.
Girey indulges her distress:
Her laments, sobs, despairing pleas
Disturb the Potentate's brief slumber,
And he has waived for her a number
Of the Seraglio's stern decrees.
The Harem beauties' gloomy warder
Does not patrol her night or day,
Nor does his company and order
Attend her to her slumber bay.
The contumely of his eyes
To her pure visage did not rise;
She used a pool, remote and lonely,
Attended by a slave girl only,
To bathe; the Khan himself was prone
To spare his captive's frail composure,
Permitting her to live alone,
In the Seraglio's last enclosure:
You'd think, in that secluded cell
One not of earth had come to dwell.
Within, a light is ever shining
Before Our Lady's image fair,
Assuagement for the spirit's pining:
There pious Faith confounds despair
And makes with Hope a saving pair;
And all inclines the soul to ponder
A gentler shore, a refuge yonder.
In this spare lodgement, set apart
From envious wives, she grieves her heart.
And while the rest have never craved

В безумной неге утопает,
Святыню строгую скрывает
Спасенный чудом уголок.
Так сердце, жертва заблуждений,
Среди порочных упоений
Хранит один святой залог,
Одно божественное чувство...
. . . .
. . . .

    Настала ночь; покрылись тенью
Тавриды сладостной поля;
Вдали, под тихой лавров сенью
Я слышу пенье соловья;
За хором звезд луна восходит;
Она с безоблачных небес
На долы, на холмы, на лес
Сиянье томное наводит.
Покрыты белой пеленой,
Как тени легкие мелькая,
По улицам Бахчисарая,
Из дома в дом, одна к другой,
Простых татар спешат супруги
Делить вечерние досуги.
Дворец утих; уснул гарем,
Объятый негой безмятежной;
Не прерывается ничем
Спокойство ночи. Страж надежный,
Дозором обошел эвнух.
Теперь он спит; но страх прилежный
Тревожит в нем и спящий дух.
Измен всечасных ожиданье
Покоя не дает уму.
То чей-то шорох, то шептанье,
То крики чудятся ему;
Обманутый неверным слухом,
Он пробуждается, дрожит,
Напуганным приникнув ухом...
Но все кругом его молчит;
Одни фонтаны сладкозвучны
Из мраморной темницы бьют,
И с милой розой неразлучны
Во мраке соловьи поют;
Эвнух еще им долго внемлет,
И снова сон его объемлет.

But unreflecting dissipation,
This nook, miraculously saved,
Hides virtue's sacred resting station.
Thus heart, by wickedness bespoken.
Amidst incontinence of vice
May clutch a single sacred token,
Discern a glint of paradise...

. . . .
. . . .

The night has fallen; shades of sorrel
Now tint the smiling Tauric vale;
Far in the bosky hush of laurel
I hear the tuneful nightingale;
The starry choirs revolve, ashimmer,
The moon rides up; from cloudless height
It washes knoll and forest night
And lowlands with its langorous glimmer.
Their faces veiled in snowy swathes,
From house to lowly house there ply
The twilight of Bakhchisaray
On feet as light as nimble wraiths
The simple Tartar women, roaming
To barter gossip in the gloaming.
The Court is stilled; the Harem wing
Lies in assuagement lapped, untroubled;
Its slumber no unpeaceful thing
Can threaten: vigilance redoubled,
The Eunuch turns his nightly rounds.
Asleep, as now, his spirit, hobbled
But loosely, stays alert to sounds.
Scant respite to his chafing senses
Allows betrayal's restless fear.
Now someone's scrape or lisp he fancies,
Now exclamations does he hear;
Night sounds imagined or deceiving
Arouse him to a restive crouch,
His head and hearing tensely weaving...
But all is still about his couch.
The fountain's dulcet purl and bobbing
Alone enlives the marble close,
And nightingales, in darkness sobbing,
Which ever wait upon the rose;
Long does the Eunuch listen then —
Till sleep exacts its toll again.

Как милы темные красы
Ночей роскошного Востока!
Как сладко льются их часы
Для обожателей Пророка!
Какая нега в их домах,
В очаровательных садах,
В тиши гаремов безопасных,
Где под влиянием луны
Все полно тайн и тишины
И вдохновений сладострастных!

. . . .

Все жены спят. Не спит одна.
Едва дыша, встает она;
Идет; рукою торопливой
Открыла дверь; во тьме ночной
Ступает легкою ногой...
В дремоте чуткой и пугливой
Пред ней лежит эвнух седой.
Ах, сердце в нем неумолимо:
Обманчив сна его покой!..
Как дух, она проходит мимо.

. . . .

Пред нею дверь; с недоуменьем
Ее дрожащая рука
Коснулась верного замка...
Вошла, взирает с изумленьем...
И тайный страх в нее проник.
Лампады свет уединенный,
Кивот, печально озаренный,
Пречистой девы кроткий лик
И крест, любви символ священный,
Грузинка! все в душе твоей
Родное что-то пробудило,
Все звуками забытых дней
Невнятно вдруг заговорило.
Пред ней покоилась княжна,
И жаром девственного сна
Ее ланиты оживлялись
И, слез являя свежий след,
Улыбкой томной озарялись:
Так озаряет лунный свет
Дождем отягощенный цвет.
Спорхнувший с неба сын Эдема,
Казалось, ангел почивал
И, сонный, слезы проливал
О бедной пленнице гарема...

How rich the night of Orient sky
How lush the shaded splendor of it!
How genially its hours flow by
For the disciples of the Prophet!
Sweet languors from their arbors well,
In their enchanted lodgement dwell,
Their harem, safe in stout defenses,
Where by the magic of the moon
All throbs in a mysterious swoon,
Voluptuous rapture of the senses!

. . . .

The wives are sleeping. All but one.
She rises, breathless; tiptoes on;
She finds the door and, fingers questing,
She opens it; her footfall light
Advances in the murk of night...
Across her path the Eunuch's resting
In swathes of sleep that come and pass.
A heart of iron is his merit:
His tranquil sleep deceives, alas!..
She shimmers past him like a spirit.

. . . .

A door ahead; her fingers blundered
As, tremulous, they groped to catch
The drawbolt of the trusty latch...
She entered, gazed about her, wondered...
An awed misgiving blanched her cheek:
A candelabra's lonely glimmer,
Its mournful light now bright, now dimmer
On a gilt frame, a visage meek,
Our holiest Maid's, and, sacred token
Of love, the Cross. O Georgian! These
Awaken strings which have not spoken
So long — in accents soft and broken
They sound forgotten melodies...
Before her the Princess was lying,
Her slumbrous breathing seemed to blow
Her cheeks a warmer, livelier glow
And cause a wistful smile to grow
Upon the trails of recent crying.
Thus walks the moon her silver lane
Through blossoms ravaged by the rain.
A son of Eden, downward sweeping,
It seemed, had furled his pinions here,
And in his sleep shed tear on tear,
The captive's wretched fate beweeping...

Увы, Зарема, что с тобой?
Стеснилась грудь ее тоской,
Невольно клонятся колени,
И молит: «Сжалься надо мной,
Не отвергай моих молений!..»
Ее слова, движенье, стон
Прервали девы тихий сон.
Княжна со страхом пред собою
Младую незнакомку зрит;
В смятенье, трепетной рукою
Ее подъемля, говорит:
«Кто ты?.. Одна, порой ночною, —
Зачем ты здесь?» — «Я шла к тебе,
Спаси меня; в моей судьбе
Одна надежда мне осталась...
Я долго счастьем наслаждалась,
Была беспечней день от дня...
И тень блаженства миновалась;
Я гибну. Выслушай меня.

        Родилась я не здесь, далеко,
Далеко... но минувших дней
Предметы в памяти моей
Доныне врезаны глубоко.
Я помню горы в небесах,
Потоки жаркие в горах,
Непроходимые дубравы,
Другой закон, другие нравы;
Но почему, какой судьбой
Я край оставила родной,
Не знаю; помню только море
И человека в вышине
Над парусами...
                    Страх и горе
Доныне чужды были мне;
Я в безмятежной тишине
В тени гарема расцветала
И первых опытов любви
Послушным сердцем ожидала.
Желанья тайные мои
Сбылись. Гирей для мирной неги
Войну кровавую презрел,
Пресек ужасные набеги
И свой гарем опять узрел.

Zarema — oh! what touches you?
Her heart is gripped by pangs of rue,
Her knees bend under as if heeding
Another's will. «I beg of you,»
She prays, «have mercy, hear my pleading....»
Her movements, sobs, abrupt behest
Have chased Maria's tranquil rest.
She fears who knows what mischief masked
In this appeal of a young stranger,
And trembling, sensible of danger,
She helps her to her feer, and asks:
«Who are you? ... Lone nocturnal ranger,
Why are you here?» «I come to you;
Save me; such is the lot I drew
That you are now my sole redress.
Long did I savor happiness,
Live unassailed by care or doubt...
The shadow even of my bliss
Is gone; I perish. Hear me out.

This is not home; my childhood haven
Is far away... but what remains
Of bygone scenes, my mind retains
Live to this day and deeply graven.
Impenetrable forest lowers,
I see great mountains, ether-girt,
Hot falls which from the mountains spurt;
And laws and customs far from ours.
By what ordainment, by whose hand
I came to leave my native land
I know not; I recall the heaving
Of seas, a man high on a spar
Above the sails... Alarm and grieving
Have stayed aloof from me so far;
In peace which nothing seemed to mar
I bloomed in Harem shade, expecting
The call of love on me — my first —
With humble heart and unreflecting.
My fantasies, in secret nursed,
Came true. For peaceable indulgence
Girey renounced the clash of war;
When he forswore its gory fulgence,
The Harem saw him as before.

Пред хана в смутном ожиданьи
Предстали мы. Он светлый взор
Остановил на мне в молчаньи,
Позвал меня... и с этих пор
Мы в беспрерывном упоенье
Дышали счастьем; и ни раз
Ни клевета, ни подозренье,
Ни злобной ревности мученье,
Ни скука не смущала нас.
Мария! ты пред ним явилась...
Увы, с тех пор его душа
Преступной думой омрачилась!
Гирей, изменою дыша,
Моих не слушает укоров,
Ему докучен сердца стон;
Ни прежних чувств, ни разговоров
Со мною не находит он.
Ты преступленью не причастна;
Я знаю: не твоя вина...
Итак, послушай: я прекрасна;
Во всем гареме ты одна
Могла б еще мне быть опасна;
Но я для страсти рождена,
Но ты любить, как я, не можешь;
Зачем же хладной красотой
Ты сердце слабое тревожишь?
Оставь Гирея мне: он мой;
На мне горят его лобзанья,
Он клятвы страшные мне дал,
Давно все думы, все желанья
Гирей с моими сочетал;
Меня убьет его измена...
Я плачу; видишь, я колена
Теперь склоняю пред тобой,
Молю, винить тебя не смея,
Отдай мне радость и покой,
Отдай мне прежнего Гирея...
Не возражай мне ничего;
Он мой! он ослеплен тобою.
Презреньем, просьбою, тоскою,
Чем хочешь, отврати его;
Клянись... (хоть я для Алкорана,
Между невольницами хана,
Забыла веру прежних дней;
Но вера матери моей
Была твоя) клянись мне ею

In dark suspense, we were paraded
Before the Khan. His countenance
Turned to me, shone: he was persuaded,
He summoned me... and ever since
Enchanted bliss without remission
We sipped; not once from that glad day
Did slander, scheming competion,
Tormenting jealousy, suspicion,
Or boredom mark us for their prey.
But you appeared to him, Maria!...
From that time on, alas, his soul
Turned black with traitorous desire!
Girey, rank perfidy his goal,
Is callous to my castigation,
The heart's lament he would ignore,
Finds neither converse nor sensation
To give Zarema as before.
You do not share his lapse from duty,
I know, and guiltless is your mind...
So listen to me: I have beauty;
Here only you may boast the kind
That I might stand in peril of;
But I was wholly made for love,
And you can't love him in my fashion;
With barren beauty void of passion
Why stir a vulnerable heart?
Leave him to me; Girey is mine;
On me his burning kisses smart;
Most awesome vows from him I treasure,
Not just of late his thought, his pleasure
Seek me and with my own combine;
His faithlessness will be my death...
I weep — look! — prone before you, reaching
Humbly to touch your feet, beseeching
You (whom I dare assign no breath
Of blame) to heal my sorrow, teaching
Girey to be what once he was...
Gainsay me not, by word or sign;
Though dazed by you, Girey is mine;
By pleading, spurning give him pause,
Pride, grief — whatever — make him heed;
Swear to me (though for the K'oran
Amid the captives of the Khan
I all but lost my childhood creed,
My mother prayed the Christian way
Like you...) by this your faith I say:

Зарему возвратить Гирею...
Но слушай: если я должна
Тебе... кинжалом я владею,
Я близ Кавказа рождена».

Сказав, исчезла вдруг. За нею
Не смеет следовать княжна.
Невинной деве непонятен
Язык мучительных страстей,
Но голос их ей смутно внятен;
Он странен, он ужасен ей.
Какие слезы и моленья
Ее спасут от посрамленья?
Что ждет ее? Ужели ей
Остаток горьких юных дней
Провесть наложницей презренной?
О Боже! если бы Гирей
В ее темнице отдаленной
Забыл несчастную навек
Или кончиной ускоренной
Унылы дни ее пресек, —
С какою б радостью Мария
Оставила печальный свет!
Мгновенья жизни дорогие
Давно прошли, давно их нет!
Что делать ей в пустыне мира?
Уж ей пора, Марию ждут
И в небеса, на лоно мира,
Родной улыбкою зовут.

. . . .

Промчались дни; Марии нет.
Мгновенно сирота почила.
Она давно-желанный свет,
Как новый ангел, озарила.
Но что же в гроб ее свело?
Тоска ль неволи безнадежной,
Болезнь, или другое зло?..
Кто знает? Нет Марии нежной!..
Дворец угрюмый опустел;
Его Гирей опять оставил;
С толпой татар в чужой предел
Он злой набег опять направил;
Он снова в бурях боевых
Несется мрачный, кровожадный:
Но в сердце хана чувств иных
Таится пламень безотрадный.

Back to Zarema turn Girey...
There's hope... but mark me: if I lose it —
I have a dagger, and I use it.
The Caucasus has been my sire.»

    With this, she vanished; and Maria
Avoided watching her depart.
The voice of mutinous desire
Is foreign to her maiden heart.
She cannot fathom its narration.
It frightens her and makes her ill.
What tears, entreaty, imprecation,
Might rescue her from degradation?
What looms ahead? Must, by his will,
What bitter youth awaits her still
Reek with a concubine's disgrace?
O heaven — what if Girey had left her
To droop in this forsaken place;
Or if his purpose had bereft her
Of her sad life's remaining lease —
With what serenity Maria
Would leave behind life's joyless grind!
What moments had been dearer, higher,
Had long been lived and left behind!
What in this waste but begs release?
Her time is come, her place is shown,
And with a smile so like her own,
They call her home to heavenly peace.

. . . .

    The days have fled; Maria's gone,
To earth committed what was human,
An angel now, the friendless one
Her longed-for haven helps illumine.
What was it thrust her to her tomb?
Sad durance, whence all hope was banished,
Disease, or else some other doom?
Who knows — but tender Mary's vanished!...
The vacant Court in doldrums fades,
By Khan Girey once more forsaken;
His Tartar squadrons he has taken
To lash abroad with evil raids;
To slaughter, seemingly the same,
He rides again, blackbrowed and cruel,
But in his heart, a desolate flame
Of other feelings draws its fuel.

Он часто в сечах роковых
Подъемлет саблю, и с размаха
Недвижим остается вдруг,
Глядит с безумием вокруг,
Бледнеет, будто полный страха,
И что-то шепчет, и порой
Горючи слезы льет рекой.

Забытый, преданный презренью,
Гарем не зрит его лица;
Там, обреченные мученью,
Под стражей хладного скопца
Стареют жены. Между ними
Давно грузинки нет; она
Гарема стражами немыми
В пучину вод опущена.
В ту ночь, как умерла княжна,
Свершилось и ее страданье.
Какая б ни была вина,
Ужасно было наказанье!

Опустошив огнем войны
Кавказу близкие страны
И селы мирные России,
В Тавриду возвратился хан
И в память горестной Марии
Воздвигнул мраморный фонтан,
В углу дворца уединенный.
Над ним крестом осенена
Магометанская луна
(Символ, конечно, дерзновенный,
Незнанья жалкая вина).
Есть надпись: едкими годами
Еще не сгладилась она.
За чуждыми ее чертами
Журчит во мраморе вода
И каплет хладными слезами,
Не умолкая никогда.
Так плачет мать во дни печали
О сыне, падшем на войне.
Младые девы в той стране
Преданье старины узнали,
И мрачный памятник оне
Фонтаном слез именовали.

At times, in peril's very jaws
He'd lift his sword, and as he downed it,
Halt, peer, distractedly and pause
As if forgetting where he was,
And blanch as if by fear confounded,
Then whisper something — and it seems,
Tears scored his cheeks in scalding streams.

The Harem, utterly neglected,
Knows not the favor of his stay;
Within, their womanhood rejected,
Beneath the Eunuch's frigid sway
The fretful wives grow old. Their orders
Long since exclude the Georgian girl:
By the Seraglio's tongueless warders
Cast to the waters' silent swirl.
The very night the Princess died,
Her own deliverance was hastened.
Sin as she did, from love and pride,
She was most pitilessly chastened!

Laid waste with sword and firebrands
Caucasia, and the peaceful lands
Of Rus' with plague of war infected,
Back home the Tartar chieftain came;
A marble fountain he erected
To honor poor Maria's name,
Deep in a corner of the Court.
Mohammed's crescent moon surmounting,
A cross was set atop the fountain
(Symbols conjoined from lack of thought,
They still affront in the recounting).
There's writing, too; the probing whirls
Of time have not erased it yet.
Behind its curious curves and curls
Within the stone the waters fret,
Then gush and rain in tearlike pearls,
Undried, unsilenced evermore.
Thus mothers mourn in grief unmeasured
Sons done to death by savage war.
This tale of woe from ancient lore
The maidens hereabouts have treasured;
Each age the mournful mark reveres,
And knows it as *The Fount of Tears*.

Покинув север наконец,
Пиры надолго забывая,
Я посетил Бахчисарая
В забвеньи дремлющий дворец.
Среди безмолвных переходов
Бродил я там, где, бич народов,
Татарин буйный пировал
И после ужасов набега
В роскошной лени утопал.
Еще поныне дышит нега
В пустых покоях и садах;
Играют воды, рдеют розы,
И вьются виноградны лозы,
И злато блещет на стенах.
Я видел ветхие решетки,
За коими, в своей весне,
Янтарны разбирая четки,
Вздыхали жены в тишине.
Я видел ханское кладбище,
Владык последнее жилище.
Сии надгробные столбы,
Венчанны мраморной чалмою,
Казалось мне, завет судьбы
Гласили внятною молвою.
Где скрылись ханы? Где гарем?
Кругом всё тихо, всё уныло,
Всё изменилось... но не тем
В то время сердце полно было:
Дыханье роз, фонтанов шум
Влекли к невольному забвенью,
Невольно предавался ум
Неизъяснимому волненью,
И по дворцу летучей тенью
Мелькала дева предо мной!..

. . . .

Чью тень, о други, видел я?
Скажите мне: чей образ нежный
Тогда преследовал меня,
Неотразимый, неизбежный?
Марии ль чистая душа
Являлась мне, или Зарема
Носилась, ревностью дыша,
Средь опустелого гарема?

Departed from the north at last,
High merriment for long put by,
I visited Bakhchisaray,
Its palace, slumbering in the past.
By soundless lanes and deviations
I roved, where erstwhile, scourge of nations,
The fiery-blooded Tartar dined
And from more ghastly depredations
In more luxurious ease reclined.
Luxuriance to this day enthralls
Those vacant pleasances and halls;
The roses glow, the waters jingle,
The tendrils of the vine commingle,
And gold still glistens on the walls.
Frail lattice still shuts off each chamber
Where, in the spring of years confined,
Distraitly fingering beads of amber,
The harem wives in silence pined.
I saw the Khans' sepuchral mounds,
The potentates' last resting grounds.
Those pillars rising from the sod,
Topped with their marble turban-winding,
Made sensible the secret grinding,
I fancied, of the mills of God.
Where now the Khans? The Harem where?
All now was silent, all was dreary,
All had been altered... but not there
Was what bestirred the spirit's query:
The breath of rose, the fountain's gush
Induced, unwilled by me, forgetting;
Unwilled by me, there surged a rush
Of feelings questioning and fretting,
And through the palace, shadow-light,
A maiden glided in my sight!..

. . . .

Whose shade, companions, did I see?
Tell me: whose tender image haunted
My pensive mind so earnestly,
By naught deflected, nothing daunted?
Did pure-souled Mary cross my path,
Was it Zarema's fiery passion,
Who, deathless in her jealous wrath,
Bestrode the Court in spectral fashion?

Я помню столь же милый взгляд
И красоту еще земную,
Все думы сердца к ней летят,
Об ней в изгнании тоскую...
Безумец! полно! перестань,
Не оживляй тоски напрасной,
Мятежным снам любви несчастной
Заплачена тобою дань —
Опомнись; долго ль, узник томный,
Тебе оковы лобызать
И в свете лирою нескромной
Свое безумство разглашать?

Поклонник муз, поклонник мира,
Забыв и славу и любовь,
О, скоро вас увижу вновь,
Брега веселые Салгира!
Приду на склон приморских гор,
Воспоминаний тайных полный, —
И вновь таврические волны
Обрадуют мой жадный взор.
Волшебный край! очей отрада!
Все живо там: холмы, леса,
Янтарь и яхонт винограда,
Долин приютная краса,
И струй и тополей прохлада...
Все чувство путника манит,
Когда, в час утра безмятежный,
В горах, дорогою прибрежной,
Привычный конь его бежит,
И зеленеющая влага
Пред ним и блещет и шумит
Вокруг утесов Аю-дага...

1821—1823

I know a gaze as dear and fair,
And beauty still in nature anchored;
To her my heart-deep thoughts repair,
For her in exile I have hankered...
Madman! Enough of this! Forbear,
Do not perversely ask to languish,
To frantic dreams, love's hopeless anguish,
You have paid tribute, and to spare —
Come to your senses; convict pining,
How long are you to kiss your chain,
And with your lyre's immodest whining
Broadcast your madness, and your pain?

To peace and to the Muse devoting
My heart, oh! soon I'll relish here
The smiling banks of the Salgir,
On neither love nor glory doting!
I'll half ascend the coastal height
And, full of memories to aching,
Let Tauric waves in crest and breaking
Regale again my eager sight.
O magic shore! O visions' balm!
All there inspirits: peak and pine,
The graceful valleys' sheltering calm,
The rose and amber of the vine,
Cool brooks and toplar shade near by...
All this will lure the rider's eye
As his familiar mount may sidle
Along the shore with slackened bridle
Upon a windless morning's spree;
And, turning emerald, the brine
Will scintillate for him and shine
Where Ayu Dag falls off to sea...

Translated by Walter Arndt

ГРАФ НУЛИН

Пора, пора! рога трубят;
Псари в охотничьих уборах
Чем свет уж на конях сидят,
Борзые прыгают на сворах.
Выходит барин на крыльцо,
Всё, подбочась, обозревает;
Его довольное лицо
Приятной важностью сияет.
Чекмень затянутый на нем,
Турецкий нож за кушаком,
За пазухой во фляжке ром,
И рог на бронзовой цепочке.
В ночном чепце, в одном платочке,
Глазами сонными жена
Сердито смотрит из окна
На сбор, на псарную тревогу.
Вот мужу подвели коня;
Он холку хвать и в стремя ногу,
Кричит жене: «Не жди меня!» —
И выезжает на дорогу.

В последних числах сентября
(Презренной прозой говоря)
В деревне скучно: грязь, ненастье,
Осенний ветер, мелкий снег
Да вой волков. Но то-то счастье
Охотнику! Не зная нег,
В отъезжем поле он гарцует,
Везде находит свой ночлег,
Бранится, мокнет и пирует
Опустошительный набег.

А что же делает супруга
Одна в отсутствии супруга?
Занятий мало ль есть у ней:
Грибы солить, кормить гусей,
Заказывать обед и ужин,
В анбар и в погреб заглянуть, —
Хозяйки глаз повсюду нужен:
Он вмиг заметит что-нибудь.

GRAF NULIN

It's time, hurrah! the horns are blaring;
already mounted on their steeds
since dawn, the whippers-in sit wearing
hunt livery; hounds jump their leads.
Up on the *perron* the landowner,
with hands on hips, surveys the scene;
his face is radiant, his persona
is nicely, pompously serene.
His tight-drawn jacket is Caucasian;
at belt, a Turkish knife is worn;
rum in a flask for each occasion,
and, on its chain of bronze, a horn.
In shawl and nightcap, his good wife,
eyes full of sleep, from the window
glares at this whirl of sporting life.
Her husband's horse it set to go;
he grasps the withers with a smack
and, foot in stirrup, stops to call:
«Natasha, don't expect me back!»
then off they gallop, one and all.

September's drawing to a close
(to use the humble tongue of prose);
the country's muddy, nasty, boring;
there's autumn wind, fine snow and rain
and howl of wolves. But oh what roaring
bliss for the sportsman! Out, you vain
comforts! Across the field he prances,
he sleeps at random — hill or plain —
he swears, he drips, he toasts the chances
of his sanguinary campaign.

But how shall his deserted treasure,
while he's away, employ her leisure?
What, has she got no tasks to heed?
Mushrooms to pickle, geese to feed,
orders to give for lunch and dinner,
store-rooms and cellar to inspect.
The housewife's optic — it's a winner;
it spots at once the least defect.

К несчастью, героиня наша...
(Ах! я забыл ей имя дать.
Муж просто звал ее Наташа,
Но мы — мы будем называть
Наталья Павловна) к несчастью,
Наталья Павловна совсем
Своей хозяйственною частью
Не занималася, затем,
Что не в отеческом законе
Она воспитана была,
А в благородном пансионе
У эмигрантки Фальбала.

Она сидит перед окном;
Пред ней открыт четвертый том
Сентиментального романа:
Любовь Элизы и Армана,
Иль переписка двух семей —
Роман классический, старинный,
Отменно длинный, длинный, длинный,
Нравоучительный и чинный,
Без романтических затей.

Наталья Павловна сначала
Его внимательно читала,
Но скоро как-то развлеклась
Перед окном возникшей дракой
Козла с дворовою собакой
И ею тихо занялась.
Кругом мальчишки хохотали.
Меж тем печально, под окном,
Индейки с криком выступали
Вослед за мокрым петухом;
Три утки полоскались в луже;
Шла баба через грязный двор
Белье повесить на забор;
Погода становилась хуже:
Казалось, снег идти хотел...
Вдруг колокольчик зазвенел.

Кто долго жил в глуши печальной,
Друзья, тот верно знает сам,
Как сильно колокольчик дальный
Порой волнует сердце нам.
Не друг ли едет запоздалый,
Товарищ юности удалой?..

Alas, the heroine of our fable
(oh, I forgot her proper name!
Natasha to her spouse, *our* label,
reader, for her is, I proclaim,
Natalya Pavlovna) had never
given her time up to transact
any domestic jobs whatever;
Natalya Pavlovna in fact
had undergone her early schooling,
not under our traditional ruling,
but at the *pension distinguée*
of Falbala *the émigrée.*

She sits beside the window-sill;
in front of her is open still
the final tome of a four-decker:
«The Loves of Armand and Rebecca,
or The Two Families, A Tale» —
a novel, classic, sentimental,
long as your arm, quite monumental,
old-fashioned, decorous and gentle,
far, far from the romantic trail.

Natalya Pavlovna was reading
her book assiduously at first,
but early on in the proceeding,
under her window, an outburst
between a yard-dog and a goat
caught her attention by the throat.
Boys in a mirthful ring stood viewing
as, past her window, gobbling hard,
lugubrious turkeys were pursuing
a sodden rooster round the yard,
and in a pond three ducks were sloshing;
a peasant-woman crossed the slime
towards the fence, to hang up washing;
the weather, spoiling all the time,
suggested snow somewhere about...
when, all at once, the bells rang out.

To those who've lived in backwood-places,
my friends, there's no need to expound
how violently the heartbeat races
when first we hear that distant sound.
Could it not be some friend, belated,
from our wild youth?.. Could it be fated

Уж не она ли?.. Боже мой!
Вот ближе, ближе... сердце бьется...
Но мимо, мимо звук несется,
Слабей... и смолкнул за горой.

Наталья Павловна к балкону
Бежит, обрадована звону,
Глядит и видит: за рекой,
У мельницы, коляска скачет.
Вот на мосту — к нам точно... нет,
Поворотила влево. Вслед
Она глядит и чуть не плачет.

Но вдруг... о радость! косогор;
Коляска на бок. — «Филька, Васька!
Кто там? скорей! вон там коляска:
Сейчас везти ее на двор
И барина просить обедать!
Да жив ли он?.. беги проведать!
Скорей, скорей!»

Слуга бежит.
Наталья Павловна спешит
Взбить пышный локон, шаль накинуть,
Задернуть завес, стул подвинуть,
И ждет. «Да скоро ль, мой творец?»
Вот едут, едут наконец.
Забрызганный в дороге дальной,
Опасно раненый, печальный
Кой-как тащится экипаж;
Вслед барин молодой хромает.
Слуга-француз не унывает
И говорит: allons, courage!
Вот у крыльца; вот в сени входят.
Покамест барину теперь
Покой особенный отводят
И настежь отворяют дверь,
Пока Picard шумит, хлопочет,
И барин одеваться хочет,
Сказать ли вам, кто он таков?
Граф Нулин, из чужих краев,
Где промотал он в вихре моды
Свои грядущие доходы.
Себя казать, как чудный зверь,
В Петрополь едет он теперь
С запасом фраков и жилетов,
Шляп, вееров, плащей, корсетов,

that it be *she*?... My God, it's still
nearer. The heart is wildly beating.
But now the bells go past; retreating,
they die away behind the hill.

Natalya Pavlovna, delighted,
runs to the balcony, full of hope;
she looks: beyond the stream she's sighted
just by the mill, a carriage flying,
it's on the bridge — it's coming *here*...
But no, it's turned off left. A tear
starts as she looks, she's all but crying...

But suddenly... o joy! the slope —
the carriage on its side. «Hi, Vaska!
who's there? be quick! see that *kolyaska*:
bring it at once into our yard
and ask the master in to sup;
that's, if he's still alive... run hard,
find out what's happened — hurry up!»

The obedient servant makes all haste;
Natalya Pavlovna has raced
to find a shawl, fluff her thick hair;
to twitch a curtain, shift a chair;
she waits: how long they take to arrive!
At last, they're coming up the drive.
Mud-stained from its peripatetic
journeying, battered and pathetic,
painfully creeps the *équipage*;
behind it hobbles its young master.
His French valet, despite disaster,
says cheerfully: *«Allons, courage!»*
They're up the steps, and at a crawl
the master's taken to one side,
shown to a room beyond the hall,
with a doorway thrown open wide;
while Picard fusses round, arranging,
his master quite insists on changing;
shall I inform you who he is?
Graf Nulin, coming in a whizz
from foreign countries, where with passion
he's blued his rents on fun and fashion.
To Petropol he's rushing now,
like some strange beast, to make his bow,
with *fracs* and waistcoats in profusion,
hats, buckles, fans and a confusion

Булавок, запонок, лорнетов,
Цветных платков, чулков à jour,
С ужасной книжкою Гизота,
С тетрадью злых карикатур,
С романом новым Вальтер-Скотта,
С bon-mots парижского двора,
С последней песней Беранжера,
С мотивами Россини, Пера,
Et cetera, et cetera.

Уж стол накрыт; давно пора;
Хозяйка ждет нетерпеливо;
Дверь отворилась, входит граф;
Наталья Павловна, привстав,
Осведомляется учтиво,
Каков он? что нога его?
Граф отвечает: ничего.
Идут за стол; вот он садится,
К ней подвигает свой прибор
И начинает разговор:
Святую Русь бранит, дивится,
Как можно жить в ее снегах,
Жалеет о Париже страх.
«А что театр?» — О! сиротеет,
C'est bien mauvais, ça fait pitié.
Тальма совсем оглох, слабеет,
И мамзель Марс — увы! стареет...
Зато Потье, le grand Potier!
Он славу прежнюю в народе
Доныне поддержал один. —
«Какой писатель нынче в моде?»
— Всё d'Arlincourt и Ламартин. —
«У нас им также подражают».
— Нет? право? так у нас умы
Уж развиваться начинают.
Дай Бог, чтоб просветились мы! —
«Как тальи носят?» — Очень низко.
Почти до... вот по этих пор.
Позвольте видеть ваш убор...
Так... рюши, банты... здесь узор...
Все это к моде очень близко. —
«Мы получаем Телеграф».
— Ага! хотите ли послушать
Прелестный водевиль? — И граф
Поет. «Да, граф, извольте ж кушать».
— Я сыт и так. —

of corsets, pins, lorgnettes and smocking
and every kind of see-through stocking,
with Guizot's latest work — quite shocking —
a sheaf of sharp cartoons he's got
and the new book by Walter Scott,
bons mots from the Parisian Court,
Béranger's songs, and cavatini
both by Paer and by Rossini —
everything you can name, in short.

    The table's set; it's getting late;
the lady's had too long to wait;
now the door opens, here's the Graf;
Natalya Pavlovna, who half —
rises, enquires, in tones polite,
how is he, how's his leg? «All right,»
replies the Count. And now they've passed
into the dining-room, and fast
as light, the Graf's no sooner seated
than he moves up to her his place
and starts to talk: what a disgrace
is Holy Russia! he's defeated —
how can one live in all this snow?
And Paris — what a dreadful show!
«The theatre?» «Hopeless,» says the critic.
«*C'est bien mauvais, ça fait pitié.*
Talma's stone-deaf, and paralytic.
Poor Mamselle Mars has earned her pension.
Of course there's still *le grand* Potier!
By God, Potier alone been
worthy of honourable mention.»
«What writers now get most attention?»
«Still d'Arlincourt and Lamartine.»
«Here too they're being imitated.»
«Really? so there must be a few
progressive intellects, here too.
May God make Russia educated!»
«And where's the waistline?» «Very low,
almost as far... I mean, as yet.
Let's take a look at your *toilette*;
so... *ruches*, ribbons, patterns here:
it's close to fashion, very near.»
«You see, we take *The Telegraph.*»
«Aha!.. but you must get to know
a splendid vaudeville» — The Graf
begins to sing. «But you don't eat...»
«I've finished eating...»

Из-за стола
Встают. Хозяйка молодая
Черезвычайно весела;
Граф, о Париже забывая,
Дивится, как она мила.
Проходит вечер неприметно;
Граф сам не свой: хозяйки взор
То выражается приветно,
То вдруг потуплен безответно...
Глядишь — и полночь вдруг на двор.
Давно храпит слуга в передней,
Давно поет петух соседний,
В чугунну доску сторож бьет;
В гостиной свечки догорели.
Наталья Павловна встает:
«Пора, прощайте! ждут постели.
Приятный сон!..» С досадой встав,
Полувлюбленный нежный граф
Целует руку ей. И что же?
Куда кокетство не ведет?
Проказница — прости ей, Боже! —
Тихонько графу руку жмет.

    Наталья Павловна раздета;
Стоит Параша перед ней.
Друзья мои! Параша эта
Наперсница ее затей:
Шьет, моет, вести переносит,
Изношенных капотов просит,
Порою с барином шалит,
Порой на барина кричит
И лжет пред барыней отважно.
Теперь она толкует важно
О графе, о делах его,
Не пропускает ничего —
Бог весть, разведать как успела.
Но госпожа ей наконец
Сказала: «Полно, надоела!» —
Спросила кофту и чепец,
Легла и выйти вон велела.

    Своим французом между тем
И граф раздет уже совсем.
Ложится он, сигару просит,
Monsieur Picard ему приносит

As they rise
the young hostess has sparkling eyes;
the Count observes to his surprise
(forgetting Paris): she's quite sweet.
The evening passes all unreckoned;
the Graf's *distrait*; the hostess now
talks charmingly, then in a second
her eyes are timidly downcast.
But look — midnight's arrived, somehow.
From the front hall there comes a blast
of snoring; cocks begin to crow;
the watchman beats his iron plating;
the *salon* candles have burnt low.

Natalya Pavlovna at last
rises: «Good night! our beds are waiting.
Sleep well!» He stands up, quite upset,
our Count, with half-lovelorn regret
kisses her hand. And on my honour
(whatever next?) that wicked tease —
may the good Lord have mercy on her —
silently gives his hand a squeeze.

Natalya Pavlovna's undressing;
in front of her, Parasha waits.
Parasha, there's no need for stressing,
knows all her secrets, calms her states;
she sews, she gossips, and she washes,
begs for old cloaks and old galoshes,
sometimes she humours master's whim,
sometimes she shouts abuse at him,
sometimes she tells Madame a whopper.
Now she discourses, grave and proper,
about the Graf and his affairs,
there's not a detail that she spares —
God knows how she does her exploring.
At length her mistress says: «Who cares?
I've had enough, it's all too boring»,
asks for her nightcap and her gown,
sends off Parasha, and lies down.

Meanwhile the Frenchman too has quite
undressed his master for the night.
The Count lies down, wants a cigar,
soon brought him by Monsieur Picard,

Графин, серебряный стакан,
Сигару, бронзовый светильник,
Щипцы с пружиною, будильник
И неразрезанный роман.

В постеле лежа, Вальтер-Скотта
Глазами пробегает он.
Но граф душевно развлечен:
Неугомонная забота
Его тревожит; мыслит он:
«Неужто вправду я влюблен?
Что, если можно?.. вот забавно;
Однако ж это было б славно;
Я, кажется, хозяйке мил» —
И Нулин свечку погасил.

Несносный жар его объемлет,
Не спится графу — бес не дремлет
И дразнит грешною мечтой
В нем чувства. Пылкий наш герой
Воображает очень живо
Хозяйки взор красноречивый,
Довольно круглый, полный стан,
Приятный голос, прямо женский,
Лица румянец деревенский —
Здоровье краше всех румян.
Он помнит кончик ножки нежной,
Он помнит: точно, точно так,
Она ему рукой небрежной
Пожала руку; он дурак,
Он должен бы остаться с нею,
Ловить минутную затею.
Но время не ушло: теперь
Отворена, конечно, дверь —
И тотчас, на плеча накинув
Свой пестрый шелковый халат
И стул в потемках опрокинув,
В надежде сладостных наград,
К Лукреции Тарквиний новый
Отправился, на все готовый.

Так иногда лукавый кот,
Жеманный баловень служанки,
За мышью крадется с лежанки:
Украдкой, медленно идет,

plus silver tumbler, silver crock,
clippers or tweezers with a spring,
bronze candlestick, alarm clock
and uncut novel for last thing.

He lies, and without concentration
he skims a page of Walter Scott.
But he's bemused, our Graf; he's got
a ravaging preoccupation;
he thinks: am I in love or not?
What if I could be?... how disarming!
why, it could even be quite charming!
our hostess likes me, there's no doubt —
and Nulin put his candle out.

But feverish distress is keeping
the Count awake — and an unsleeping
devil torments him with a show
of sinful dreams. Our bold hero
pictures his hostess all too clearly,
those eyes that speak out so sincerely,
that rather full and rounded form,
that voice, that womanly inflection,
the country bloom of her complexion,
(what use is rouge, when health's the norm?)

He thinks of a small foot's projection;
he has so clear a recollection
of how her hand pressed his with cool
indifference; no, he's a fool,
he should have stayed, and caught that second
when her capricious humour beckoned —
but still it's not too late. His door
is open now; he's on the floor —
and straight away, across his shoulder
he slings a bright silk dressing gown;
in darkness knocks a chair right down;
seeking the prize that crowns the bolder,
to his Lucretia this Tarquin
sets out, resolved to dare, and win.

Just so at times a cunning house —
tomcat, the servant's mincing pet,
steals from the stove towards a mouse:
slowly he inches, slowlier yet,

Полузажмурясь подступает,
Свернется в ком, хвостом играет,
Разинет когти хитрых лап
И вдруг бедняжку цап-царап.

Влюбленный граф в потемках бродит,
Дорогу ощупью находит,
Желаньем пламенным томим,
Едва дыханье переводит,
Трепещет, если пол под ним
Вдруг заскрыпит... Вот он подходит
К заветной двери и слегка
Жмет ручку медную замка;
Дверь тихо, тихо уступает;
Он смотрит: лампа чуть горит
И бледно спальню освещает;
Хозяйка мирно почивает
Иль притворяется, что спит.

Он входит, медлит, отступает —
И вдруг упал к ее ногам...
Она... Теперь, с их позволенья,
Прошу я петербургских дам
Представить ужас пробужденья
Натальи Павловны моей
И разрешить, что делать ей?

Она, открыв глаза большие,
Глядит на графа — наш герой
Ей сыплет чувства выписные
И дерзновенною рукой
Коснуться хочет одеяла,
Совсем смутив ее сначала...
Но тут опомнилась она,
И, гнева гордого полна,
А впрочем, может быть, и страха,
Она Тарквинию с размаха
Дает — пощечину, да, да!
Пощечину, да ведь какую!

Сгорел граф Нулин от стыда,
Обиду проглотив такую;
Не знаю, чем бы кончил он,
Досадой страшною пылая,
Но шпиц косматый, вдруг залая,
Прервал Параши крепкий сон.

he crouches, eyes half-screwed together,
he creeps, his tail sweeps like a feather,
he flashes out a crafty paw
and *tsap*! poor mouse in on the claw.

So through the dark the Graf is creeping,
lovelorn, inflamed with passions leaping;
tentatively he gropes toward
his goal, he hardly breathes, in mortal
terror when under him a board
begins to creak. The sacred portal
is close at hand, without a sound
he squeezes the bronze handle round;
upon its hinge the door is turning;
he looks: the bedroom's dimly lit,
lit by a lamp that's hardly burning;
she lies in slumber deep and sound —
or else she's simply shamming it.

He enters, halts, begins returning —
then all at once kneels at her side.
She... now I ask you, with permission,
Petersburg ladies, to decide
when, in a terrified condition,
Natalya Pavlovna comes to,
what, in your judgement, she should do.

Opening enormous eyes, she gazes
up at the Count, and our hero
sprays her with standard amorous phrases,
meanwhile a bold hand starts to go
across the quilt, and while it's crawling,
at first she finds her plight appalling...
then, suddenly returned to sense —
her pride and rage have made her tense —
(also, it may be, frightened), swinging
her arm she caught Tarquin a ringing
smack in the face: yes, all the same,
a smack of smacks, a slap stupendous!

Graf Nulin, quite on fire with shame
before an insult so horrendous —
I find it hard to say how deep
his vengeful fury at this slapping...
when shaggy Pom with sudden yapping
disturbed Parasha's heavy sleep.

Услышав граф ее походку
И проклиная свой ночлег
И своенравную красотку,
В постыдный обратился бег.

Как он, хозяйка и Параша
Проводят остальную ночь,
Воображайте. Воля ваша!
Я не намерен вам помочь.

Восстав поутру молчаливо,
Граф одевается лениво,
Отделкой розовых ногтей,
Зевая, занялся небрежно,
И галстук вяжет неприлежно,
И мокрой щеткою своей
Не гладит стриженых кудрей.
О чем он думает, не знаю;
Но вот его позвали к чаю.
Что делать? Граф, преодолев
Неловкий стыд и тайный гнев,
Идет.
         Проказница младая,
Насмешливый потупя взор
И губки алые кусая,
Заводит скромно разговор
О том, о сем. Сперва смущенный,
Но постепенно ободренный,
С улыбкой отвечает он.
Получаса не проходило,
Уж он и шутит очень мило,
И чуть ли снова не влюблен.
Вдруг шум в передней. Входят. Кто же?
«Наташа, здравствуй».
                         — Ах, мой Боже!
Граф, вот мой муж. Душа моя,
Граф Нулин.
               — «Рад сердечно я...
Какая скверная погода...
У кузницы я видел ваш
Совсем готовый экипаж.
Наташа! там у огорода
Мы затравили русака...
Эй! водки! Граф, прошу отведать:
Прислали нам издалека.
Вы с нами будете обедать?»
— Не знаю, право, я спешу.

Graf Nulin heard her footsteps nearing,
and, cursing this ill-omened night
and wilful beauty's fickle veering,
withdrew in ignominious flight.

How hostess, maidservant, and he
got through the night's remaining hours
I leave, without support from me,
to your imaginative powers.

The Count was silent in the morning,
he dressed with indolence, and, yawning,
to trimming of his rosy-nailed
fingers he vaguely then adverted;
carelessly with his tie he flirted,
while his wet comb entirely failed
to smooth those locks so neatly tailed.
What was he thinking? Don't ask me.
But soon they summon him for tea.
What's to be done? The embarrassed Count
with secret fury to surmount
goes as he's asked.
                    The youthful joker,
keeping derisive eyes downcast,
bit scarlet lips, on mediocre
topics talked modestly. There passed
some moments that were slightly paining;
the Graf is rapidly regaining
his confidence, and not above
a half-hour later on, he's smiling,
he's cracking jokes, he's quite beguiling,
once more he's almost back in love.
Then, noise outside, someone's come driving.
«Natasha, hey!»
                — «God, he's arriving.
Count, this is my husband. My sweet:
Count Nulin».
              — «Very glad to meet...
What absolutely filthy weather!
The smith has got your carriage fit
for you to drive away in it.
Natasha! we ran down a hare
right in the garden over there.
Hey, vodka! Graf, you'll have a drink,
it comes from far away; you'll share
our dinner with us? what d'you think?»
— «Well, I don't know, I'm rather pressed...»

— «И, полно, граф, я вас прошу.
Жена и я, гостям мы рады,
Нет, граф, останьтесь!»
                                    Но с досады
И все надежды потеряв,
Упрямится печальный граф.
Уж подкрепив себя стаканом,
Пикар кряхтит за чемоданом.
Уже к коляске двое слуг
Несут привинчивать сундук.
К крыльцу подвезена коляска,
Пикар всё скоро уложил,
И граф уехал... Тем и сказка
Могла бы кончиться, друзья;
Но слова два прибавлю я.

    Когда коляска ускакала,
Жена все мужу рассказала
И подвиг графа моего
Всему соседству описала.
Но кто же более всего
С Натальей Павловной смеялся?
Не угадать вам. — Почему ж?
Муж? — Как не так! совсем не муж.
Он очень этим оскорблялся,
Он говорил, что граф дурак,
Молокосос; что если так,
То графа он визжать заставит,
Что псами он его затравит.
Смеялся Лидин, их сосед,
Помещик двадцати трех лет.

    Теперь мы можем справедливо.
Сказать, что в наши времена
Супругу верная жена,
Друзья мои, совсем не диво.

1825

— «Count, no objections, you're our guest.
My wife and I love entertaining.
Stay, do!»
            But with no hope remaining
and deeply disappointed — no,
the Graf insists that he must go.
Groaning, but strengthened by a tincture,
Picard straps the valise's cincture;
two men to the calash have gone
carrying the trunk, and screwed it on.
Round to the front comes the conveyance,
Picard has quickly stowed the bags,
the Graf drives off... In such abeyance
this story could conclude, my friends;
but just a word before it ends.

   The wife, once lost from sight the carriage,
informed the partner of her marriage
about the exploit of the Graf,
then told the tale to every neighbour...
Natalya Pavlovna could laugh,
but who laughed loudest? Days of labour
could never help you guess. «Why not?
Her husband?» No, no, no, you've got
it all quite wrong. He was offended
deeply: the Count was a *durák*,
a milksop, and before it ended
he'd make him howl, by God, he'd track
him down, and hunt him with his pack.
Lidin it was who laughed, you see,
a neighbour aged just twenty-three...

   How right we are in emphasising,
as we examine modern life,
my friends, that in a virtuous wife
there's nothing that's at all surprising.

Translated by Charles Johnston

МЕДНЫЙ ВСАДНИК

Петербургская повесть

ПРЕДИСЛОВИЕ

Происшествие, описанное в сей повести, основано на истине.
Подробности наводнения заимствованы из тогдашних журналов.
Любопытные могут справиться с известием, составленным
В. Н. Берхом.

ВСТУПЛЕНИЕ

На берегу пустынных волн
Стоял *он*, дум великих полн,
И вдаль глядел. Пред ним широко
Река неслася; бедный челн
По ней стремился одиноко.
По мшистым, топким берегам
Чернели избы здесь и там,
Приют убогого чухонца;
И лес, неведомый лучам
В тумане спрятанного солнца,
Кругом шумел.

И думал он:
Отсель грозить мы будем шведу.
Здесь будет город заложен
Назло надменному соседу.
Природой здесь нам суждено
В Европу прорубить окно,
Ногою твердой стать при море.
Сюда по новым им волнам
Все флаги в гости будут к нам,
И запируем на просторе.

Прошло сто лет, и юный град,
Полнощных стран краса и диво,
Из тьмы лесов, из топи блат
Вознесся пышно, горделиво;

THE BRONZE HORSEMAN

A Tale of Petersburg

The occurrence described in this narrative is based on truth.
The details of the flood are drawn from journals of the time.
The curious may consult the account composed by
V. N. Berkh.

PROLOGUE

Upon a shore of desolate waves
Stood *he*, with lofty musings grave,
And gazed afar. Before him spreading
Rolled the broad river, empty save
For one lone skiff stream-downward heading.
Strewn on the marshy, moss-grown bank,
Rate huts, the Finn's poor shelter, shrank,
Black smudges from the fog protruding;
Beyond, dark forest ramparts drank
The shrouded sun's rays and stood brooding
And murmuring all about.

He thought;
«Here, Swede, beware — soon by our labor
Here a new city shall be wrought,
Defiance to the haughty neighbor.
Here we at Nature's own behest
Shall break a window to the West,
Stand planted on the ocean level;
Here flags of foreign nations all
By waters new to them will call,
And unencumbered we shall revel.»

A century passed, and there shone forth
From swamps and gloomy forest prison,
Crown gem and marvel of the North,
The proud young city newly risen.

Где прежде финский рыболов,
Печальный пасынок природы,
Один у низких берегов
Бросал в неведомые воды
Свой ветхий невод, ныне там
По оживленным берегам
Громады стройные теснятся
Дворцов и башен; корабли
Толпой со всех концов земли
К богатым пристаням стремятся;
В гранит оделася Нева;
Мосты повисли над водами;
Темно-зелеными садами
Ее покрылись острова,
И перед младшею столицей
Померкла старая Москва,
Как перед новою царицей
Порфироносная вдова.

Люблю тебя, Петра творенье,
Люблю твой строгий, стройный вид,
Невы державное теченье,
Береговой ее гранит,
Твоих оград узор чугунный,
Твоих задумчивых ночей
Прозрачный сумрак, блеск безлунный,
Когда я в комнате моей
Пишу, читаю без лампады,
И ясны спящие громады
Пустынных улиц, и светла
Адмиралтейская игла,
И, не пуская тьму ночную
На золотые небеса,
Одна заря сменить другую
Спешит, дав ночи полчаса.
Люблю зимы твоей жестокой
Недвижный воздух и мороз,
Бег санок вдоль Невы широкой,
Девичьи лица ярче роз,
И блеск, и шум, и говор балов,
А в час пирушки холостой
Шипенье пенистых бокалов
И пунша пламень голубой.
Люблю воинственную живость
Потешных Марсовых полей,
Пехотных ратей и коней

Where Finnish fisherman before,
Harsh Nature's wretched waif, was plying,
Forlorn upon that shallow shore,
His trade, with brittle net-gear trying
Uncharted tides — now bustling banks
Stand serried in well-ordered ranks
Of palaces and towers; converging
From the four corners of the earth,
Sails press to seek the opulent berth,
To anchorage in squadrons merging;
Nevá is cased in granite clean,
Atop its waters bridges hover,
Between its channels, gardens cover
The river isles with darkling green.
Outshone, old Moscow had to render
The younger sister pride of place,
As by a new queen's fresh-blown splendor
In purple fades Her Dowager Grace.

I love thee, Peter's own creation,
I love thy stern and comely face,
Nevá's majestic perfluctation,
Her bankments' granite carapace,
The patterns laced by iron railing,
And of thy meditative night
The lucent dusk, the moonless paling;
When in my room I read and write
Lampless, and street on street stand dreaming,
Vast luminous gulfs, and, slimly gleaming,
The Admiralty's needle bright;
And rather than let darkness smother
The lustrous heavens' golden light,
One twilight glow speeds on the other
To grant but half an hour to night.
I love thy winter's fierce embraces
That leave the air all chilled and hushed,
The sleighs by broad Nevá, girls' faces
More brightly than the roses flushed,
The ballroom's sparkle, noise, and chatter,
And at the bachelor rendezvous
The foaming beakers' hiss and spatter,
The flaming punch's flickering blue.
I love the verve of drilling duty
Upon the playing fields of Mars,
Where troops of riflemen and horse

Однообразную красивость,
В их стройно зыблемом строю
Лоскутья сих знамен победных,
Сиянье шапок этих медных,
Насквозь простреленных в бою.
Люблю, военная столица,
Твоей твердыни дым и гром,
Когда полнощная царица
Дарует сына в царский дом,
Или победу над врагом
Россия снова торжествует,
Или, взломав свой синий лед,
Нева к морям его несет
И, чуя вешни дни, ликует.

Красуйся, град Петров, и стой
Неколебимо, как Россия,
Да умирится же с тобой
И побежденная стихия;
Вражду и плен старинный свой
Пусть волны финские забудут
И тщетной злобою не будут
Тревожить вечный сон Петра!

Была ужасная пора,
Об ней свежо воспоминанье...
Об ней, друзья мои, для вас
Начну свое повествованье.
Печален будет мой рассказ.

ЧАСТЬ ПЕРВАЯ

Над омраченным Петроградом
Дышал ноябрь осенним хладом.
Плеская шумною волной
В края своей ограды стройной,
Нева металась, как больной
В своей постеле беспокойной.
Уж было поздно и темно;
Сердито бился дождь в окно,
И ветер дул, печально воя.
В то время из гостей домой
Пришел Евгений молодой...

Turn massed precision into beauty,
Where laureled flags in tatters stream
Above formations finely junctured,
And brazen helmets sway and gleam,
In storied battles scarred and punctured.
I love, war-queen, thy fortress pieces
In smoke and thunder booming forth
When the imperial spouse increases
The sovereign lineage of the North,
Or when their muzzles roar in token
Of one more Russian victory,
Or scenting spring, Nevá with glee,
Her ice-blue armor newly broken,
In sparking floes runs out to sea.

Thrive, Peter's city, flaunt thy beauty,
Stand like unshaken Russia fast,
Till floods and storms from chafing duty
May turn to peace with thee at last;
The very tides of Finland's deep
Their long-pent rancor then may bury,
And cease with feckless spite to harry
Tsar Peter's everlasting sleep.

There was a time — our memories keep
Its horrors ever fresh and near us...
Of this a tale now suffer me
To tell before you, gentle hearers.
A grievous story it will be.

PART ONE

Through Peter's darkened city rolled
November's breath of autumn cold.
Nevá, her clamorous waters splashing
Against the crest of either dike,
Tossed in her shapely ramparts, like
A patient on his sickbed thrashing.
Already dark it was and late;
A rainstorm pressed its angry spate
At windowpanes, with moaning driven
By dismal winds. Just then was seen
Back from a friend's house young Eugene —

Мы будем нашего героя
Звать этим именем. Оно
Звучит приятно; с ним давно
Мое перо к тому же дружно.
Прозванья нам его не нужно,
Хотя в минувши времена
Оно, быть может, и блистало
И под пером Карамзина
В родных преданьях прозвучало;
Но ныне светом и молвой
Оно забыто. Наш герой
Живет в Коломне; где-то служит,
Дичится знатных и не тужит
Ни о почиющей родне,
Ни о забытой старине.

Итак, домой пришед, Евгений
Стряхнул шинель, разделся, лег.
Но долго он заснуть не мог
В волненьи разных размышлений.
О чем же думал он? о том,
Что был он беден, что трудом
Он должен был себе доставить
И независимость и честь;
Что мог бы Бог ему прибавить
Ума и денег. Что ведь есть
Такие праздные счастливцы,
Ума недальнего, ленивцы,
Которым жизнь куда легка!
Что служит он всего два года;
Он также думал, что погода
Не унималась; что река
Все прибывала; что едва ли
С Невы мостов уже не сняли
И что с Парашей будет он
Дни на два, на три разлучен.
Евгений тут вздохнул сердечно
И размечтался, как поэт:

«Жениться? Мне? зачем же нет?
Оно и тяжело, конечно,
Но что ж, я молод и здоров,
Трудиться день и ночь готов;
Уж кое-как себе устрою
Приют смиренный и простой
И в нем Парашу успокою.

(A pleasant name that we have given
The hero of our tale; what's more,
My pen was friends with it before.)
His surname may go unrecorded;
Though once, who knows but it was lauded
In native lore, its luster keen
Blazed by the pen of Karamzin,
By now the world and rumor held
No trace of it. Our hero dwelled
In poor Kolomna, humbly serving
Some office, found the great unnerving,
And cared for neither buried kin
Nor legend-woven origin.

And so tonight Eugene had wandered
Back home, slipped off his cloak, undressed,
Composed himself, but found no rest,
As ill at ease he lay and pondered.
What were his thoughts? That he was poor,
And by his labor must secure
A portion of esteem and treasure;
That God might well have eased his pains
With wits and cash; that men of leisure,
Endowed with luck if not with brains,
Could idly leave him at a distance,
And lead so carefree an existence!
He thought that in the post he held
He had attained but two years' rating;
That still the storm was not abating,
And that the banked-up river swelled
Still more — and since by now they surely
Had struck the bridges down securely,
He and Parasha must, he knew,
Be parted for a day or two.
And poet-like, Eugene, exhaling
A sigh, fell musing on his lot:

«Get married? I? And, yet, why not?
Of course, it won't be easy sailing,
But what of that? I'm young and strong,
Content to labor hard and long,
I'll build us soon, if not tomorrow,
A simple nest for sweet repose
And keep Parasha free of sorrow,

Пройдет, быть может, год-другой —
Местечко получу, Параше
Препоручу хозяйство наше
И воспитание ребят...
И станем жить, и так до гроба
Рука с рукой дойдем мы оба,
И внуки нас похоронят...»

    Так он мечтал. И грустно было
Ему в ту ночь, и он желал,
Чтоб ветер выл не так уныло
И чтобы дождь в окно стучал
Не так сердито...
             Сонны очи
Он наконец закрыл. И вот
Редеет мгла ненастной ночи
И бледный день уж настает...
Ужасный день!
            Нева всю ночь
Рвалася к морю против бури,
Не одолев их буйной дури...
И спорить стало ей невмочь...
Поутру над ее брегами
Теснился кучами народ,
Любуясь брызгами, горами
И пеной разъяренных вод.
Но силой ветров от залива
Перегражденная Нева
Обратно шла, гневна, бурлива,
И затопляла острова,
Погода пуще свирепела,
Нева вздувалась и ревела,
Котлом клокоча и клубясь,
И вдруг, как зверь остервенясь,
На город кинулась. Пред нею
Всё побежало, всё вокруг
Вдруг опустело — воды вдруг
Втекли в подземные подвалы,
К решеткам хлынули каналы,
И всплыл Петрополь, как тритон,
По пояс в воду погружен.

    Осада! приступ! злые волны,
Как воры, лезут в окна. Челны
С разбега стекла бьют кормой.
Лотки под мокрой пеленой,
Обломки хижин, бревны, кровли,
Товар запасливой торговли,

And in a year or two, who knows,
I may obtain a snug position,
And it shall be Parasha's mission
To tend and rear our chuldren... yes,
So we will live, and so forever
Will be as one, till death us sever,
And grandsons lay us both to rest...»

Thus ran his reverie. Yet sadly
He wished that night the wind would still
Its mournful wail, the rain less madly
Be rattling at the windowsill.
At last his eyelids, heavy-laden
Droop into slumber... soon away
The night's tempestuous gloom is fading
And washes into pallid day...
Disastrous day! Nevá all night
Has seaward strained, in hopeless muster
Of strength against the gale's wild bluster,
But now at last must yield the fight.

From morning, throngs of people line
The banks and marvel at the fountains
Of spray, the foam-tipped rolling mountains
Thrust up by the envenomed brine;
For now Nevá, her flow arrested
By the relentless sea-wind's force,
Reared up in fury, backward-crested,
And drowned the islands in her course.
The storm more fiercely yet upsoaring,
Nevá, engorged, with swell and roaring
As from a cauldron's swirl released,
Abruptly like a frenzied beast
Leaped on the city. At her onrush
All scattered, every place was swept
An instant void, swift waters crept
Into the deeply hollowed basements,
Canals rose gushing to the casements,
There streamed Petropolis, foam-laced,
Like Triton foundered to the waist.

Beset! Besieged! The vile surf charges
Through window frames like thieves, loose barges
Dash in the panes, stern forward wrenched.
Street-hawkers' trays, their covers drenched,
Smashed cabins, roofing, rafters reeling,
The stock-in-trade of thrifty dealing,

Пожитки бледной нищеты,
Грозой снесенные мосты,
Гроба с размытого кладбища
Плывут по улицам!
                    Народ
Зрит Божий гнев и казни ждет,
Увы! всё гибнет: кров и пища!
Где будет взять?
                    В тот грозный год
Покойный царь еще Россией
Со славой правил. На балкон,
Печален, смутен, вышел он
И молвил: «С Божией стихией
Царям не совладеть». Он сел
И в думе скорбными очами
На злое бедствие глядел.
Стояли стогны озерами,
И в них широкими реками
Вливались улицы. Дворец
Казался островом печальным.
Царь молвил — из конца в конец,
По ближним улицам и дальным
В опасный путь средь бурных вод
Его пустились генералы
Спасать и страхом обуялый
И дома тонущий народ.

Тогда, на площади Петровой,
Где дом в углу вознесся новый,
Где над возвышенным крыльцом
С подъятой лапой, как живые,
Стоят два льва сторожевые,
На звере мраморном верхом,
Без шляпы, руки сжав крестом,
Сидел недвижный, страшно бледный
Евгений. Он страшился, бедный,
Не за себя. Он не слыхал,
Как подымался жадный вал,
Ему подошвы подмывая,
Как дождь ему в лицо хлестал,
Как ветер, буйно завывая,
С него и шляпу вдруг сорвал.
Его отчаянные взоры
На край один наведены
Недвижно были. Словно горы,
Из возмущенной глубины

The wretched gain of misery pale,
Whole bridges loosened by the gale,
Coffins unearthed, in horrid welter
Float down the streets.
                              In stricken gloom
All see God's wrath and bide their doom.
Alas! All founders, food and shelter!
Where now to turn?
                              That fateful year
Our famed late sovereign still was sitting
On Russia's throne — he sadly here
Upon his balcony did appear
And owned: «For tsars there is no pitting
Their power against the Lord's». His mien
All grief, he sat and contemplated
The fell disasters' desolate scene.
Into the squares to lakes dilated,
Debouched, like riverbeds inflated,
What had been streets. The palace stood
Like a lone cliff the waters riding.
The Tsar spoke out: and where they could,
By roadways near and distant gliding,
Upon their stormy path propelled,
The Emperor's generals went speeding
To save the people, who, unheeding
With fear, were drowning where they dwelled.

That night, where on Tsar Peter's square
A corner-house new risen there
Had lately on its high porch shown —
One paw raised, as in live defiance —
A marble pair of guardian lions:
Astride upon the beast of stone
There sat, his arms crossed tight, alone,
Unmoving, deathly pale of feature,
Eugene. He was afraid, poor creature,
Not for himself. He did not hear
The evil breakers crest and rear,
His soles with greedy lashes seeking,
Nor feel the rain splash in his face,
Nor yet the gale with boisterous shrieking
Tear off his hat. Impaled in space,
His eyes held fast a distant border
And there in frozen anguish gazed.
There, mountainous, in wild disorder
From depths of chaos skyward raised,

Вставали волны там и злились,
Там буря выла, там носились
Обломки... Боже, Боже! там —
Увы! близехонько к волнам,
Почти у самого залива —
Забор некрашеный, да ива
И ветхий домик: там оне,
Вдова и дочь, его Параша,
Его мечта... Или во сне
Он это видит? иль вся наша
И жизнь ничто, как сон пустой,
Насмешка неба над землей?
И он, как будто околдован,
Как будто к мрамору прикован,
Сойти не может! Вкруг него
Вода и больше ничего!
И, обращен к нему спиною,
В неколебимой вышине,
Над возмущенною Невою
Стоит с простертою рукою
Кумир на бронзовом коне.

ЧАСТЬ ВТОРАЯ

Но вот, насытясь разрушеньем
И наглым буйством утомясь,
Нева обратно повлеклась,
Своим любуясь возмущеньем
И покидая с небреженьем
Свою добычу. Так злодей,
С свирепой шайкою своей
В село ворвавшись, ломит, режет,
Крушит и грабит; вопли, скрежет,
Насилье, брань, тревога, вой!..
И, грабежом отягощенны,
Боясь погони, утомленны,
Спешат разбойники домой,
Добычу на пути роняя.

Вода сбыла, и мостовая
Открылась, и Евгений мой
Спешит, душою замирая,
В надежде, страхе и тоске
К едва смирившейся реке.
Но, торжеством победы полны,

Huge waves were towering and gloating,
There howled the storm and played with floating
Wreckage... God, God! Just there should be,
Set hard upon the inland sea,
Close, ah, too close to that mad billow,
A fence unpainted, and a willow,
And a frail hut: there dwelt those two,
Her mother and she, his bride bespoken,
Long dreamed-of... or was all he knew
A dream, naught but an empty token
All life, a wraith and no more worth,
But Heaven's mockery at Earth?
And he, as by a spell enfolded,
By irons to the marble bolted,
Could not descend: all within sight
Was an unending watery blight.
And o'er Nevá all spray-ensheeted,
Its back to where Eugene still clung,
There towered immobile, undefeated,
Upon its bronzen charger seated,
The Idol with its arm outflung.

PART TWO

With rack and ruin satiated,
Nevá, her wanton frenzy spent,
At last drew back her element —
By her own tumult still elated —
And nonchalantly abdicated
Her plunder. Thus a hughwayman
Comes bursting with his vicious clan
Into some village, wrecking, slashing,
Destroying, robbing — shrieks and gnashing
Of teeth, alarms, oaths, outrage, roar —
Then, heavily with booty weighted,
Fearing pursuers, enervated,
The band of robbers homeward pour
And strew the wayside with their plunder.

The waters fell, and as thereunder
Dry footing showed, Eugene, heartsore,
Benumbed with sorrow, fear, and wonder,
Made headlong for the riverside,
Close on the barely ebbing tide.
For still Nevá, high triumph breathing,

Еще кипели злобно волны,
Как бы под ними тлел огонь,
Еще их пена покрывала,
И тяжело Нева дышала,
Как с битвы прибежавший конь.
Евгений смотрит: видит лодку;
Он к ней бежит как на находку;
Он перевозчика зовет —
И перевозчик беззаботный
Его за гривенник охотно
Чрез волны страшные везет.

    И долго с бурными волнами
Боролся опытный гребец,
И скрыться вглубь меж их рядами
Всечасно с дерзкими пловцами
Готов был челн — и наконец
Достиг он берега.
             Несчастный
Знакомой улицей бежит
В места знакомые. Глядит,
Узнать не может. Вид ужасный!
Всё перед ним завалено;
Что сброшено, что снесено;
Скривились домики, другие
Совсем обрушились, иные
Волнами сдвинуты; кругом,
Как будто в поле боевом,
Тела валяются. Евгений
Стремглав, не помня ничего,
Изнемогая от мучений,
Бежит туда, где ждет его
Судьба с неведомым известьем,
Как с запечатанным письмом.
И вот бежит уж он предместьем,
И вот залив, и близок дом...
Что ж это?..
          Он остановился.
Пошел назад и воротился.
Глядит... идет... еще глядит.
Вот место, где их дом стоит;
Вот ива. Были здесь вороты —
Снесло их, видно. Где же дом?
И, полон сумрачной заботы,
Всё ходит, ходит он кругом,
Толкует громко сам с собою —
И вдруг, ударя в лоб рукою,
Захохотал.

Sent angry billows upward seething
As from live coals beneath her course,
And still the whitecaps heaved and slanted,
And heavily the river panted
As will a battle-winded horse.
Eugene looks round: a boat on station!
He greets it like a revelation,
Calls to the wherryman — and he,
With daring unconcern, is willing
To take him for a quarter-shilling
Across that formidable sea.

   And long he struggled hard to counter
The turmoil with his practiced strength;
Time after time their craft, aflounder
Between banked waves, seemed sure to founder
With its rash crew — until at length
They reached the shore.
              Eugene, fear-stricken,
Runs down the long-familiar lane,
By long-dear places, looks — in vain:
Unknowable, a sight to sicken
The heart, all stares in disarray,
This flung aside, that swept away,
Here half-uprooted cabins listed,
There others lay all crushed and twisted,
Still others stood misplaced — all round,
Strewn as upon a battleground,
Were scattered corpses. Barely living,
Eugene flies onward arrow-straight,
Worn-out with terror and misgiving,
Onward to where he knows his fate
Awaits him with a secret message,
As it might be a sealed despatch.
Here is the suburb now, the passage
Down to the bay, and here the thatch...
But what is this?
            He stopped, confounded.
Retraced his steps and once more rounded
That corner... stared... half raised a hand:
Here is the place where it should stand,
Here is the willow. There, remember,
The gate stood — razed, no doubt. And where,
Where is the house? Distraught and somber,
He paces back and forward there,
Talks to himself aloud, soon after
Bursts out abruptly into laughter
And slaps his forehead.

Ночная мгла
На город трепетный сошла;
Но долго жители не спали
И меж собою толковали
О дне минувшем.
                    Утра луч
Из-за усталых, бледных туч
Блеснул над тихою столицей
И не нашел уже следов
Беды вчерашней; багряницей
Уже прикрыто было зло.
В порядок прежний все вошло.
Уже по улицам свободным
С своим бесчувствием холодным
Ходил народ. Чиновный люд,
Покинув свой ночной приют,
На службу шел. Торгаш отважный,
Не унывая, открывал
Невой ограбленный подвал,
Сбираясь свой убыток важный
На ближнем выместить. С дворов
Свозили лодки.
                    Граф Хвостов,
Поэт, любимый небесами,
Уж пел бессмертными стихами
Несчастье невских берегов.

     Но бедный, бедный мой Евгений...
Увы! его смятенный ум
Против ужасных потрясений
Не устоял. Мятежный шум
Невы и ветров раздавался
В его ушах. Ужасных дум
Безмолвно полон, он скитался.
Его терзал какой-то сон.
Прошла неделя, месяц — он
К себе домой не возвращался.
Его пустынный уголок
Отдал внаймы, как вышел срок,
Хозяин бедному поэту.
Евгений за своим добром
Не приходил. Он скоро свету
Стал чужд. Весь день бродил пешком,
А спал на пристани; питался
В окошко поданным куском.

　　　　　　　　　　Night sank down
Upon the horror-shaken town;
But few found sleep, in every dwelling
They sat up telling and retelling
About the day just past.
　　　　　　　　　　Dawn's ray
From pallid banks of weary gray
Gleamed down upon the silent city
And found of yesterday's alarm
No trace. The purple cloak of pity
Already covered recent harm
And all returned to former calm.
Down streets re-won for old endeavor
Men walk as callously as ever,
The morning's civil service troops,
Emerged from their nocturnal coops,
Are off to work. Cool tradesmen labor
To open cellar, vault, and store,
Robbed by Nevá the night before,
The sooner to surcharge their neighbor
For their grave loss. They carted off
Boats from the courtyards.
　　　　　　　　　　(Count Khvostov,
A poet whom Parnassus nurses,
Lamented in immortal verses
The blight Nevá had left behind.)

　　My pitiful Eugene, though — evil
His lot; alas, his clouded mind
Could not withstand the brute upheaval
Just wrought on it. The clash and strain
Of flood and storm forever thundered
Upon his ear; his thoughts a train
Of horrors, wordlessly he wandered;
Some secret vision seemed to chill
His mind. A week — a month — and still
Astray from home he roved and pondered.
As for the homestead he forsook,
The landlord let his vacant nook
To some poor poet. Eugene never
Returned to claim it back, nor took
His left possessions. Growing ever
More alien to the world, he strayed
All day on foot till nightfall led him
Down to the wharves to sleep. He made
His meals of morsels people fed him
Through windows. His poor clothing frayed

Одежда ветхая на нем
Рвалась и тлела. Злые дети
Бросали камни вслед ему.
Нередко кучерские плети
Его стегали, потому
Что он не разбирал дороги
Уж никогда; казалось — он
Не примечал. Он оглушен
Был шумом внутренней тревоги.
И так он свой несчастный век
Влачил, ни зверь ни человек,
Ни то ни сё, ни житель света,
Ни призрак мертвый...
                          Раз он спал
У невской пристани. Дни лета
Клонились к осени. Дышал
Ненастный ветер. Мрачный вал
Плескал на пристань, ропща пени
И бьясь об гладкие ступени,
Как челобитчик у дверей
Ему не внемлющих судей.
Бедняк проснулся. Мрачно было:
Дождь капал, ветер выл уныло,
И с ним вдали во тьме ночной
Перекликался часовой...
Вскочил Евгений; вспомнил живо
Он прошлый ужас; торопливо
Он встал; пошел бродить, и вдруг
Остановился — и вокруг
Тихонько стал водить очами
С боязнью дикой на лице.
Он очутился под столбами
Большого дома. На крыльце
С подъятой лапой, как живые,
Стояли львы сторожевые,
И прямо в темной вышине
Над огражденною скалою
Кумир с простертою рукою
Сидел на бронзовом коне.

Евгений вздрогнул. Прояснились
В нем страшно мысли. Он узнал
И место, где потоп играл,
Где волны хищные толпились,
Бунтуя злобно вкруг него,
И львов, и площадь, и того,
Кто неподвижно возвышался
Во мраке медною главой,

And moldered off him. Wicked urchins
Threw pebbles at his back. The searching
Coachwhips not seldom struck him when,
As often now, he would be lurching
Uncertain of his course; but then
He did not feel it for the pain
Of some loud anguish in his brain.
Thus he wore on his luckless span,
A moot thing, neither beast nor man,
Who knew if this world's child, or whether
A caller from the next.

                   He slept
One night by the Nevá. The weather
Was autumn-bent. An ill wind swept
The river. Sullen swells had crept
Up banks and steps with plash and rumble,
As a petitioner might grumble
Unheard outside the judge's gate.
Eugene woke up. The light was failing,
The rain dripped, and the wind was wailing
And traded through the darkness late
Sad echoes with the watchman's hailing...
Eugene sprang up, appeared to waken
To those remembered terrors; shaken,
He hurried off at random, then
Came to a sudden stop; again
Uncertainly his glances shifted
All round, wild panic marked his face.
Above him the great mansion lifted
Its columns. On the terrace-space,
One paw raised as in live defiance,
Stood sentinel those guardian lions,
And high above those rails, as if
Of altitude and darkness blended,
There rode in bronze, one arm extended,
The Idol on its granite cliff.

   Eugene's heart shrank. His mind unclouding
In dread, he knew the place again
Where the great flood had sported then,
Where those rapacious waves were crowding
And round about him raged and spun —
That square, the lions, and him — the one
Who, bronzen countenance upslanted
Into the dusk aloft, sat still,

Того, чьей волей роковой
Под морем город основался...
Ужасен он в окрестной мгле!
Какая дума на челе!
Какая сила в нем сокрыта!
А в сем коне какой огонь!
Куда ты скачешь, гордый конь,
И где опустишь ты копыта?
О мощный властелин судьбы!
Не так ли ты над самой бездной
На высоте, уздой железной
Россию поднял на дыбы?

    Кругом подножия кумира
Безумец бедный обошел
И взоры дикие навел
На лик державца полумира.
Стеснилась грудь его. Чело
К решетке хладной прилегло,
Глаза подернулись туманом,
По сердцу пламень пробежал,
Вскипела кровь. Он мрачен стал
Пред горделивым истуканом
И, зубы стиснув, пальцы сжав,
Как обуянный силой черной,
«Добро, строитель чудотворный! —
Шепнул он, злобно задрожав, —
Ужо тебе!..» И вдруг стремглав
Бежать пустился. Показалось
Ему, что грозного царя,
Мгновенно гневом возгоря,
Лицо тихонько обращалось...
И он по площади пустой
Бежит и слышит за собой —
Как будто грома грохотанье —
Тяжело-звонкое скаканье
По потрясенной мостовой.
И, озарен луною бледной,
Простерши руку в вышине,
За ним несется Всадник Медный
На звонко-скачущем коне;
И во всю ночь безумец бедный,
Куда стопы ни обращал,
За ним повсюду Всадник Медный
С тяжелым топотом скакал.

The one by whose portentous will
The city by the sea was planted...
How awesome in the gloom he rides!
What thought upon his brow resides!
His charger with what fiery mettle,
His form with what dark strength endowed!
Where will you gallop, charger proud,
Where next your plunging hoofbeats settle?
Oh, Destiny's great potentate!
Was it not thus, a towering idol
Hard by the chasm, with iron bridle
You reared up Russia to her fate?

The piteous madman fell to prowling
About the statue's granite berth,
And furtively with savage scowling
He eyed the lord of half the earth
His breath congealed in him, he pressed
His brow against the chilly railing,
A blur of darkness overveiling
His eyes; a flame shot through his breast
And made his blood seethe. Grimly louring,
He faced the haughty image towering
On high, and fingers clawed, teeth clenched,
As if by some black spirit wrenched,
He hissed, spite shaking him: «Up there,
Great wonder-worker you, beware!...»
And then abruptly wheeled to race
Away full tilt. The dread Tsar's face,
With instantaneous fury burning,
It seemed to him, was slowly turning...
Across these empty spaces bound,
Behind his back he heard resound,
Like thunderclouds in rumbling anger,
The deep reverberating clangor
Of pounding hoofs that shook the ground.
And in the moonlight's pallid glamour
Rides high upon his charging brute,
One hand stretched out, 'mid echoing clamor
The Bronze Horseman in pursuit.
And all through that long night, no matter
What road the frantic wretch might take,
There still would pound with ponderous clatter
The Bronze Horseman in his wake.

И с той поры, когда случалось
Идти той площадью ему,
В его лице изображалось
Смятенье. К сердцу своему
Он прижимал поспешно руку,
Как бы его смиряя муку,
Картуз изношенный сымал,
Смущенных глаз не подымал
И шел сторонкой.

       Остров малый
На взморье виден. Иногда
Причалит с неводом туда
Рыбак на ловле запоздалый
И бедный ужин свой варит,
Или чиновник посетит,
Гуляя в лодке в воскресенье,
Пустынный остров. Не взросло
Там ни былинки. Наводненье
Туда, играя, занесло
Домишко ветхий. Над водою
Остался он, как черный куст.
Его прошедшею весною
Свезли на барке. Был он пуст
И весь разрушен. У порога
Нашли безумца моего,
И тут же хладный труп его
Похоронили ради Бога.

1833

And ever since, when in his erring
He chaced upon that square again,
They saw a sick confusion blurring
His features. One hand swiftly then
Flew to his breast, as if containing
The anguished heart's affrighted straining;
His worn-out cap he then would raise,
Cast to the ground a troubled gaze
And slink aside.

        A little island
Lies off the coast. There now and then
A stray belated fisherman
Will beach his net at dusk and, silent,
Cook his poor supper by the shore,
Or, on his Sunday recreation
A boating clerk might rest his oar
By that bleak isle. There no green thing
Will grow; and there the inundation
Had washed up in its frolicking
A frail old cottage. It lay stranded
Above the tide like weathered brush,
Until last spring a barge was landed
To haul it off. It was all crushed
And bare. Against the threshold carried,
Here lay asprawl my luckless knave,
And here in charity they buried
The chill corpse in a pauper's grave.

Translated by Walter Arndt

Сказки

Fairy Tales

ЖЕНИХ

Три дня купеческая дочь
    Наташа пропадала;
Она на двор на третью ночь
    Без памяти вбежала.
С вопросами отец и мать
К Наташе стали приступать.
    Наташа их не слышит,
    Дрожит и еле дышит.

Тужила мать, тужил отец,
    И долго приступали,
И отступились наконец,
    А тайны не узнали.
Наташа стала, как была,
Опять румяна, весела,
    Опять пошла с сестрами
    Сидеть за воротами.

Раз у тесовых у ворот,
    С подружками своими,
Сидела девица — и вот
    Промчалась перед ними
Лихая тройка с молодцом.
Конями, крытыми ковром,
    В санях он, стоя, правит,
    И гонит всех, и давит.

Он, поравнявшись, поглядел,
    Наташа поглядела,
Он вихрем мимо пролетел,
    Наташа помертвела.
Стремглав домой она бежит.
«Он! он! узнала! — говорит, —
    Он, точно он! держите,
    Друзья мои, спасите!»

Печально слушает семья,
    Качая головою;
Отец ей: «Милая моя,
    Откройся предо мною.

THE BRIDEGROOM

From home the merchant's daughter strays,
    But whither gone no trace is found;
Till, at the end of three full days,
    She comes again upon the ground:
Her father and her mother press
Their child with questions numberless;
    To them she lends no listening ear,
    And, trembling, hides all cause of fear.

Their thoughts the parents both incline
    From her a full account to gain;
But their strong wishes they resign,
    For secret must the truth remain.
Resumed, at length, her usual way,
Natasha rosy is, and gay;
    And when her sisters nigh the gate
    At eve were met, she with them sate.

There, while she with her friends abides,
    Making a merry company,
It chanced, one of those eventides,
    There swept past by them suddenly
A carriage, drawn by three-in-hand,
With netted steeds; wherein to stand
    A youth was seen, who holds the reins,
    And sends the horses o'er the plains.

On her a favouring lock he cast,
    On him Natasha fixed her eye;
E'en like a whirlwind as he past,
    The maiden ready seemed to die;
Into the house she, frightened, flies,
«'Tis he: I know him now,» she cries;
    «Stop him! the very same is he;
    O save me from his villainy.»

Her friends full explanation seek,
    Showing in all their gestures grief;
The father urges, «Daughter, speak,
    Thou shalt in me find sure relief;

Обидел кто тебя, скажи,
Хоть только след нам укажи».
  Наташа плачет снова.
  И более ни слова.

Наутро сваха к ним на двор
  Нежданная приходит.
Наташу хвалит, разговор
  С отцом ее заводит:
«У вас товар, у нас купец;
Собою парень молодец,
  И статный, и проворный,
  Не вздорный, не зазорный.

Богат, умен, ни перед кем
  Не кланяется в пояс,
А как боярин между тем
  Живет, не беспокоясь;
А подарит невесте вдруг
И лисью шубу, и жемчуг,
  И перстни золотые,
  И платья парчевые.

Катаясь, видел он вчера
  Ее за воротами;
Не по рукам ли, да с двора,
  Да в церковь с образами?»
Она сидит за пирогом
Да речь ведет обиняком,
  А бедная невеста
  Себе не видит места.

«Согласен, — говорит отец, —
  Ступай благополучно,
Моя Наташа, под венец:
  Одной в светелке скучно.
Не век девицей вековать,
Не всё касатке распевать,
  Пора гнездо устроить,
  Чтоб детушек покоить».

Наташа к стенке уперлась
  И слово молвить хочет —
Вдруг зарыдала, затряслась,
  И плачет, и хохочет.
В смятенье сваха к ней бежит,
Водой студеною поит
  И льет остаток чаши
  На голову Наташи.

Have any done thee aught of harm?
Tell us, whence rises thine alarm.»
   Natasha speaketh not her fears,
   Her only answer is in tears.

When with the morn the sunbeams shine,
   The Svakha in the court appears;
The girl she lauds with praises fine,
   And by her words the parents cheers:
«You have in her rich merchandise,
Which all who love her much will prize:
   A young and gallant man, I know,
   Who will for her rich gifts bestow.

Before no man, however grand,
   Will he himself servilely bear;
Like noblest Boyard in the land,
   He liveth ever free from care;
From him received, his wife shall hold
Necklace of pearls, with rings of gold,
   Pelisse of fur, and gowns shall use,
   Which, day by day, he still renews.

Galloping past but yesterday,
   He saw her seated at the gate,
At once he longs to bear away,
   And lead her to the wedded state.»
The dame before the party sits,
And well in talk employs her wits,
   While the poor daughter scarcely knows
   Or where she is, or what she does.

The father his concent allows:
   «Go, my Natasha, go, my own;
Let nuptial crown wave o'er thy brows,
   The world is dull to live alone.
No more to thee girl's right belongs,
No more canst thou sing girlish songs;
   To build a nest 'tis time for thee,
   Where little ones may nurtured be.»

Seeking the wall support to reach,
   Natasha shudders in her fears;
Striving in vain to utter speech,
   She mingles laughter with her tears;
The Svakha hastes that she may pour
In cup cool water, to restore
   The fainting girl, and with the rest
   She sprinkles head, and face and breast.

Крушится, охает семья.
  Опомнилась Наташа
И говорит: «Послушна я,
  Святая воля ваша.
Зовите жениха на пир.
Пеките хлебы на весь мир,
  На славу мед варите
  Да суд на пир зовите».

«Изволь, Наташа, ангел мой!
  Готов тебе в забаву
Я жизнь отдать!» — И пир горой;
  Пекут, варят на славу.
Вот гости честные нашли,
За стол невесту повели;
  Поют подружки, плачут,
  А вот и сани скачут.

Вот и жених — и все за стол,
  Звенят, гремят стаканы,
Заздравный ковш кругом пошел;
  Всё шумно, гости пьяны.

ЖЕНИХ

А что же, милые друзья,
Невеста красная моя
  Не пьет, не ест, не служит:
  О чем невеста тужит?

Невеста жениху в ответ:
  «Откроюсь наудачу.
Душе моей покоя нет,
  И день и ночь я плачу:
Недобрый сон меня крушит».
Отец ей: «Что ж твой сон гласит?
  Скажи нам, что такое,
  Дитя мое родное?»

«Мне снилось, — говорит она, —
  Зашла я в лес дремучий,
И было поздно; чуть луна
  Светила из-за тучи;
С тропинки сбилась я: в глуши
Не слышно было ни души,
  И сосны лишь да ели
  Вершинами шумели.

The relatives, despairing, stay
　　The girl comes to herself until;
She says submissively, «I pray
　　Ye to perform your holy will:
Summon the bridegroom to the feast,
Let bread be baked for every guest,
　　Brew the best mead for all to share,
　　And that the judge attend take care.»

«All shall be done, dear angel mine!
　　As thou shalt choose,» the father cries;
«For thee I would my life resign,
　　Much more make such a sacrifice.»
The feast is ready; guests attend,
The bride does lovely presence lend;
　　And while they sing their nuptial song,
　　Weeping is heard the guests among.

The bridgroom comes, and all sit round,
　　The glasses clink right merrily;
The toasting-cup is gladsome found,
　　And all is mirth and jollity.

«Say, friends, how fares it with my bride?
Why does she mournfully abide?
　　She drinks no wine; she tastes no food;
　　Why should she thus unkindly brood?»

Replies the bride, «I will the whole
　　Fully disclose, and will declare
Why knows no rest my troubled soul,
　　And o'er my cheek streams many a tear;
An evil dream has driven me wild.»
«What dream is thine? Explain, my child»,
　　The father says; «in full relate;
　　We may have power to change thy fate.»

«Methought — I would attention crave —
　　I entered late a dismal wood;
The moon its beams but coldly gave,
　　Behind a dark and heavy cloud;
I lost my path; no single sound
Was heard in all the forest round,
　　Save where the firs made rustling low,
　　Swaying their branches to and fro.

И вдруг, как будто наяву,
Изба передо мною.
Я к ней, стучу — молчат. Зову —
Ответа нет; с мольбою
Дверь отворила я. Вхожу —
В избе свеча горит; гляжу —
Везде сребро да злато,
Всё светло и богато».

ЖЕНИХ

А чем же худ, скажи, твой сон?
Знать, жить тебе богато.

НЕВЕСТА

Постой, сударь, не кончен он.
На серебро, на злато,
На сукна, коврики, парчу,
На новгородскую камчу
Я молча любовалась
И диву дивовалась.

Вдруг слышу крик и конский топ...,
Подъехали к крылечку.
Я поскорее дверью хлоп
И спряталась за печку.
Вот слышу много голосов...
Взошли двенадцать молодцов,
И с ними голубица
Красавица-девица.

Взошли толпой, не поклонясь,
Икон не замечая;
За стол садятся, не молясь
И шапок не снимая.
На первом месте брат большой,
По праву руку брат меньшой,
По леву голубица
Красавица-девица.

Крик, хохот, песни, шум и звон,
Разгульное похмелье...

ЖЕНИХ

А чем же худ, скажи, твой сон?
Вещает он веселье.

НЕВЕСТА

Постой, сударь, не кончен он.
Идет похмелье, гром и звон,
Пир весело бушует,
Лишь девица горюет.

An izba's walls before me rise,
   As placed by an enchanter's wand;
I gently knock; no voice replies;
   With prayer on lips, I lift my hand,
And open wide the cottage door:
I look around, behind, before;
   Vessels of silver, and of gold,
   Most costly all, mine eyes behold.»

«But in what speaks thy dream amiss?
   It shows that thou great wealth shalt hold.»
«Stay, sir, my tale unfinished is:
   The glittering silver and bright gold,
The clothes, the garments, and brocade,
In Novgorod the damasks made,
   All these, with greatly wondering eye,
   I look upon admiringly;

When suddenly a noise I hear,
   One to the gate has driven nigh;
I shut the door with hasty fear,
   And close behind the stove I fly;
I hear the many voices sound,
Twelve young men enter on the ground;
   And in their midst is brought in there
   A lady beautiful and fair.

They enter in a noisy crowd,
   No homage to the Ikon shown;
Offering no grace, they talk aloud,
   Nor from their heads their caps set down.
The elder brother, as befits,
Upon the place of honour sits,
   To right the younger finds a place,
   To left the lady full of grace.

Laughter, and songs, and shouts, arise,
   'Tis drunkenness, and jollity.»
The bridegroom says, «In this disguise
   Thy dream portends real gaiety.»
«Stay, sir, I reach not yet an end:
The wassail and the clamours blend.
   The feast becomes an orgie fast,
   The lady sadly sits downcast.

Сидит, молчит, ни ест, ни пьет
И током слезы точит,
А старший брат свой нож берет,
Присвистывая точит;
Глядит на девицу-красу,
И вдруг хватает за косу,
Злодей девицу губит,
Ей праву руку рубит.

«Ну это, — говорит жених. —
Прямая небылица!
Но не тужи, твой сон не лих,
Поверь, душа-девица».
Она глядит ему в лицо.
«А это с чьей руки кольцо?» —
Вдруг молвила невеста,
И все привстали с места.

Кольцо катится и звенит,
Жених дрожит, бледнея;
Смутились гости. — Суд гласит:
«Держи, вязать злодея!»
Злодей окован, обличен
И скоро смертию казнен.
Прославилась Наташа!
И вся тут песня наша.

1825

She sadly sits, and gives no heed,
    In flowing streams her tears run down;
His dagger, fit for horrid deed,
    Sharpens the elder with a frown.
He gazes on the maiden fair,
And clutches, suddenly, her hair;
    And while he robs her of her life,
    Cuts off her hand with sharpened knife.»

«Nay, nay, this never can come true»,
    The bridegroom says, with sudden start;
«Let no dread thoughts thy mind imbrue;
    Believe it not, girl of my heart.»
She looks him fully in the face,
As though his meaning she would trace;
    «From whose hands is this ring?» she cries,
    And from their seats the guests arise.

The ring falls down with hollow noise,
    The bridegroom's terror chills his veins;
By all the guests the judge's voice
    Is heard: «The robber bind with chains.»
The wretch is rooted to the ground,
And dies on scaffold, guilty found.
    Honoured becomes Natasha's name,
    And ends not with this song her fame.

Translated by Charles Th. Wilson

СКАЗКА
О ЦАРЕ САЛТАНЕ, О СЫНЕ ЕГО СЛАВНОМ И МОГУЧЕМ БОГАТЫРЕ КНЯЗЕ ГВИДОНЕ САЛТАНОВИЧЕ И О ПРЕКРАСНОЙ ЦАРЕВНЕ ЛЕБЕДИ

Три девицы под окном
Пряли поздно вечерком.
«Кабы я была царица, —
Говорит одна девица, —
То на весь крещеный мир
Приготовила б я пир».
«Кабы я была царица, —
Говорит ее сестрица, —
То на весь бы мир одна
Наткала я полотна».
«Кабы я была царица, —
Третья молвила сестрица, —
Я б для батюшки-царя
Родила богатыря».

Только вымолвить успела,
Дверь тихонько заскрыпела,
И в светлицу входит царь,
Стороны той государь.
Во всё время разговора
Он стоял позадь забора;
Речь последней по всему
Полюбилася ему.
«Здравствуй, красная девица, —
Говорит он, — будь царица
И роди богатыря
Мне к исходу сентября.
Вы ж, голубушки-сестрицы,
Выбирайтесь из светлицы.
Поезжайте вслед за мной,
Вслед за мной и за сестрой:
Будь одна из вас ткачиха,
А другая повариха».

THE TALE
OF TSAR SALTAN,
OF HIS SON, RENOWNED AND MIGHTY
PRINCE GUIDON SALTANOVICH,
AND OF THE FAIREST PRINCESS SWAN

Three young maidens sat one night
Spinning in the window-bight.
«If were the Tsar's elected,»
One of these young maids reflected,
«I would spread a festive board
For all children of the Lord.»
«If I were the Tsar's elected,»
Her young sister interjected,
«I'd weave linen cloth to spare
For all people everywhere.»
«Had I been the Tsar's elected,»
Said the third, «I'd have expected
Soon to bear our father Tsar
A young hero famed afar.»

Scarcely had she finished speaking,
When the door was softly creaking,
And the Tsar himself came in,
That whole country's sovereign.
He had heard behind the shuttered
Window every word they uttered,
And the third young sister's boast
Suited him by far the most.
«Fair my maid, your wish is answered,»
Said he, «you shall be my consort,
And by late September see
That you bear that prince for me.
As for you, good sisters, mind you,
Leave this chamber, I consign you
To my retinue, and there
Serve me and your sister fair:
Serve us, one at weaving, stitching,
And the other in the kitchen.»

В сени вышел царь-отец.
Все пустились во дворец.
Царь недолго собирался:
В тот же вечер обвенчался.
Царь Салтан за пир честной
Сел с царицей молодой;
А потом честные гости
На кровать слоновой кости
Положили молодых
И оставили одних.
В кухне злится повариха,
Плачет у станка ткачиха,
И завидуют оне
Государевой жене.
А царица молодая,
Дела вдаль не отлагая,
С первой ночи понесла.

В те поры война была.
Царь Салтан, с женой простяся,
На добра-коня садяся,
Ей наказывал себя
Поберечь, его любя.
Между тем, как он далёко
Бьется долго и жестоко,
Наступает срок родин;
Сына бог им дал в аршин,
И царица над ребенком
Как орлица над орленком;
Шлет с письмом она гонца,
Чтоб обрадовать отца.
А ткачиха с поварихой,
С сватьей бабой Бабарихой,
Извести ее хотят,
Перенять гонца велят;
Сами шлют гонца другого
Вот с чем от слова до слова:
«Родила царица в ночь
Не то сына, не то дочь;
Не мышонка, не лягушку,
А неведому зверюшку».

Как услышал царь-отец,
Что донес ему гонец,
В гневе начал он чудесить
И гонца хотел повесить;

Spoke and strode into the hall;
Off to court went one and all.
Soon abroad the Tsar was heading,
That same night ordained the wedding
And was at the banquet seen
Seated with his youthful queen.
Then selected worthies led them
To their ivory couch to bed them,
And with ceremony due
Laid them down there and withdrew.
But the palace cook is grieving,
And the weaver weeps a-weaving,
Smarting both with envy keen
Of their sister, now their queen;
While our freshly purpled beauty,
Eager to discharge her duty,
That first night conceived and bore.

But the county was at war.
On his goodly charger starting,
Tsar Saltan bade her at parting
Take good care, and not alone
For her sake but for his own.
While he leads his lusty yeomen
Fiercely battling far-off foemen,
God bestows on her the joy
Of an ell-long baby boy.
Perched above her offspring regal
Proudly like a mother eagle,
She sends off an envoy far
With a note to cheer the Tsar.
But the palace cook and seamstress,
Babarikha too, the schemestress,
Their perfidious plot all hatched,
Have the courier trailed and snatched.
In his place they send another
With false witness to their brother,
Saying that the Tsar had won
Neither daughter, neither son,
Nor of mouse or frog a litter,
But some quite unheard-of critter.

But the Father Tsar, apprised
Of the message thus devised,
Started raising blood and thunder
Ready to string up the runner;

Но, смягчившись на сей раз,
Дал гонцу такой приказ:
«Ждать царева возвращенья
Для законного решенья».

Едет с грамотой гонец,
И приехал наконец.
А ткачиха с поварихой,
С сватьей бабой Бабарихой,
Обобрать его велят;
Допьяна гонца поят
И в суму его пустую
Суют грамоту другую —
И привез гонец хмельной
В тот же день приказ такой:
«Царь велит своим боярам,
Времени не тратя даром,
И царицу и приплод
Тайно бросить в бездну вод».
Делать нечего: бояре,
Потужив о государе
И царице молодой,
В спальню к ней пришли толпой.
Объявили царску волю —
Ей и сыну злую долю,
Прочитали вслух указ,
И царицу в тот же час
В бочку с сыном посадили,
Засмолили, покатили
И пустили в Окиян —
Так велел-де царь Салтан.

В синем небе звезды блещут,
В синем море волны хлещут;
Туча по небу идет,
Бочка по морю плывет.
Словно горькая вдовица,
Плачет, бьется в ней царица;
И растет ребенок там
Не по дням, а по часам.
День прошел, царица вопит...
А дитя волну торопит:
«Ты, волна моя, волна!
Ты гульлива и вольна;
Плещешь ты, куда захочешь,
Ты морские камни точишь,
Топишь берег ты земли,

But, his fury once allayed,
He had this decree conveyed:
«Let the Tsar's return be waited
And the case adjudicated.»

Off the envoy with this writ,
And at length returns with it.
But the palace cook and seamstress
Babarikha too, the schemestress,
Intercept the Tsar's command,
Lard the lad with liquor, and
In his empty pouch of leather
Slip another altogether;
So that day the fuddled slouch
Pulls this order from his pouch:
«Let the Tsar's decree be heeded:
With no more delay than needed,
Be the Queen and what she bore
Cast into the ocean's maw.»
Powerless at this disaster
To the Empress and their Master,
All the nobles in dismay
Pressed into her room to say
What the Tsar's command was suing
For her son's and her undoing.
Orders duly read and seen,
They enclosed the prince and queen
In a keg at once brought forward,
Tarred it up and rolled it shoreward
And committed it to sea,
As by Tsar Saltan's decree.

Dark-blue skies and starlets flashing,
Dark-blue sea and wavelets plashing,
Cloud across the heaven slides,
Keg across the ocean glides.
Like a widow all bedraggled
In it wept the queen and struggled,
While the babe grew more, you'd say,
By the hour than by the day.
Gone the day, the queen is crying,
Pleads the babe, the rollers hying:
«Wave, my wave, I beg of thee,
Ever ranging, ever free,
Foaming far in feckless motion,
Rolling rocks beneath the ocean,
Coursing up the coastal crest,

Подымаешь корабли —
Не губи ты нашу душу:
Выплесни ты нас на сушу!»
И послушалась волна:
Тут же на берег она
Бочку вынесла легонько
И отхлынула тихонько.
Мать с младенцем спасена;
Землю чувствует она.
Но из бочки кто их вынет?
Бог неужто их покинет?
Сын на ножки поднялся,
В дно головкой уперся,
Понатужился немножко:
«Как бы здесь на двор окошко
Нам проделать?» — молвил он,
Вышиб дно и вышел вон.

Мать и сын теперь на воле;
Видят холм в широком поле,
Море синее кругом,
Дуб зеленый над холмом.
Сын подумал: добрый ужин
Был бы нам, однако, нужен.
Ломит он у дуба сук
И в тугой сгибает лук,
Со креста снурок шелковый
Натянул на лук дубовый,
Тонку тросточку сломил,
Стрелкой легкой завострил
И пошел на край долины
У моря искать дичины.

К морю лишь подходит он,
Вот и слышит будто стон...
Видно, на́ море не тихо;
Смотрит — видит дело лихо:
Бьется лебедь средь зыбей,
Коршун носится над ней;
Та бедняжка так и плещет,
Воду вкруг мутит и хлещет...
Тот уж когти распустил,
Клёв кровавый навострил...
Но как раз стрела запела,
В шею коршуна задела —
Коршун в море кровь пролил,
Лук царевич опустил;

Heaving hulks upon thy breast —
Do not let us perish, save us,
Up onto the mainland wave us!»
And the wave at once obeyed,
Bore the barrel hence and laid,
Oh, so softly and intently,
It ashore and ebbed off gently.
Queen and babe had safely reached
Land, the keg was firmly beached.
From the keg, though, who will bring them?
God perhaps alone might spring them?
Up on tippy-toes the babe
Braced himself against a stave,
On the bottom bore a trifle
With his head, said: «Lest we stifle,
Why not break a window cleft?»
Burst the bottom out and left.

Free are now both son and mother,
See a mound across the heather,
All about, the darkblue sea,
On the mound a green oak tree.
Son thought: solid food would rather
Suit the two of us, I gather.
From the oak a branch he breaks,
And a sturdy bow he makes,
Off his cross the silk he wrings it,
To the oaken bow he strings it;
Broke a twiglet off a joint,
Fined it to an arrow point,
And went down the yonder lee-side
Seeking game along the seaside.

Barely as the shore he nears,
Something like a moan he hears...
He perceives the sea unquiet,
Looks and sees some evil riot:
'Mid the waves a swan's astir
And a kite hangs over her;
Wildly that poor bird is thrashing,
All the sea churned up and splashing...
That one has its talons spread,
Bloody beak all sharp and red...
Twang! the arrow sang and whistled,
In the crop it struck and bristled —
Bow at ease he stood; the kite
Stained with blood the breakers bright;

Смотрит: коршун в море тонет
И не птичьим криком стонет,
Лебедь около плывет,
Злого коршуна клюет,
Гибель близкую торопит,
Бьет крылом и в море топит —
И царевичу потом
Молвит русским языком:
«Ты, царевич, мой спаситель,
Мой могучий избавитель,
Не тужи, что за меня
Есть не будешь ты три дня,
Что стрела пропала в море;
Это горе — всё не горе.
Отплачу тебе добром,
Сослужу тебе потом:
Ты не лебедь ведь избавил,
Девицу в живых оставил;
Ты не коршуна убил,
Чародея подстрелил.
Ввек тебя я не забуду:
Ты найдешь меня повсюду,
А теперь ты воротись,
Не горюй и спать ложись».

  Улетела лебедь-птица,
А царевич и царица,
Целый день проведши так,
Лечь решились натощак.
Вот открыл царевич очи;
Отрясая грезы ночи
И дивясь, перед собой
Видит город он большой,
Стены с частыми зубцами,
И за белыми стенами
Блещут маковки церквей
И святых монастырей.
Он скорей царицу будит;
Та как ахнет!.. «То ли будет? —
Говорит он, — вижу я:
Лебедь тешится моя».
Мать и сын идут ко граду.
Лишь ступили за ограду,
Оглушительный трезвон
Поднялся со всех сторон:
К ним народ навстречу валит,

Down it plunges, plumes asunder,
Groans unbirdlike going under;
Swimming shoreward sails the swan,
And the foul kite pecks upon,
And his near perdition speeding,
Wings him hard and drowns him bleeding.
Then unto the Tsarevich
In the Russian tongue she speaks:
«Prince, you are my potent savior,
My redeemer, no one braver!
Pine not lest you, lost my meat,
Have three days no food to eat,
Or no arrow on the morrow:
All this sorrow — in no sorrow.
Your high service I will earn,
And will serve you in my turn:
Not a swan-bird's rescue, know you,
But a maiden's life I owe you,
Not a kite you brought to earth,
Killed a warlock; of your worth
Never henceforth need remind me,
Ever by your side you'll find me.
Now then, let all sorrow cease,
Turn again and sleep in peace.»

As the swan-bird soared to nesting,
Queen and prince, intent on resting
From the weary day they spent,
Settled and to slumber went.
On the morn the prince, awaking
And nocturnal visions shaking,
Marveled to behold ahead
A prodigious city spread,
Walls with crenellated arches,
Snowy bastions topped with churches,
Dazzling domes to heaven soar,
Holy monasteries galore.
«See what's there!» he wakes his mother,
She cries one Oh, then another,
«I can tell, my snowy bird
Is already well bestirred.»
For the city making straightway,
Hardly have they passed the gateway,
Bells a-tolling peal tattoo
Fairly deafening our two;
Townsfolk throng to meet them, choirs

Хор церковный Бога хвалит;
В колымагах золотых
Пышный двор встречает их;
Все их громко величают
И царевича венчают
Княжей шапкой, и главой
Возглашают над собой;
И среди своей столицы,
С разрешения царицы,
В тот же день стал княжить он
И нарекся: князь Гвидон.

Ветер на море гуляет
И кораблик подгоняет;
Он бежит себе в волнах
На раздутых парусах.
Корабельщики дивятся,
На кораблике толпятся,
На знакомом острову
Чудо видят наяву:
Город новый златоглавый,
Пристань с крепкою заставой,
Пушки с пристани палят,
Кораблю пристать велят.
Пристают к заставе гости;
Князь Гвидон зовет их в гости,
Их он кормит и поит
И ответ держать велит:
«Чем вы, гости, торг ведете
И куда теперь плывете?»
Корабельщики в ответ:
«Мы объехали весь свет,
Торговали соболями,
Чорнобурыми лисами;
А теперь нам вышел срок,
Едем прямо на восток,
Мимо острова Буяна,
В царство славного Салтана...»
Князь им вымолвил тогда:
«Добрый путь вам, господа,
По морю по Окияну
К славному царю Салтану;
От меня ему поклон».
Гости в путь, а князь Гвидон
С берега душой печальной
Провожает бег их дальный;

Sing Te Deums from the spires;
Gorgeous trains of courtiers wait,
Each in golden coach of state;
Every voice exalts them loudly,
And the prince is crested proudly
With a ducal diadem
As the sovereign over them.
With the Queen's consent attested,
There and then he is invested,
In his capital installed,
Duke Guidón henceforward called.

Seawind saunters there and thither,
Drives a little vessel hither,
Bowling down the ocean trail,
Tautly bulging every sail.
All the sailormen a-sailing
Crowd amazed against her railing,
On the well-known isle they sight
Marvels in the noonday light:
A new city gold-enweltered,
Pier by sturdy barrier sheltered,
Cannon firing from the pier
To command a landing here.
As they fetch the mooring station,
Comes a ducal invitation,
They are furnished drink and food
And for course and parley sued:
«Guests, what goods may you be bearing,
Whither are you further faring?»
And the sailormen speak out:
«We have sailed the world about,
Fur of sable held our boxes,
Likewise coal-and-russet foxes:
Past the island of Buyan,
Feal to famous Tsar Saltan,
We are bound on eastward bearing,
For accomplished is our faring...»
Duke Guidon dismissed them then:
«Make in safety, gentlemen,
Down the ocean-sea your passage,
Carry Tsar Saltan a message,
Say I send my compliments.»
Visitors despatched, the Prince
From the coast with spirit ailing
Follows far their distant sailing;

Глядь — поверх текучих вод
Лебедь белая плывет.
«Здравствуй, князь ты мой прекрасный!
Что ты тих, как день ненастный?
Опечалился чему?» —
Говорит она ему.
Князь печально отвечает:
«Грусть-тоска меня съедает,
Одолела молодца:
Видеть я б хотел отца».
Лебедь князю: «Вот в чем горе!
Ну, послушай: хочешь в море
Полететь за кораблем?
Будь же, князь, ты комаром».
И крылами замахала,
Воду с шумом расплескала
И обрызгала его
С головы до ног всего.
Тут он в точку уменьшился,
Комаром оборотился,
Полетел и запищал,
Судно на море догнал,
Потихоньку опустился
На корабль — и в щель забился.

Ветер весело шумит,
Судно весело бежит
Мимо острова Буяна,
К царству славного Салтана,
И желанная страна
Вот уж издали видна.
Вот на берег вышли гости;
Царь Салтан зовет их в гости,
И за ними во дворец
Полетел наш удалец.
Видит: весь сияя в злате,
Царь Салтан сидит в палате
На престоле и в венце
С грустной думой на лице;
А ткачиха с поварихой,
С сватьей бабой Бабарихой,
Около царя сидят
И в глаза ему глядят.
Царь Салтан гостей сажает
За свой стол и вопрошает:
«Ой вы, гости-господа,

Lo! on drifting swells offshore
Swims the snowy swan once more.
«Hail, fair Prince! But why beclouded,
Like a rain-day still and shrouded?»
She addressed the royal lad,
«Has some sorrow turned you sad?»
Bleakly said the Duke, replying,
«Sadness-sorrow sends me sighing,
Eats my dauntless heart entire:
I so long to see my sire.»
Swan to Prince: «So that's your worry!
Listen, would you care to hurry
Where that sloop is out at sea?
Then, my Prince, a gnat shalt be.»
And she set her pinions flashing,
Whipped the water, sent it splashing
Over him from tip to toe.
And as he was standing so,
Faster than an eyelid's blinking
To a gnat she had him shrinking;
Off he flew with piping shrill,
Caught the sloop a-sailing still,
And discreetly downward gliding,
Found a crack and went in hiding.

Seawind blows a merry clip,
Merrily sails on the ship;
Past Buyan her passage gaining,
Where the famed Saltan is reigning,
They already sight the shore
Of the land they're destined for.
As they anchor in the shallows
They are summoned to the palace;
So they take the castle route;
Our bold lad flies in pursuit.
Tsar Saltan, all gold-ensheeted,
In his hall of state is seated
On his throne and in his crown,
Pensive sorrow in his frown.
But the palace cook and seamstress,
Babarikha too, the schemestress,
Near the Tsar have found a place
And sit gazing at his face.
Tsar Saltan commands them treated,
At his very table seated:
«Ho», he asks them, «Esquire guests,

Долго ль ездили? куда?
Ладно ль за морем, иль худо?
И какое в свете чудо?»
Корабельщики в ответ:
«Мы объехали весь свет;
За морем житье не худо,
В свете ж вот какое чудо:
В море остров был крутой,
Не привальный, не жилой;
Он лежал пустой равниной;
Рос на нем дубок единый;
А теперь стоит на нем
Новый город со дворцом,
С златоглавыми церквами,
С теремами и садами,
А сидит в нем князь Гвидон;
Он прислал тебе поклон».
Царь Салтан дивится чуду;
Молвит он: «Коль жив я буду,
Чудный остров навещу,
У Гвидона погощу».
А ткачиха с поварихой,
С сватьей бабой Бабарихой,
Не хотят его пустить
Чудный остров навестить.
«Уж диковинка, ну право, —
Подмигнув другим лукаво,
Повариха говорит, —
Город у моря стоит!
Знайте, вот что не безделка:
Ель в лесу, под елью белка,
Белка песенки поет
И орешки всё грызет,
А орешки не простые,
Всё скорлупки золотые,
Ядра — чистый изумруд;
Вот что чудом-то зовут».
Чуду царь Салтан дивится,
А комар-то злится, злится —
И впился комар как раз
Тетке прямо в правый глаз.
Повариха побледнела,
Обмерла и окривела.
Слуги, сватья и сестра
С криком ловят комара.

Long your voyage? Far your rest?
Are things sound abroad or parlous,
Can you tell us any marvels?»
«Everything is fairly sound there,
Here's marvel we have found there:
Lay an island steep and bald,
All unpeopled and unwalled,
Plain and bare from crest to shingle,
On it grew an oak tree single:
Now upon this island dwell
A new town and citadel,
Rich in churches golden-headed,
Donjon chambers green-embedded,
Duke Guidon, their ruling prince,
Bade us bring you compliments.»
Says Saltan: «If God will spare me,
To that island I will fare me,
Land upon that magic coast,
Duke Guidon will be my host.»
But the palace cook and seamstress,
Babarikha too, the schemestress,
Do not wish to let him fare
To that isle of wonders there.
«I declare, astounding, brothers,»
Winking slyly at the others,
Sneers the palace cook, «dear me!
There's a city by the sea!
Here's a marvel, by Saint Cyril:
Wildwood spruce, beneath, a squirrel,
Squirrel sings a song and struts
Pawing, gnawing hazel nuts,
Not plain nuts he puts his paws on,
Golden shells the squirrel gnaws on,
Kernels of pure emerald:
Such are truly marvels called!»
Harks the Tsar with bated breathing,
But the gnat is seething, seething...
Swoops and sinks his stinger sly
Straight into his aunt's right eye.
Mighty ill the cookie took it,
Whey-faced sat and frozen crooked;
Servants, sister, and the shrew
Hunt the gnat with view-halloo:

«Распроклятая ты мошка!
Мы тебя!..» А он в окошко,
Да спокойно в свой удел
Через море полетел.

    Снова князь у моря ходит,
С синя моря глаз не сводит;
Глядь — поверх текучих вод
Лебедь белая плывет.
«Здравствуй, князь ты мой прекрасный!
Что ж ты тих, как день ненастный?
Опечалился чему?» —
Говорит она ему.
Князь Гвидон ей отвечает:
«Грусть-тоска меня съедает;
Чудо чудное завесть
Мне б хотелось. Где-то есть
Ель в лесу, под елью белка;
Диво, право, не безделка —
Белка песенки поет,
Да орешки всё грызет,
А орешки не простые,
Всё скорлупки золотые,
Ядра — чистый изумруд;
Но, быть может, люди врут».
Князю лебедь отвечает:
«Свет о белке правду бает;
Это чудо знаю я;
Полно, князь, душа моя,
Не печалься; рада службу
Оказать тебе я в дружбу».
С ободренною душой
Князь пошел себе домой;
Лишь ступил на двор широкой —
Что ж? под елкою высокой,
Видит, белочка при всех
Золотой грызет орех,
Изумрудец вынимает,
А скорлупку собирает,
Кучки равные кладет
И с присвисточкой поет
При честном при всем народе:
Во саду ли, в огороде.
Изумился князь Гвидон.
«Ну, спасибо, — молвил он, —
Ай да лебедь — дай ей Боже,

«Oh, you thrice-accursed mosquito,
Just you wait!» He poohs their veto,
By the open window free
Homeward soars across the sea.

And again in restless motion
Scans the Duke the dark-blue ocean;
Lo! on drifting swells offshore
Swims the snow-white swan once more.
«Hail, fair Prince! But why beclouded,
Like drear day becalmed and shrouded?»
She addressed the royal lad,
«Has some sorrow made you sad?»
Said Guidon the Duke, replying,
«Sadness-sorrow sends me sighing,
There's a fabled fairy thing,
I should like to find and bring:
Lives a squirrel in the wildwood,
Magic past all dreams of childhood,
He sings songs, they say, and struts
Pawing, gnawing hazel nuts,
Not plain nuts he puts his paws on,
Golden shells the squirrel gnaws on,
Shells of gold with emerald core;
Folk, of course, have fibbed before.»
«No», the swan assured the youthful
Prince, «that squirrel tale is truthful,
I have known of it long since;
Do not pine, my dearest Prince,
I will gladly give you token
Of our fellowship unbroken.»
Cheered, the Duke betook him then
Back to his abode again.
For his central courtyard heading,
Lo! he sees a spruce a-spreading,
Squirrel nibbling 'neath the tree
Nuts of gold for all to see,
Little emerald cores extracting,
And the golden husks collecting
Neatly each upon its pile,
Whistling them this song the while,
To the good folk in the courtyard:
«In the garden, in the orchard.»
«Well, I thank you,» Duke Guidon
Said in wonder, looking on,
«Swan like none, may God be giving

Что и мне, веселье то же».
Князь для белочки потом
Выстроил хрустальный дом.
Караул к нему приставил
И притом дьяка заставил
Строгий счет орехам весть.
Князю прибыль, белке честь.

Ветер по морю гуляет
И кораблик подгоняет;
Он бежит себе в волнах
На поднятых парусах
Мимо острова крутого,
Мимо города большого:
Пушки с пристани палят,
Кораблю пристать велят.
Пристают к заставе гости;
Князь Гвидон зовет их в гости,
Их и кормит и поит
И ответ держать велит:
«Чем вы, гости, торг ведете
И куда теперь плывете?»
Корабельщики в ответ:
«Мы объехали весь свет,
Торговали мы конями,
Всё донскими жеребцами,
А теперь нам вышел срок —
И лежит нам путь далек:
Мимо острова Буяна,
В царство славного Салтана...»
Говорит им князь тогда:
«Добрый путь вам, господа,
По морю по Окияну
К славному царю Салтану;
Да скажите: князь Гвидон
Шлет царю-де свой поклон».

Гости князю поклонились,
Вышли вон и в путь пустились.
К морю князь — а лебедь там
Уж гуляет по волнам.
Молит князь: душа-де просит,
Так и тянет и уносит...
Вот опять она его
Вмиг обрызгала всего:

You such joy as I am living.»
Straightway for his squirrel sage
Built a crystal squirrel cage,
Put a watch on it unsleeping,
Set a deacon strictly keeping
Count of gems, and gold beside,
Prince's profit, squirrel's pride.

Seawind roaming there and thither
Blows a little vessel hither,
Bowling down the ocean swell,
All her canvas drawing well,
Past the craggy island fastness,
Past the wonder city's vastness:
Cannon firing from the pier
Bid the ship to anchor here.
As they fetch the mooring station,
Comes a ducal invitation;
They are served both drink and food,
And for course and converse sued:
«Guests, what goods may you be bearing,
Whither are you further faring?»
And the sailormen speak out:
«We have sailed the world about,
Trading steeds, both foal and filly,
Ponies from the Donland hilly,
Done our stint, it's homeward ho —
But we still have far to go:
Past Buyan the island sailing,
Tsar Saltan's dominions hailing...»
Duke Guidon addressed them then:
«Make in safety, gentlemen,
Down the ocean-sea your passage,
Carry Tsar Saltan a message,
Tell him Duke Guidon afar
Sends his duty to the Tsar.»

Then the guests, farewells accorded,
Sought their ship and went aboard it.
For the shore makes Duke Guidon,
In the surf he spies the swan.
Pleads the Duke, his spirit yearning,
All with ache and anguish burning...
Swam the swan again ashore,
Splashed him soundly as before,

В муху князь оборотился,
Полетел и опустился
Между моря и небес
На корабль — и в щель залез.

Ветер весело шумит,
Судно весело бежит
Мимо острова Буяна,
В царство славного Салтана —
И желанная страна
Вот уж издали видна;
Вот на берег вышли гости;
Царь Салтан зовет их в гости,
И за ними во дворец
Полетел наш удалец.
Видит: весь сияя в злате,
Царь Салтан сидит в палате
На престоле и в венце,
С грустной думой на лице.
А ткачиха с Бабарихой
Да с кривою поварихой
Около царя сидят,
Злыми жабами глядят.
Царь Салтан гостей сажает
За свой стол и вопрошает:
«Ой вы, гости-господа,
Долго ль ездили? куда?
Ладно ль за морем, иль худо.
И какое в свете чудо?»
Корабельщики в ответ:
«Мы объехали весь свет;
За морем житье не худо;
В свете ж вот какое чудо:
Остров на море лежит,
Град на острове стоит
С златоглавыми церквами,
С теремами да садами;
Ель растет перед дворцом,
А под ней хрустальный дом;
Белка там живет ручная,
Да затейница какая!
Белка песенки поет
Да орешки всё грызет,
А орешки не простые,
Всё скорлупки золотые,
Ядра — чистый изумруд;

To a little housefly shrinking,
He flew off and, downward sinking,
Twixt the sea and sky on deck,
Tucked himself into a crack.

Seawind blows a merry clip,
Merrily sails on the ship;
Past Buyan her passage gaining,
Where the famed Saltan is reigning,
They already sight the shore
Of the land they're destined for.
As they anchor off the commons,
They receive a royal summons,
So they take the castle route;
Our bold lad flies in pursuit.
Tsar Saltan, all gold-ensheeted,
In his hall of state is seated
On his throne and in his crown,
Sorrow in his pensive frown.
But the crooked cook, the weaver,
And their gossip Babarikha,
Sit like angry toads not far
From the footstool of the Tsar.
By command the guests are greeted,
At the Tsar's own table seated;
«Ho», he asks them, «Merchant guests,
Long your voyage? Far from rest?
Are things sound abroad or parlous,
Can you tell us any marvels?»
So the sailormen speak out:
«We have sailed the world about,
Life is fair enough out yonder,
While abroad we saw this wonder:
There's an isle at sea out there,
On the isle a city fair,
Rich in churches golden-headed,
Donjon chambers green-embedded;
And a spruce tree shades the tower,
Underneath, a crystal bower;
In it lives a well-trained squirrel,
Nay, a wizard, by Saint Cyril!
Squirrel sings a song and struts
Pawing, gnawing hazel nuts,
Not plain nuts he puts his paws on,
Golden shells the squirrel gnaws on,
Emerald is every nut;

Слуги белку стерегут,
Служат ей прислугой разной —
И приставлен дьяк приказный
Строгий счет орехам весть;
Отдает ей войско честь;
Из скорлупок льют монету
Да пускают в ход по свету;
Девки сыплют изумруд
В кладовые, да под спуд;
Все в том острове богаты,
Изоб нет, везде палаты;
А сидит в нем князь Гвидон;
Он прислал тебе поклон».
Царь Салтан дивится чуду.
«Если только жив я буду,
Чудный остров навещу,
У Гвидона погощу».
А ткачиха с поварихой,
С сватьей бабой Бабарихой,
Не хотят его пустить
Чудный остров навестить.
Усмехнувшись исподтиха,
Говорит царю ткачиха:
«Что тут дивного? ну, вот!
Белка камушки грызет,
Мечет золото и в груды
Загребает изумруды;
Этим нас не удивишь,
Правду ль, нет ли говоришь.
В свете есть иное диво:
Море вздуется бурливо,
Закипит, подымет вой,
Хлынет на берег пустой,
Разольется в шумном беге,
И очутятся на бреге,
В чешуе, как жар горя,
Тридцать три богатыря,
Все красавцы удалые,
Великаны молодые,
Все равны, как на подбор,
С ними дядька Черномор.
Это диво, так уж диво,
Можно молвить справедливо!»
Гости умные молчат,
Спорить с нею не хотят.
Диву царь Салтан дивится,

Servants guard the squirrel's hut,
Serve in sundry ways to suit it;
They make officers salute it,
Have a clerk for nothing but
Keeping tally of each nut;
Then the golden shells as nuggets
Go to mint and leave as ducats;
Maidens sift the emerald hoard
In a strong room to be stored.
On this isle they live in plenty,
All have mansions, never a shanty;
Duke Guidon, their reigning prince,
Bade us give you compliments.»
Marvels Tsar Saltan: «So spare me,
To that island I will fare me,
Land upon that magic coast,
Duke Guidon shall by my host.»
But the palace cook and seamstress,
Babarikha too, the schemestress,
Do not wish to let him fare
To that isle of wonders there.
Says the seamstress to His Highness,
Wreathed in sneering smirks and slyness;
«There's a squirrel — true or not —
Gnawing little stones — so what?
Nuggets out of nutshells making,
Little mounds of emerald raking,
This won't make us throw a fit,
Even if there's truth in it.
Here's what counts as marvel for me:
Where the ocean wild and stormy
Seethes up high with hiss and roar,
Foaming up an empty shore
And in rushing runs recoiling —
Rise from out the backwash boiling
Thirty-three young giants tall,
Bold of spirit one and all,
Comely heroes thrice eleven,
Mail aglow like blaze of heaven,
All alike as soldiers matched,
To Dad Chernomor attached.
Talk of wonders, this one surely
Makes all others come off poorly!»
Mum, the prudent guests prefer
Not to bandy word with her;
Harks the Tsar with bated breathing,

А Гвидон-то злится, злится...
Зажужжал он и как раз
Тетке сел на левый глаз,
И ткачиха побледнела:
«Ай!» — и тут же окривела;
Все кричат: «Лови, лови,
Да дави ее, дави...
Вот ужо! постой немножко,
Погоди...» А князь в окошко,
Да спокойно в свой удел
Через море прилетел.

Князь у синя моря ходит,
С синя моря глаз не сводит;
Глядь — поверх текучих вод
Лебедь белая плывет.
«Здравствуй, князь ты мой прекрасный!
Что ты тих, как день ненастный?
Опечалился чему?» —
Говорит она ему.
Князь Гвидон ей отвечает:
«Грусть-тоска меня съедает —
Диво б дивное хотел
Перенесть я в мой удел».
— «А какое ж это диво?»
— «Где-то вздуется бурливо
Окиян, подымет вой,
Хлынет на берег пустой,
Расплеснется в шумном беге,
И очутятся на бреге,
В чешуе, как жар горя,
Тридцать три богатыря,
Все красавцы молодые,
Великаны удалые,
Все равны, как на подбор,
С ними дядька Черномор».
Князю лебедь отвечает:
«Вот что, князь, тебя смущает?
Не тужи, душа моя,
Это чудо знаю я.
Эти витязи морские
Мне ведь братья все родные.
Не печалься же, ступай,
В гости братцев поджидай».

But Guidon is seething, seething...
Up and with a buzzing cry
Lights upon his aunt's left eye.
Ashen-faced, the seamstress took it,
«Ai,» she screeched and turned all crooked.
«Catch it, catch it,» cried the lot,
«Snatch the sting-fly, snatch and swat,
Stray right there, hold still a little...»
But Guidon the Fly won't fiddle,
By the open window he
Soars back home across the sea.

And the Duke in restless motion
Strides and scans the dark-blue ocean...
Lo! on drifting swells offshore
Swims the snowy swan once more.
«Hail, fair Prince! But why beclouded,
Silent like a rain-day shrouded?
Has some sorrow made you sad?»
She addressed the royal lad.
Said Guidon the Duke, replying,
«Sadness-sorrow sends me sighing,
Prodigies to overwhelm
I would bring into my realm.»
«Pray, what portent brings such luster?»
«Somewhere there's a storm abluster,
Ocean breakers howl and roar
Foamimg up a desert shore,
Back in rushing sun recoiling,
Leaving in their backwash boiling
Thirty-three young giants tall,
Bold and mettlesome withal,
Comely heroes thrice eleven,
Mail aglow like blaze of heaven,
All alike as soldiers matched,
To Dad Chernomor attached.»
Then the swan responded saying:
«So it's this you find dismaying!
Do not pine, my dearest Prince,
I have known of this long since.
Yonder sea-knights are no others
But my kin, my native brothers.
Don't you fret, but homeward fare,
They will wait upon you there.»

А.С. Пушкин. Сказки

Князь пошел, забывши горе,
Сел на башню, и на море
Стал глядеть он; море вдруг
Всколыхалося вокруг,
Расплескалось в шумном беге
И оставило на бреге
Тридцать три богатыря;
В чешуе, как жар горя,
Идут витязи четами,
И, блистая сединами,
Дядька впереди идет
И ко граду их ведет.
С башни князь Гвидон сбегает,
Дорогих гостей встречает;
Второпях народ бежит;
Дядька князю говорит:
«Лебедь нас к тебе послала
И наказом наказала
Славный город твой хранить
И дозором обходить.
Мы отныне ежеденно
Вместе будем непременно
У высоких стен твоих
Выходить из вод морских,
Так увидимся мы вскоре,
А теперь пора нам в море;
Тяжек воздух нам земли».
Все потом домой ушли.

Ветер по морю гуляет
И кораблик подгоняет;
Он бежит себе в волнах
На поднятых парусах
Мимо острова крутого,
Мимо города большого;
Пушки с пристани палят,
Кораблю пристать велят.
Пристают к заставе гости.
Князь Гвидон зовет их в гости,
Их и кормит и поит
И ответ держать велит:
«Чем вы, гости, торг ведете
И куда теперь плывете?»
Корабельщики в ответ:
«Мы объехали весь свет;
Торговали мы булатом,

Grief forgot, the Duke departed,
Climbed upon his keep and started
Gazing seaward; all at once,
'Gan the sea to heave and dance,
And in rushing runs retrieving
Surf and sough, retreated, leaving
Thrice eleven on the site,
Knights in blazing armor bright;
They approach in paired procession
And, his snowy floss a-flashing,
Chernomor in solemn state
Guides them to the city gate.
From the keep the Duke descended,
Greeting to his guests extended,
Forward flocked the city folk,
To the Duke the leader spoke:
«Aye, the Swan Princess despatched us
And as sentinels detached us,
Warders for your fair redoubt,
Walking guard the walls about.
Without fail we shall henceforward
Daily stride together shoreward,
Risen from the ocean wave
By your soaring bastions brave;
Shortly therefore you will sight us,
Meanwhile, though, the waves invite us,
For the air of earth is dense.»
And they all went homeward thence.

Seawind saunters there and thither
Drives a little vessel hither,
Bowling down the ocean swell,
All her canvas drawing well,
Past the craggy island fastness,
Past the wonder city's vastness;
Cannon firing from the pier
Bid the ship to anchor here.
As they fetch the mooring station,
Comes a ducal invitation.
They are furnished drink and food
And for course and parley sued:
«Guests, what goods may you be bearing,
Whither are you further faring?»
And the sailormen speak out:
«We have sailed the world about,
Trusty Damask steel we traded,

Чистым серебром и златом,
И теперь нам вышел срок;
А лежит нам путь далек,
Мимо острова Буяна,
В царство славного Салтана».
Говорит им князь тогда:
«Добрый путь вам, господа,
По морю по Окияну
К славному царю Салтану.
Да скажите ж: князь Гвидон
Шлет-де свой царю поклон».

Гости князю поклонились,
Вышли вон и в путь пустились.
К морю князь, а лебедь там
Уж гуляет по волнам.
Князь опять: душа-де просит...
Так и тянет и уносит...
И опять она его
Вмиг обрызгала всего.
Тут он очень уменьшился,
Шмелем князь оборотился,
Полетел и зажужжал;
Судно на море догнал,
Потихоньку опустился
На корму — и в щель забился.

Ветер весело шумит,
Судно весело бежит
Мимо острова Буяна,
В царство славного Салтана,
И желанная страна
Вот уж издали видна.
Вот на берег вышли гости.
Царь Салтан зовет их в гости,
И за ними во дворец
Полетел наш удалец.
Видит, весь сияя в злате,
Царь Салтан сидит в палате
На престоле и в венце,
С грустной думой на лице.
А ткачиха с поварихой,
С сватьей бабой Бабарихой,
Около царя сидят —
Четырьмя все три глядят.
Царь Салтан гостей сажает
За свой стол и вопрошает:

Gold and silver finely graded,
Done our stint, it's homeward ho —
But we still have far to go:
Past Buyan the island sailing,
Tsar Saltan's dominions hailing.»
Duke Guidon addressed them then:
«Make in safety, gentlemen,
Down the ocean-sea your passage,
Carry Tsar Saltan a message,
Say the Duke Guidon afar
Sends his greetings to the Tsar.»

    Then the guests, farewells accorded,
Sought their ship and went aboard it.
For the shore makes Duke Guidon,
In the surf he spies the swan.
And again he speaks his yearning,
Soul with ache and anguish burning...
Swam the swan ashore again,
Splashed him soundly there and then,
And at once he turned much smaller,
To a bumblebee, no taller;
Taking off with buzzing sound,
Out at sea the ship he found,
Straight upon her poop he glided,
Down a crack and there subsided.

    Seawind blows a merry clip,
Merrily sails on the ship;
Past Buyan their passage gaining,
Where the famed Saltan is reigning,
They already sight the shore
Of the land they're destined for.
As they anchor off the commons,
They receive a royal summons,
So they take the castle route;
Our bold lad flies in pursuit.
Tsar Saltan, all gold-ensheeted,
In his hall of state is seated
On his throne and in his crown,
Pensive sorrow in his frown.
But the palace cook and seamstress,
Babarikha too, the schemestress,
Sit near by him, and to see
Have four eyes among the three.
When the guests are duly greeted,
At the Tsar's own table seated,

«Ой вы, гости-господа,
Долго ль ездили? куда?
Ладно ль за морем, иль худо?
И какое в свете чудо?»
Корабельщики в ответ:
«Мы объехали весь свет;
За морем житье не худо;
В свете ж вот какое чудо:
Остров на море лежит,
Град на острове стоит,
Каждый день идет там диво:
Море вздуется бурливо,
Закипит, подымет вой,
Хлынет на берег пустой,
Расплеснется в скором беге —
И останутся на бреге
Тридцать три богатыря,
В чешуе златой горя,
Все красавцы молодые,
Великаны удалые,
Все равны, как на подбор;
Старый дядька Черномор
С ними из моря выходит
И попарно их выводит,
Чтобы остров тот хранить
И дозором обходить —
И той стражи нет надежней,
Ни храбрее, ни прилежней.
А сидит там князь Гвидон;
Он прислал тебе поклон».
Царь Салтан дивится чуду.
«Коли жив я только буду,
Чудный остров навещу
И у князя погощу».
Повариха и ткачиха
Ни гугу — но Бабариха,
Усмехнувшись, говорит:
«Кто нас этим удивит?
Люди из моря выходят
И себе дозором бродят!
Правду ль бают, или лгут,
Дива я не вижу тут.
В свете есть такие ль дива?
Вот идет молва правдива:
За морем царевна есть,
Что не можно глаз отвесть;

«Ho», he asks them, «Esquire guests,
Long your voyage? Far your rest?
Are things sound abroad or parlous,
Can you tell us any marvels?»
And the sailormen speak out:
«We have sailed the world about,
Life is fair enough out yonder,
While abroad we saw this wonder:
There's an isle at sea out there,
On the isle a city fair,
Daily there befalls a wonder:
Ocean rollers seethe and thunder,
Rearing high with hiss and roar,
Foaming up a desert shore
And with rush and run resurging,
Leave from out their lee emerging
Thirty-three young giants hale,
Comely youths, their coats of mail
All with gold aglow and flashing,
Thrice eleven heroes dashing,
Like of choice recruits a crew;
Chernomor the Ancient too
Rises with them, marches forward,
And in pairs conducts them shoreward,
There to ward the isle redoubt,
Walking guard the walls about;
Watchful warders, none more ready,
None more dauntless or more steady.
Duke Guidon, residing there,
Bids Your Highness greetings fair.»
Marvels Tsar Saltan: «So spare me,
To that island I will fare me,
Land upon that magic coast,
Duke Guidon shall be my host.»
From the palace cook or seamstress
Not a murmur — but the schemestress
Snickers and will have her say:
«This is to amaze us, pray?
From the water watchmen amble,
Round and round an island shamble,
Truth or lie, I see in that
Nothing much to marvel at.
Here's what stuns the world astounded:
There is fame abroad, well-founded,
Of a princess far, far off
No one can adore enough,

Днем свет Божий затмевает,
Ночью землю освещает,
Месяц под косой блестит,
А во лбу звезда горит.
А сама-то величава,
Выплывает, будто пава;
А как речь-то говорит,
Словно реченька журчит.
Молвить можно справедливо,
Это диво, так уж диво».
Гости умные молчат:
Спорить с бабой не хотят.
Чуду царь Салтан дивится —
А царевич хоть и злится,
Но жалеет он очей
Старой бабушки своей:
Он над ней жужжит, кружится —
Прямо на нос к ней садится,
Нос ужалил богатырь:
На носу вскочил волдырь.
И опять пошла тревога:
«Помогите, ради Бога!
Караул! лови, лови,
Да дави его, дави...
Вот ужо! пожди немножко,
Погоди!..» А шмель в окошко,
Да спокойно в свой удел
Через море полетел.

Князь у синя моря ходит,
С синя моря глаз не сводит;
Глядь — поверх текучих вод
Лебедь белая плывет.
«Здравствуй, князь ты мой прекрасный!
Что ж ты тих, как день ненастный?
Опечалился чему?» —
Говорит она ему.
Князь Гвидон ей отвечает:
«Грусть-тоска меня съедает:
Люди женятся; гляжу,
Не женат лишь я хожу».
— «А кого же на примете
Ты имеешь?» — «Да на свете,
Говорят, царевна есть,
Что не можно глаз отвесть.
Днем свет Божий затмевает,

Who the gleam of day outbrightens,
And the gloom of night enlightens;
In her hair the moon is borne,
On her brow the star of morn,
Forth she flows in splendor vested
Like a peacock fanned and crested,
And the words she utters seem
Murmurs from a purling stream.
Here you'd say without a blunder,
There's a wonder that's a wonder.»
Mum, the prudent guests prefer
Not to bandy words with her,
Harks His Highness, barely breathing,
And the royal prince, though seething,
Hesitant to cast a blight
On his poor old granny's sight,
Bumbles buzzing with his muzzle,
Plummets plumb upon her nozzle,
Stings her right into the nose,
Where a monstrous bump arose.
And again they fuss and bustle:
«Help, for God's sake, hustle, hustle,
Guardsmen, catch the you-know-what,
Catch that sting-bee, snatch and swat!
Just you wait! Hold still a little,
Wait a while!»... All wasted spittle —
By the window wings the bee
Calmy home across the sea.

And the Duke in restless motion
Strides and scans the dark-blue ocean...
Lo! on drifting swells offshore
Swims the snowy swan once more.
«Hail, fair Prince! But why beclouded,
Silent like a rain-day shrouded?
Has some sorrow made you sad?»
She addressed the royal lad.
Said Guidon the Duke replying,
«Sadness-sorrow sends me sighing,
Folk have wives; I look about:
I alone am left without.»
«Whom then would you fain have courted,
May I ask?» «It is reported
That a princess lives far off
No one can adore enough,
Who of day the gleam outbrightens

Ночью землю освещает —
Месяц под косой блестит,
А во лбу звезда горит.
А сама-то величава,
Выступает, будто пава;
Сладку речь-то говорит,
Будто реченька журчит.
Только, полно, правда ль это?»
Князь со страхом ждет ответа.
Лебедь белая молчит
И, подумав, говорит:
«Да! такая есть девица.
Но жена не рукавица:
С белой ручки не стряхнешь,
Да за пояс не заткнешь.
Услужу тебе советом —
Слушай: обо всем об этом
Пораздумай ты путем,
Не раскаяться б потом».
Князь пред нею стал божиться,
Что пора ему жениться,
Что об этом обо всем
Передумал он путем;
Что готов душою страстной
За царевною прекрасной
Он пешком идти отсель
Хоть за тридевять земель.
Лебедь тут, вздохнув глубоко,
Молвила: «Зачем далёко?
Знай, близка судьба твоя,
Ведь царевна эта — я».
Тут она, взмахнув крылами,
Полетела над волнами
И на берег с высоты
Опустилася в кусты,
Встрепенулась, отряхнулась
И царевной обернулась:
Месяц под косой блестит,
А во лбу звезда горит;
А сама-то величава,
Выступает, будто пава;
А как речь-то говорит,
Словно реченька журчит.
Князь царевну обнимает,
К белой груди прижимает
И ведет ее скорей

And of night the gloom enlightens;
In her hair the moon is borne,
On her brow the star of morn,
Forth she steps in splendor vested
Like a peacock fanned and crested,
And her speeches sweet, it seems,
Murmur like the purl of streams.
Is this truth,» he asks, «or error?»
And awaits her words in terror.
Still and thoughtful thereupon,
Says at length the snowy swan:
«Yes, there is just such a maiden,
Wiving, though, is not like trading,
Wives are not, like mitts of pelt,
Plucked and tucked behind your belt.
Here is some advice to ponder —
Think about this as you wander
Homeward, ponder long and hard,
Not to rue it afterward.»
Swore Guidon, as God his witness,
Timeliness as well as fitness
Called for wedlock, he had brought
All the thought to bear he ought.
For this maid of fairy fashion
He stood ready, such his passion,
Starting forthwith to bestride
Thrice nine kingdoms far and wide.
Spoke the swan-bird, deeply sighing,
«Wherefore fare so far a-trying?
Know then, Prince, your fate is nigh,
For the princess fair — am I.»
Then her pearly pinions spreading
And atop the breakers heading
For the shore in diving rush,
She alighted in the brush,
Shook and shed her plumage fluted,
To a princess stood transmuted,
Crescent in her tresses borne,
On her brow the star of morn;
Forth she steps in splendor vested
Like a peacock fanned and crested,
And the speech she utters seems
Murmurous like purling streams.
Duke Guidon, his bride enfolding
In his tender arms and holding,

К милой матушке своей.
Князь ей в ноги, умоляя:
«Государыня родная!
Выбрал я жену себе,
Дочь послушную тебе,
Просим оба разрешенья,
Твоего благословенья:
Ты детей благослови
Жить в совете и любви».
Над главою их покорной
Мать с иконой чудотворной
Слезы льет и говорит:
«Бог вас, дети, наградит».
Князь не долго собирался,
На царевне обвенчался;
Стали жить да поживать,
Да приплода поджидать.

Ветер по морю гуляет
И кораблик подгоняет;
Он бежит себе в волнах
На раздутых парусах
Мимо острова крутого,
Мимо города большого;
Пушки с пристани палят,
Кораблю пристать велят.
Пристают к заставе гости.
Князь Гвидон зовет их в гости,
Он их кормит и поит
И ответ держать велит:
«Чем вы, гости, торг ведете
И куда теперь плывете?»
Корабельщики в ответ:
«Мы объехали весь свет,
Торговали мы недаром
Неуказанным товаром;
А лежит нам путь далек:
Восвояси на восток,
Мимо острова Буяна,
В царство славного Салтана».
Князь им вымолвил тогда:
«Добрый путь вам, господа,
По морю по Окияну
К славному царю Салтану;
Да напомните ему,
Государю своему:

Leads her as his rightful spouse
To his loving mother's house.
Brings her in and, humbly kneeling,
«Dearest Queen», entreats with feeling,
«I have found my consort true,
Your obedient child; we sue
Your consent in joint communion
And your blessings on our union:
Concord blissful, love serene
Wish us both.» The Mother-Queen,
Shedding tears of fond complaisance
As they bow in deep obeisance
To her wondrous ikon, pleads:
«Children, God reward your deeds.»
Then Guidon no longer tarried,
Duke and princess up and married,
Settled down and did their best
For their union to be blessed.

Seawind saunters there and thither,
Drives a little vessel hither,
Bowling down the ocean swell,
All her canvas drawing well,
Past the craggy island fastness,
Past the wonder city's vastness;
Cannon firing from the pier
Bid the ship to anchor here.
As they fetch the mooring station,
Comes a ducal invitation.
They are furnished drink and food
And for speech and answer sued:
«Guests, what goods may you be bearing,
Whither now are further faring?»
And the sailormen speak out:
«We have sailed the world about,
Sundry wares beyond our telling
None too cheaply were we selling,
Of our voyage home back east
What is left is not the least,
Past Buyan the island sailing,
Tsar Saltan's dominions hailing.»
Duke Guidon addressed them then:
«Make in safety, gentlemen,
Down the ocean-sea your passage,
Carry Tsar Saltan my message,
And remind your Tsar once more
Of a visit twice before

К нам он в гости обещался,
А доселе не собрался —
Шлю ему я свой поклон».
Гости в путь, а князь Гвидон
Дома на сей раз остался
И с женою не расстался.

Ветер весело шумит,
Судно весело бежит
Мимо острова Буяна,
К царству славного Салтана,
И знакомая страна
Вот уж издали видна.
Вот на берег вышли гости.
Царь Салтан зовет их в гости.
Гости видят: во дворце
Царь сидит в своем венце,
А ткачиха с поварихой,
С сватьей бабой Бабарихой,
Около царя сидят,
Четырьмя все три глядят.
Царь Салтан гостей сажает
За свой стол и вопрошает:
«Ой вы, гости-господа,
Долго ль ездили? куда?
Ладно ль за морем, иль худо?
И какое в свете чудо?»
Корабельщики в ответ:
«Мы объехали весь свет;
За морем житье не худо,
В свете ж вот какое чудо:
Остров на море лежит,
Град на острове стоит,
С златоглавыми церквами,
С теремами и садами;
Ель растет перед дворцом,
А под ней хрустальный дом;
Белка в нем живет ручная,
Да чудесница какая!
Белка песенки поет
Да орешки всё грызет;
А орешки не простые,
Скорлупы-то золотые,
Ядра — чистый изумруд;
Белку холят, берегут.
Там еще другое диво:

Promised us in proper season —
Pledge neglected for some reason.
Then add greetings for the nonce.»
Guests despatched, Guidon for once
Did not follow them but tarried,
Being but so lately married.

    Seawind blows a merry clip,
Merrily sails on the ship;
Past Buyan their passage gaining,
Where the famed Saltan is reigning,
They already sight the crest
Of the shore they know the best.
As they anchored in the shallows,
They were summoned to the palace,
Where the Tsar Saltan they found
Seated on his throne and crowned;
And the palace cook and seamstress,
Babarikha too, the schemestress,
Sit not far away and see
On four eyes among the three.
When the guests are duly greeted,
At the Tsar's own table seated,
«Ho», he asks them, «Merchant guests,
Long your voyage? Far your rest?
Are things sound abroad or parlous,
Can you tell us any marvels?»
And the sailormen speak out:
«We have sailed the world about,
Life is fair enough out yonder,
While abroad we saw this wonder:
There's an isle at sea out there,
On the isle a city fair,
Rich in churches golden-towered,
Donjon chambers busk-embowered;
And a spruce tree shades the tower,
Underneath, a squirrel bower;
In it lives a well-trained squirrel,
What a wizard, by Saint Cyril!
Squirrel sings a song and struts
Pawing, gnawing hazel huts,
Not plain nuts he puts his paws on,
Golden shells the squirrel gnaws on,
Every nut an emerald bright;
And they tend him day and night.
There is still another wonder:

Море вздуется бурливо,
Закипит, подымет вой,
Хлынет на берег пустой,
Расплеснется в скором беге,
И очутятся на бреге,
В чешуе, как жар горя,
Тридцать три богатыря,
Все красавцы удалые,
Великаны молодые,
Все равны, как на подбор —
С ними дядька Черномор.
И той стражи нет надежней,
Ни храбрее, ни прилежней.
А у князя женка есть,
Что не можно глаз отвесть:
Днем свет Божий затмевает,
Ночью землю освещает;
Месяц под косой блестит,
А во лбу звезда горит.
Князь Гвидон тот город правит,
Всяк его усердно славит;
Он прислал тебе поклон,
Да тебе пеняет он:
К нам-де в гости обещался,
А доселе не собрался».

Тут уж царь не утерпел,
Снарядить он флот велел.
А ткачиха с поварихой,
С сватьей бабой Бабарихой,
Не хотят царя пустить
Чудный остров навестить.
Но Салтан им не внимает
И как раз их унимает:
«Что я? царь или дитя? —
Говорит он не шутя: —
Нынче ж еду!» — Тут он топнул,
Вышел вон и дверью хлопнул,

Под окном Гвидон сидит,
Молча на море глядит:
Не шумит оно, не хлещет,
Лишь едва, едва трепещет,
И в лазоревой дали
Показались корабли:
По равнинам Окияна
Едет флот царя Салтана.

Ocean rollers seethe and thunder,
Rearing high with hiss and roar,
Foaming up a desert shore,
And with rush and run resurging,
Leave from out their lee emerging
Thirty-three young giants hale,
Comely youths, their coat of mail
All with gold aglow and flashing,
Thrice eleven heroes dashing,
Like of choice recruits a crew —
Chernomor the Ancient too.
Than this guard is none more ready,
None more dauntless or more steady.
And the Prince's little wife
You could look at all your life:
She of day the gleam outbrightens,
And of night the gloom enlightens,
Crescent in her tresses borne,
On her brow the star of morn.
Duke Guidon, who rules that country,
Warmly praised by all and sundry,
Charged us with good cheer to you,
But with plaint of grievance, too:
Of a visit in due season,
Undelivered for some reason.»

   This was all Saltan could stand,
Bade the fleet cast off from land.
Yet the palace cook and seamstress,
Babarikha too, the schemestress,
Do not wish to let him fare
To that wonder island there.
But for once he did not heed them,
With a royal roar he treed them:
«Say, what am I, Tsar or child?»
He demanded, driven wild.
«Off I go!» With stomp and snortle
He stalked out and slammed the portal.

   At his window Duke Guidon
Mutely gazed the sea upon:
Never roaring, never seething
Lies the ocean, barely breathing,
On the skyline azure-blue
White top-gallants heave in view:
Ocean's mirror reaches bruising,
Comes the royal squadron cruising.

Князь Гвидон тогда вскочил,
Громогласно возопил:
«Матушка моя родная!
Ты, княгиня молодая!
Посмотрите вы туда:
Едет батюшка сюда».
Флот уж к острову подходит.
Князь Гвидон трубу наводит:
Царь на палубе стоит
И в трубу на них глядит;
С ним ткачиха с поварихой,
С сватьей бабой Бабарихой;
Удивляются оне
Незнакомой стороне.
Разом пушки запалили;
В колокольнях зазвонили;
К морю сам идет Гвидон;
Там царя встречает он
С поварихой и ткачихой,
С сватьей бабой Бабарихой;
В город он повел царя,
Ничего не говоря.

Все теперь идут в палаты:
У ворот блистают латы,
И стоят в глазах царя
Тридцать три богатыря,
Все красавцы молодые,
Великаны удалые,
Все равны, как на подбор,
С ними дядька Черномор.
Царь ступил на двор широкой:
Там под елкою высокой
Белка песенку поет,
Золотой орех грызет,
Изумрудец вынимает
И в мешочек опускает;
И засеян двор большой
Золотою скорлупой.
Гости дале — торопливо
Смотрят — что ж? княгиня — диво:
Под косой луна блестит,
А во лбу звезда горит;
А сама-то величава,
Выступает, будто пава,
И свекровь свою ведет.

Duke Guidon then gave a leap,
Loudly shouted from his keep:
«Ho, my Mother, dearest Mother,
You, young Duchess, for another,
Look you over yonder, fast,
Here our Father comes at last!»
Guidon, through his spyglass peering
At the squadron swiftly nearing,
Spies the Tsar upon the stem
Gazing through his glass at them.
And the palace cook and seamstress,
Babarikha too, the schemestress,
Near him in amazement stand,
Staring at this unknown land.
Cannon boom from every barrel,
Carillons from belfries carol;
Lone, the Prince upon the pier
Greets the Tsar and at his rear
Both the palace cook and seamstress,
Babarikha too, the schemestress,
Leads them to the city wall,
Speaking not a word withal.

Now they pass the castle center,
Gorgets glisten as they enter,
And before the Sovereign's eyes
Thirty-three young giants rise,
Thrice eleven heroes dashing,
Comely knights in armor flashing,
Like of choice recruits a crew,
Chernomor the Ancient too.
And the Tsar steps in the spacious
Courtyard: lo, a squirrel gracious
'Neath a spruce tree sings and struts,
Gnawing golden hazel nuts,
Emerald kernels bright extracting
And into a pouch collecting,
All bestrewn the spacious yard
With the precious golden shard.
Hastening on, they meet, astounded,
Fair Her Grace and stand dumbfounded:
In her hair the moon is borne,
On her brow the star of morn:
On she walks in splendor vested,
Like a peacock fanned and crested,
Leading forth her Queen-in-law.

Царь глядит — и узнает...
В нем взыграло ретивое!
«Что я вижу? что такое?
Как!» — и дух в нем занялся...
Царь слезами залился,
Обнимает он царицу,
И сынка, и молодицу,
И садятся все за стол;
И веселый пир пошел.
А ткачиха с поварихой,
С сватьей бабой Бабарихой,
Разбежались по углам;
Их нашли насилу там.
Тут во всем они признались,
Повинились, разрыдались;
Царь для радости такой
Отпустил всех трех домой.
День прошел — царя Салтана
Уложили спать вполпьяна.
Я там был; мед, пиво пил —
И усы лишь обмочил.

1831

Tsar Saltan, he stares in awe...
Heart in throat, he marvels, ponders:
«By what magic? Signs and wonders!
How?» His pulses leaped and throbbed,
Then he burst in tears and sobbed,
In his open arms he caught her,
And his son, and his new daughter,
And they all sat down in strength
To a merry feast at length.
But the palace cook and seamstress,
Babarikha too, the schemestress,
Ran to hide in niche and nook;
Found at last and brought to book,
They confessed, all pale and pining,
Beat their breasts and started whining;
And the Tsar in his great glee
Let them all get off scot-free.
Late at night some subjects loyal
Helped to bed His Highness Royal.
I was there, had beer and mead,
Dip a whisker's all I did.

Translated by Walter Arndt

СКАЗКА
О ЗОЛОТОМ ПЕТУШКЕ

Негде, в тридевятом царстве,
В тридесятом государстве,
Жил-был славный царь Дадон.
Смолоду был грозен он
И соседям то и дело
Наносил обиды смело;
Но под старость захотел
Отдохнуть от ратных дел
И покой себе устроить.
Тут соседи беспокоить
Стали старого царя,
Страшный вред ему творя.
Чтоб концы своих владений
Охранять от нападений,
Должен был он содержать
Многочисленную рать.
Воеводы не дремали,
Но никак не успевали:
Ждут, бывало, с юга, глядь, —
Ан с востока лезет рать.
Справят здесь, — лихие гости
Идут от моря. Со злости
Инда плакал царь Дадон,
Инда забывал и сон.
Что и жизнь в такой тревоге!
Вот он с просьбой о помоге
Обратился к мудрецу,
Звездочету и скопцу.
Шлет за ним гонца с поклоном.

Вот мудрец перед Дадоном
Стал и вынул из мешка
Золотого петушка.
«Посади ты эту птицу, —
Молвил он царю, — на спицу;
Петушок мой золотой
Будет верный сторож твой:
Коль кругом всё будет мирно,
Так сидеть он будет смирно;
Но лишь чуть со стороны

THE TALE
OF THE GOLDEN COCKEREL

Twice three realms beyond the span
of kingdoms known to mortal man,
there lived a tsar, from childhood on
a devotee of war — Dadon.
Fire, rapine, pillage, sword
had made his name a household word
for terror in adjacent lands
often savaged at his hands.
But when in age, he sought release
from strife of war, and sued for peace,
the lands adjacent joined in arms
to threaten him with war's alarms.
Dadon deployed in his defense
a multitude of regiments
strong in spirit, well equipped
but somehow always giv'n the slip.
While north and south, his captains ride,
the west is seized and occupied
and troops debarking on the coast
move inland quickly, unopposed.
No matter what, he cannot win.
Poor mortal: What a fix he's in.
To no avail he seeks in sleep
release, he only wakes to weep.
At last he summons to advise him
his astrologer and wiseman,
a eunuch of uncertain age,
pursuits, pastimes and parentage.

Brooking not the least delay,
the man betakes himself straightway
to Tsar Dadon, and bowing low,
reaches in his sack and lo!
withdraws a golden cockerel.
«My cockerel, like a sentinel»,
he says, «when posted on a spire,
will watch across your borders, sire.
While all is well he'll never stir,
but should some sneak attack occur

Ожидать тебе войны,
Иль набега силы бранной,
Иль другой беды незванной,
Вмиг тогда мой петушок
Приподымет гребешок,
Закричит и встрепенется
И в то место обернется».
Царь скопца благодарит,
Горы золота сулит.
«За такое одолженье, —
Говорит он в восхищенье, —
Волю первую твою
Я исполню, как мою».

Петушок с высокой спицы
Стал стеречь его границы.
Чуть опасность где видна,
Верный сторож, как со сна,
Шевельнется, встрепенется,
К той сторонке обернется
И кричит: «Кири-ку-ку.
Царствуй, лежа на боку!»
И соседи присмирели,
Воевать уже не смели:
Таковой им царь Дадон
Дал отпор со всех сторон!

Год, другой проходит мирно;
Петушок сидит всё смирно.
Вот однажды царь Дадон
Страшным шумом пробужден:
«Царь ты наш! отец народа! —
Возглашает воевода, —
Государь! проснись! беда!»
— «Что такое, господа? —
Говорит Дадон, зевая, —
А?.. Кто там?.. беда какая?» —
Воевода говорит:
«Петушок опять кричит;
Страх и шум во всей столице».
Царь к окошку, — ан на спице,
Видит, бьется петушок,
Обратившись на восток.
Медлить нечего: «Скорее!
Люди, на́ конь! Эй, живее!»
Царь к востоку войско шлет,
Старший сын его ведет.
Петушок угомонился,
Шум утих, и царь забылся.

or foe invade, no matter who,
or danger whatsoever brew,
his wings will beat, his comb will rise
he'll utter urgent warning cries
and pivot, pointing toward the threat
to tell you where it must be met.»
The tsar is frankly jubilant,
outdoes himself in thanks: «I'll grant
your first wish as my own», he says,
«in payment for your services.»

The golden cockerel, posted high,
watched with strict unwav'ring eye
across the borders of the tsar.
Detecting any sign of war,
he springs alert, beats his wings,
pivots, points — and warning rings:
Ki-ki-coo-coo: Take off your crown:
Rule the country lying down.
And so Dadon repelled attack
in every quarter, driving back
his enemies, who dared no more
thereafter threaten him with war.

Several years went calmly by.
The cockerel never blinked an eye.
But one day wakes the tsar to hear
voices dinning in his ear:
«Father! Help us! Wake and save us!
Danger to the realm!» «Good gracious,
What's the matter?» asks Dadon,
sleepily. «What's going on?»
A captain hastens to reply:
«Citywide there's hue and cry!
The cockerel's warnings ring again.»
The tsar threw back his covers then
And bolted for the window: True:
Ki-ki-coo-coo ki-ki-coo-coo,
the cockerel beats his wings and cries.
North is where the danger lies.
To horse! to horse! no time to tarry!
Men at arms! Make ready! Hurry!
Foot and horse, the men set forth
with banners flying, marching north.
The tsar appoints his firstborn son
to lead the army. Once they're gone
the warnings cease, the city's still,
The tsar retires to sleep his fill.

Вот проходит восемь дней,
А от войска нет вестей:
Было ль, не было ль сраженья, —
Нет Дадону донесенья.
Петушок кричит опять.
Кличет царь другую рать;
Сына он теперь меньшого
Шлет на выручку большого;
Петушок опять утих.
Снова вести нет от них!
Снова восемь дней проходят;
Люди в страхе дни проводят;
Петушок кричит опять,
Царь скликает третью рать
И ведет ее к востоку, —
Сам не зная, быть ли проку.

Войска идут день и ночь;
Им становится невмочь.
Ни побоища, ни стана,
Ни надгробного кургана
Не встречает царь Дадон.
«Что за чудо?» — мыслит он.
Вот осьмой уж день проходит,
Войско в горы царь приводит
И промеж высоких гор
Видит шелковый шатер.
Всё в безмолвии чудесном
Вкруг шатра; в ущельи тесном
Рать побитая лежит.
Царь Дадон к шатру спешит...
Что за страшная картина!
Перед ним его два сына
Без шеломов и без лат
Оба мертвые лежат,
Меч вонзивши друг во друга.
Бродят кони их средь луга,
По притоптанной траве,
По кровавой мураве...
Царь завыл: «Ох, дети, дети!
Горе мне! попались в сети
Оба наши сокола!
Горе! смерть моя пришла».
Все завыли за Дадоном,
Застонала тяжким стоном
Глубь долин, и сердце гор
Потряслося. Вдруг шатер
Распахнулся... и девица,
Шамаханская царица,

A week has passed, but no report
has reached the tsar of any sort.
Was battle lost? was battle won?
No word's forthcoming from his son.
Again the cockerel cries alarms.
Again the call goes out: To arms!
Again they muster up a force
of fighting men, foot and horse.
The tsar appoints his second son
to reinforce the elder one.
And once again the cockerel's still.
And once again the news is nill
A week has passed: the atmosphere
is heavy with unspoken fear.
Again the cockerel cries alarms.
Again the call goes out: To arms!
And now the tsar himself perforce
leads an army, foot and horse,
northward, praying for advice
to all the saints in paradise.

Never resting, day and night
the army marches, right-left-right;
nonetheless, no sign of battle
meets the eye: no shard of metal,
shallow grave or trace of blood.
It strikes the tsar as very odd.
A week is drawing to its close,
high mountains rise in serried rows.
Through the mountains, on and on,
the army marches with Dadon,
emerging in the mountains' midst
to find a silk pavilion pitched.
Uncanny silence steeps the meadow
spread before them. In the hollow
of a deep ravine nearby,
the remnants of two armies lie.
Dadon dismounts and runs ahead.
What gruesome spectre stops him dead?
With neither helmet nor cuirass,
his sons lie slaughtered in the grass,
brother pierced by brother's sword.
Their horses crop the bloody sward,
the trampled turf. Laments Dadon:
«Now am I and mine undone!
Woe is me! My only sons!
Death deals in no comparisons!»
The men-at-arms took up his cry;
The valley answered with a sigh;

Вся сияя, как заря,
Тихо встретила царя.
Как пред солнцем птица ночи,
Царь умолк, ей глядя в очи,
И забыл он перед ней
Смерть обоих сыновей.
И она перед Дадоном
Улыбнулась — и с поклоном
Его за руку взяла
И в шатер свой увела.
Там за стол его сажала,
Всяким яством угощала,
Уложила отдыхать
На парчовую кровать.
И потом, неделю ровно,
Покорясь ей безусловно,
Околдован, восхищен,
Пировал у ней Дадон.

Наконец и в путь обратный
Со своею силой ратной
И с девицей молодой
Царь отправился домой.
Перед ним молва бежала,
Быль и небыль разглашала.
Под столицей, близ ворот,
С шумом встретил их народ, —
Все бегут за колесницей,
За Дадоном и царицей;
Всех приветствует Дадон...
Вдруг в толпе увидел он,
В сарачинской шапке белой,
Весь как лебедь поседелый,
Старый друг его, скопец.
«А, здорово, мой отец, —
Молвил царь ему, — что скажешь?
Подь поближе. Что прикажешь?»
— «Царь! — ответствует мудрец, —
Разочтемся наконец.
Помнишь? за мою услугу
Обещался мне, как другу,
Волю первую мою
Ты исполнить, как свою.
Подари ж ты мне девицу,
Шамаханскую царицу». —
Крайне царь был изумлен.
«Что ты? — старцу молвил он, —
Или бес в тебя ввернулся,
Или ты с ума рехнулся.

A shudder shook the mountain's heart.
The flaps of the pavilion part,
and lo! the young Shemakhan queen
makes her appearance on the scene.
The way the sun's resplendent light
silences a bird of night,
her radiance takes away his breath,
displacing consciousness of death
with speechless wonder. Bowing low,
she smiles, and taking him in tow,
returns to her pavilion. There,
she sits him down to dainty fare,
precious wines, choicest meats,
sauces, condiments and sweets,
and when he's eaten all he can,
she leads him to a silk divan
piled with pillows, soft as fleece
there to rest in blissful ease.
And thus a week without demur
Dadon made his sojourn with her,
captivated by the arts
witchery alone imparts.

At length, the tsar collects his men
and starts the journey home again.
The queen, in consort with the tsar,
travels in his battle car.
Ahead of them the rumors fly:
For every truth, there is a lie.
In festive mood, beside the gate,
impatiently the people wait,
and run to welcome maid and tsar,
swarming round their battle car
with loud huzzahs. In some surprise,
amid the crowd Dadon espies,
all in white, and like a swan,
so tall the turban he has on,
the wiseman, his astrologer.
He calls in greeting: «Welcome, sir —
Make way there — let the old man through —
What service can I do for you?»
The eunuch answers him at once:
«It's time to settle old accounts.
Remember, when you sent for me
to rescue you from jeopardy
you promised for my services
whatever I should ask for?» «Yes.»
«I want the Queen of Shemakha.»
The tsar recoils. «What, sirrah!

Что ты в голову забрал?
Я, конечно, обещал,
Но всему же есть граница.
И зачем тебе девица?
Полно, знаешь ли кто я?
Попроси ты от меня
Хоть казну, хоть чин боярский,
Хоть коня с конюшни царской,
Хоть полцарства моего».
— «Не хочу я ничего!
Подари ты мне девицу,
Шамаханскую царицу», —
Говорит мудрец в ответ.
Плюнул царь: «Так лих же: нет!
Ничего ты не получишь.
Сам себя ты, грешник, мучишь;
Убирайся, цел пока;
Оттащите старика!»
Старичок хотел заспорить,
Но с иным накладно вздорить;
Царь хватил его жезлом
По лбу; тот упал ничком,
Да и дух вон. — Вся столица
Содрогнулась, а девица —
Хи-хи-хи да ха-ха-ха!
Не боится, знать, греха.
Царь, хоть был встревожен сильно,
Усмехнулся ей умильно.
Вот — въезжает в город он...
Вдруг раздался легкий звон,
И в глазах у всей столицы
Петушок спорхнул со спицы,
К колеснице полетел
И царю на темя сел,
Встрепенулся, клюнул в темя
И взвился... и в то же время
С колесницы пал Дадон —
Охнул раз, — и умер он.
А царица вдруг пропала,
Будто вовсе не бывало.
Сказка ложь, да в ней намек!
Добрым молодцам урок.

1834

Have you gone mad? Are you possessed?
Or is this insolence in jest?
I promised, yes, but never her!
There's nothing without limits, sir.
Remember who you're speaking to!
And why the maid? What's she to you?
Other things I'll give with pleasure:
Gold, as much as you can measure,
horses from the royal stable,
robes of ermine, mink and sable
A noble's rank and revenue.
Take half my kingdom». «No.» «Damn you!»
Expostulated Tsar Dadon:
«Take your carcass and begone!»
The wiseman wanted to protest
but tsars are fond of knowing best.
Stepping back, Dadon had at
his servant with his sceptre's flat.
The eunuch fell without a groan.
The city shook in every stone.
The maiden tittered: tee-hee-hee.
Few more wicked are than she.
The tsar was frightened; nonetheless,
dissimulating his distress,
he smiled at her as if approving,
and gave the signal to start moving.
A sound rang out like tinkling glass.
All eyes looked up to follow as
the cockerel lifted off in flight
to skim the rooftops and alight
on Tsar Dadon: Ki-ri-coo-coo
he pecked his pate and off he flew.
Dadon keeled over on his side,
fetched a rattle, twitched, and died.
The maiden vanished on the spot.
Now she's there, now she's not.
Fairy tales aren't true a bit.
Sometimes, though, the shoe will fit.

Translated by Elizabeth C. Hulick

Я Переменчивый!

Драматические произведения

Dramatic Works

БОРИС ГОДУНОВ
(фрагмент)

НОЧЬ. КЕЛЬЯ В ЧУДОВОМ МОНАСТЫРЕ
(1603 года)

ОТЕЦ ПИМЕН, ГРИГОРИЙ спящий.

ПИМЕН *(пишет перед лампадой)*.

Еще одно, последнее сказанье —
И летопись окончена моя,
Исполнен долг, завещанный от Бога
Мне, грешному. Недаром многих лет
Свидетелем Господь меня поставил
И книжному искусству вразумил;
Когда-нибудь монах трудолюбивый
Найдет мой труд усердный, безымянный,
Засветит он, как я, свою лампаду —
И, пыль веков от хартий отряхнув,
Правдивые сказанья перепишет,
Да ведают потомки православных
Земли родной минувшую судьбу,
Своих царей великих поминают
За их труды, за славу, за добро —
А за грехи, за темные деянья
Спасителя смиренно умоляют.
   На старости я сызнова живу,
Минувшее проходит предо мною —
Давно ль оно неслось, событий полно,
Волнуяся, как море-окиян?
Теперь оно безмолвно и спокойно,
Немного лиц мне память сохранила,
Немного слов доходят до меня,
А прочее погибло невозвратно...
Но близок день, лампада догорает —
Еще одно, последнее сказанье *(пишет)*.

1825

BORIS GODUNOV
(Fragment)

A CELL IN THE MONASTERY OF THE MIRACLE. NIGHT
1603

PIMEN *(writing under a lamp)*

One record more remains, the last of all,
And then this chronicle of mine is finished,
The duty is fulfilled which God has laid
On me, a sinner. Of these many years
The Lord has made me witness not in vain
And taught me the intelligence of books.
In days to come some never-tiring monk
Will come across my nameless, patient work.
As I have done, so will he light his lamp
And shake the dust of ages from these words
And then transcribe the veritable records.
Thus shall the future sons of Orthodoxy
Learn the old fortunes of their native land
And call to mind their great tsars, well-remembered
For all their labours, glories and good works —
Whilst for their sins and for their darkest deeds
Before the Saviour making supplication.
   Now in old age I live my life anew
As bygone years proceed before my eyes.
Are they so long-departed, filled with action
And agitated like the ocean seas?
Now they remain unspeaking and at peace.
Few faces now my memory retains.
Few words survive to call upon my ear.
The rest has gone irrevocably by...
But day is near, my lamp is burning low.
One record more remains, the last of all... *(he writes)*.

Translated by Anthony D. P. Briggs

КАМЕННЫЙ ГОСТЬ

L e p o r e l l o. O statua gentilissima
Del gran' Commendatore!..
...Ah, Padrone!

Don Giovanni

СЦЕНА I

ДОН ГУАН И ЛЕПОРЕЛЛО.

ДОН ГУАН.

Дождемся ночи здесь. Ах, наконец
Достигли мы ворот Мадрита! скоро
Я полечу по улицам знакомым,
Усы плащом закрыв, а брови шляпой.
Как думаешь? узнать меня нельзя?

ЛЕПОРЕЛЛО.

Да! Дон Гуана мудрено признать!
Таких, как он, такая бездна!

ДОН ГУАН.

                    Шутишь?
Да кто ж меня узнает?

ЛЕПОРЕЛЛО.

                    Первый сторож,
Гитана или пьяный музыкант,
Иль свой же брат, нахальный кавалер,
Со шпагою под мышкой и в плаще.

ДОН ГУАН.

Что за беда, хоть и узнают. Только б
Не встретился мне сам король. А впрочем,
Я никого в Мадрите не боюсь.

ЛЕПОРЕЛЛО.

А завтра же до короля дойдет,
Что Дон Гуан из ссылки самовольно
В Мадрит явился, — что тогда, скажите,
Он с вами сделает?

THE STONE GUEST

> L e p o r e l l o. O statua gentilissima.
> Del gran' Commendatore!..
> ...Ah, Padrone!
>
> *Don Giovanni*

SCENE I

DON JUAN AND LEPORELLO

DON JUAN

We'll wait till nightfall here. We are at last
Before the gateways of Madrid, and soon
Through street familiar long I'll take my way,
My hat pulled safely down, my face concealed.
You think I'll pass? Can I be recognized?

LEPORELLO

I'm sure no one will find Don Juan out;
The streets are swarming with his kind.

DON JUAN

                       You're jesting?
Well, who would know me?

LEPORELLO

                   Why, any watchman
We chance to meet, some gypsy, drunken fiddler,
Or your own sort — a strutting cavalier
With flowing cloak and sword beneath his arm.

DON JUAN

What matter then? So long as on my way
I do not meet the King himself. In faith,
I fear no other man in all Madrid.

LEPORELLO

And by tomorrow noon the King will hear
Don Juan is back and in Madrid again,
Returned from exile at his own sweet will.
Then what will happen, pray?

ДОН ГУАН.

              Пошлет назад.
Уж верно головы мне не отрубят.
Ведь я не государственный преступник.
Меня он удалил, меня ж любя;
Чтобы меня оставила в покое
Семья убитого...

ЛЕПОРЕЛЛО.

              Ну то-то же!
Сидели б вы себе спокойно там.

ДОН ГУАН.

Слуга покорный! я едва-едва
Не умер там со скуки. Что за люди,
Что за земля! А небо?.. точный дым.
А женщины? Да я не променяю,
Вот видишь ли, мой глупый Лепорелло,
Последней в Андалузии крестьянки
На первых тамошних красавиц — право.
Они сначала нравилися мне
Глазами синими, да белизною,
Да скромностью — а пуще новизною;
Да, слава Богу, скоро догадался —
Увидел я, что с ними грех и знаться —
В них жизни нет, всё куклы восковые;
А наши!.. Но послушай, это место
Знакомо нам; узнал ли ты его?

ЛЕПОРЕЛЛО.

Как не узнать: Антоньев монастырь
Мне памятен. Езжали вы сюда,
А лошадей держал я в этой роще.
Проклятая, признаться, должность. Вы
Приятнее здесь время проводили,
Чем я, поверьте.

ДОН ГУАН (задумчиво).

              Бедная Инеза!
Ее уж нет! как я любил ее!

ЛЕПОРЕЛЛО.

Инеза! — черноглазую... о, помню.
Три месяца ухаживали вы,
За ней; насилу-то помог лукавый.

ДОН ГУАН.

В июле... ночью. Странную приятность
Я находил в ее печальном взоре

DON JUAN

                He'll turn me back.
He won't cut off my head for this, you know!
My crime was not against the sovereign State!
For my own benefit, to save my life,
He banished me, because the dead man's kin
Had threatened me with death.

LEPORELLO

                Just so, just so!
And safe, you should have stayed away for good.

DON JUAN

My humble thanks to you! I all but died
Of boredom there: What people, what a country!
The sky, a pall of smoke! And, oh, their women!
I'd never give, my foolish Leporello,
Mark my words, the lowest peasant girl
In Andalusia for all their best
And proudest beauties, — no, I swear I'd not!
I liked them well enough at first for their
Blue eyes, fair skin, and modesty; in fact,
I think it was their charm as something new.
But very soon, thank God, I understood
It was a sin to lose my heart to them,
So prim they are and lifeless! They're no more
Than waxen dolls, not like our girls at home!
But look, I think I recognize this place.

LEPORELLO

No doubt! The convent of Saint Anthony.
We used to come on visits here at night.
I used to quard the horses in this grove
For many unrewarding hours, while you
Were having such a gay good time.

DON JUAN *(Pensively)*

                Poor Inez!
She is no more! How greatly I adored her!

LEPORELLO

Inez, with large black eyes! Do I remember!
Three months you sighed and courted her in vain.
'Twas only by the devil's help you won.

DON JUAN

July... at midnight. Yes, I used to find
A strange enjoyment in her mournful eyes

И помертвелых губах. Это странно.
Ты, кажется, ее не находил
Красавицей. И точно, мало было
В ней истинно прекрасного. Глаза,
Одни глаза. Да взгляд... такого взгляда
Уж никогда я не встречал. А голос
У ней был тих и слаб — как у больной —
Муж у нее был негодяй суровый,
Узнал я поздно... Бедная Инеза!..

ЛЕПОРЕЛЛО.

Что ж, вслед за ней другие были.

ДОН ГУАН.

                       Правда.

ЛЕПОРЕЛЛО.

А живы будем, будут и другие.

ДОН ГУАН.

И то.

ЛЕПОРЕЛЛО.

        Теперь, которую в Мадрите
Отыскивать мы будем?

ДОН ГУАН.

                     О, Лауру!
Я прямо к ней бегу являться.

ЛЕПОРЕЛЛО.

                       Дело.

ДОН ГУАН.

К ней прямо в дверь — а если кто-нибудь
Уж у нее — прошу в окно прыгнуть.

ЛЕПОРЕЛЛО.

Конечно. Ну, развеселились мы.
Недолго нас покойницы тревожат.
Кто к нам идет? (*Входит монах.*)

МОНАХ

               Сейчас она приедет
Сюда. Кто здесь? не люди ль Доны Анны?

ЛЕПОРЕЛЛО.

Нет, сами по себе мы господа,
Мы здесь гуляем.

And in her ashen lips. So strange it seems,
You did not think her beautiful; perhaps
She had not much of beauty in her face
Except her eyes alone, the light that shone
Within her eyes. I never knew a glance
More wonderful. Her voice was soft and thin,
The voice of pining children. A brutal man
Her husband was, a rogue, I learned too late.
Poor Inez!

LEPORELLO

But others took her place.

DON JUAN

I know.

LEPORELLO

And while we live there will be others still.

DON JUAN

Yes, even so.

LEPORELLO

What lady in Madrid
Shall we be looking up tonight?

DON JUAN

Why, Laura!
I'm off to her this very moment!

LEPORELLO

Right!

DON JUAN

I'll walk straight in, and if I find another,
I'll speed him through the window on his way.

LEPORELLO

For certain! Well, I'm glad your gloomy mood
Has passed, with dead forgotten memories.
(A monk enters.)
But, look, who's here!

MONK

She's coming shortly now.
And who are you? the guards of Doña Anna?

LEPORELLO

No, we are gentlemen and strangers, come
To see Madrid.

ДОН ГУАН.

А кого вы ждете?

МОНАХ.

Сейчас должна приехать Дона Анна
На мужнину гробницу.

ДОН ГУАН.

Дона Анна
Де Сольва! как! супруга командора
Убитого... не помню кем?

МОНАХ.

Развратным,
Бессовестным, безбожным Дон Гуаном.

ЛЕПОРЕЛЛО.

Ого! вот как! Молва о Дон Гуане
И в мирный монастырь проникла даже,
Отшельники хвалы ему поют.

МОНАХ.

Он вам знаком, быть может?

ЛЕПОРЕЛЛО.

Нам? нимало.
А где-то он теперь?

МОНАХ.

Его здесь нет,
Он в ссылке далеко.

ЛЕПОРЕЛЛО.

И слава Богу.
Чем далее, тем лучше. Всех бы их,
Развратников, в один мешок да в море.

ДОН ГУАН.

Что, что ты врешь?

ЛЕПОРЕЛЛО.

Молчите: я нарочно...

ДОН ГУАН.

Так здесь похоронили командора?

МОНАХ.

Здесь; памятник жена ему воздвигла
И приезжает каждый день сюда
За упокой души его молиться
И плакать.

DON JUAN

And whom are you expecting?

MONK

Good Doña Anna, come to pray upon
Her husband's grave.

DON JUAN

De Solva? Doña Anna?
The wife of the commander slain in a duel?
Let's see, who was the slayer?

MONK

That dissolute,
That godless libertine Don Juan!

LEPORELLO

Oho!
I say, Don Juan's fame has found its way
Even inside the peaceful convent walls,
And holy hermits chant the hero's fame.

MONK

Perhaps you know him?

LEPORELLO

We? Oh, not at all.
But where's the slayer now?

MONK

No longer here;
He's exiled far away.

LEPORELLO

The Lord be praised!
The farther off the better. Still I'd like
All rakes clapped in a sack and pitched into
The sea.

DON JUAN

You're lying!

LEPORELLO

Hush, I'm having fun!

DON JUAN

Then was it here they buried the commander?

MONK

The widow had this monument erected.
She comes each day to weep and pray that God
May grant his soul salvation.

ДОН ГУАН.

Что за странная вдова?
И недурна?

МОНАХ.

Мы красотою женской,
Отшельники, прельщаться не должны,
Но лгать грешно; не может и угодник
В ее красе чудесной не сознаться.

ДОН ГУАН.

Недаром же покойник был ревнив.
Он Дону Анну взаперти держал,
Никто из нас не видывал ее.
Я с нею бы хотел поговорить.

МОНАХ.

О, Дона Анна никогда с мужчиной
Не говорит.

ДОН ГУАН.

А с вами, мой отец?

МОНАХ.

Со мной иное дело; я монах.
Да вот она. *(Входит Дона Анна.)*

ДОНА АННА.

Отец мой, отоприте.

МОНАХ.

Сейчас, сеньора; я вас ожидал.
(Дона Анна идет за монахом.)

ЛЕПОРЕЛЛО.

Что, какова?

ДОН ГУАН.

Ее совсем не видно
Под этим вдовьим черным покрывалом,
Чуть узенькую пятку я заметил.

ЛЕПОРЕЛЛО.

Довольно с вас. У вас воображенье
В минуту дорисует остальное;
Оно у нас проворней живописца,
Вам все равно, с чего бы ни начать,
С бровей ли, с ног ли.

DON JUAN
>   A strange poor widow!
And is the lady pretty?

MONK
>   I am a monk.
And by our vows, fair beauty is a snare.
But lying is a sin; a saint himself
Could not deny her grace and loveliness.

DON JUAN

The dead had, them, good cause for jealousy.
He kept his Doña Anna under lock,
Refusing her companionship and friends.
I'd like the chance to speak to her myself.

MONK

Oh, Doña Anna never speaks these days
With any man.

DON JUAN
>   Not even then with you?

MONK

There is a difference: I am a monk.
Now here she comes. *(Doña Anna enters.)*

DOÑA ANNA
>   Open the gate, my Father.

MONK

I shall, Señora. I've been expecting you.
> *(Doña Anna follows the monk.)*

LEPORELLO

Well, what's she like?

DON JUAN
>   I could not see her face
Beneath her widow's veil. But I did note
Her graceful little foot.

LEPORELLO
>   That's quite enough
For you. Your fancy will supply the rest.
Your fancy's nimbler than a painter's brush.
With you it matters little where you start —
The foot or forehead.

ДОН ГУАН.

        Слушай, Лепорелло,
Я с нею познакомлюсь.

ЛЕПОРЕЛЛО.

        Вот еще!
Куда как нужно! Мужа повалил
Да хочет поглядеть на вдовьи слезы.
Бессовестный!

ДОН ГУАН.

        Однако уж и смерклось.
Пока луна над нами не взошла
И в светлый сумрак тьмы не обратила,
Взойдем в Мадрит. *(Уходит.)*

ЛЕПОРЕЛЛО.

        Испанский гранд как вор
Ждет ночи и луны боится — Боже!
Проклятое житье. Да долго ль будет
Мне с ним возиться? Право, сил уж нет.

СЦЕНА II

(Комната. Ужин у Лауры.)

ПЕРВЫЙ ГОСТЬ.

Клянусь тебе, Лаура, никогда
С таким ты совершенством не играла.
Как роль свою ты верно поняла!

ВТОРОЙ.

Как развила ее! с какою силой!

ТРЕТИЙ.

С каким искусством!

ЛАУРА.

        Да, мне удавалось
Сегодня каждое движенье, слово.
Я вольно предавалась вдохновенью.
Слова лились, как будто их рождала
Не память рабская, но сердце...

ПЕРВЫЙ.

        Правда,
Да и теперь глаза твои блестят
И щеки разгорелись, не проходит
В тебе восторг. Лаура, не давай

DON JUAN

Listen, Leporello,
I'd like to know the lady.

LEPORELLO

Why, he's mad!
The shameless wretch! He killed the husband first
And now seeks pleasure in the widow's tears.

DON JUAN

But see, it's growing dark. Before the moon
Has climbed the city walls and turned the dark
To glowing twilight, let us go at once
Into Madrid. *(Don Juan leaves.)*

LEPORELLO

How like a common thief
The Spanish nobleman. He wants the night
But fears the moon itself. O cursed life!
How long must I be plagued with him, and keep
How long his pace? My patience's at an end.

SCENE II

(Laura's room. Guests at supper.)

FIRST GUEST

I swear, dear Laura, you have never acted
With so much true perfection as tonight.
How thoroughly you understood your role.

SECOND GUEST

How well conceived, and played with so much power.

THIRD GUEST

With grace and art.

LAURA

Tonight I truly felt
The meaning of each spoken word, each movement,
And freely gave myself to inspiration;
The words came flowing easily as though
Born of the heart, not slavish memory.

FIRST GUEST

How true! And now your eyes are shining bright;
Your glowing cheeks bear witness to the joy
And ecstasy you feel within yourself.

Остыть ему бесплодно; спой, Лаура,
Спой что-нибудь.

ЛАУРА.

Подайте мне гитару.
(Поет.)

ВСЕ.

O brava! brava! чудно! бесподобно!

ПЕРВЫЙ.

Благодарим, волшебница. Ты сердце
Чаруешь нам. Из наслаждений жизни
Одной любви музыка уступает;
Но и любовь мелодия... взгляни:
Сам Карлос тронут, твой угрюмый гость.

ВТОРОЙ.

Какие звуки! сколько в них души!
А чьи слова, Лаура?

ЛАУРА.

Дон Гуана.

ДОН КАРЛОС.

Что? Дон Гуан!

ЛАУРА.

Их сочинил когда-то
Мой верный друг, мой ветреный любовник.

ДОН КАРЛОС.

Твой Дон Гуан безбожник и мерзавец,
А ты, ты дура.

ЛАУРА.

Ты с ума сошел?
Да я сейчас велю тебя зарезать
Моим слугам, хоть ты испанский гранд.

ДОН КАРЛОС *(встает)*.

Зови же их.

ПЕРВЫЙ.

Лаура, перестань;
Дон Карлос, не сердись. Она забыла...

ЛАУРА.

Что? что Гуан на поединке честно
Убил его родного брата? Правда: жаль,
Что не его.

Let not your rapture fade away! Give us
A song, dear Laura!

LAURA

Hand me my guitar!
(Sings)

ALL

Oh, bravo, bravo! Perfect! Marvelous!

FIRST GUEST

Our thanks to you, enchantress! You have charmed
Our hearts. Of all delights and joys in life
To love alone does music yield in sweetness.
Yet love is melody itself. Don Carlos,
Our surly evening guest, is also moved.

SECOND GUEST

What wealth of sound! What passion it reveals.
Who wrote the words, dear Laura?

LAURA

Don Juan.

DON CARLOS

Don Juan? He?

LAURA

Some time or other, he,
My faithful friend but my inconstant lover.

DON CARLOS

Your Don Juan is a godless reprobate
And you're a little fool.

LAURA

Have you gone mad?
I'll call my men and bid them cut your throat,
Grandee or no grandee.

DON CARLOS *(Rises up.)*

Well, let them come!

FIRST GUEST

No, Laura, no! Don Carlos, don't be angry!

LAURA

Don Juan honorably killed his brother,
In single combat. Better far he'd killed
Don Carlos!

ДОН КАРЛОС.

        Я глуп, что осердился.

ЛАУРА.

Ага! сам сознаешься, что ты глуп.
Так помиримся.

ДОН КАРЛОС.

        Виноват, Лаура,
Прости меня. Но знаешь: не могу
Я слышать это имя равнодушно...

ЛАУРА.

А виновата ль я, что поминутно
Мне на язык приходит это имя?

ГОСТЬ.

Ну, в знак, что ты совсем уж не сердита,
Лаура, спой еще.

ЛАУРА.

            Да, на прощанье,
Пора, уж ночь. Но что же я спою?
А, слушайте. *(Поет.)*

ВСЕ.

    Прелестно, бесподобно!

ЛАУРА.

Прощайте ж, господа.

ГОСТИ.

        Прощай, Лаура.
(Выходят. Лаура останавливает Дон Карлоса.)

ЛАУРА.

Ты, бешеный! останься у меня,
Ты мне понравился; ты Дон Гуана
Напомнил мне, как выбранил меня
И стиснул зубы с скрежетом.

ДОН КАРЛОС.

                Счастливец!
Так ты его любила.
        (Лаура делает утвердительно знак.)
                Очень?

ЛАУРА.

                Очень.

DON CARLOS

'Twas my fault, my foolish anger.

LAURA

Now since you own your words to me were foolish,
Let us be friends again.

DON CARLOS

        Forgive me, Laura,
I do admit my fault. You know yourself
I cannot bear the mention of that name.

LAURA

Am I to blame because his name is now
As ever dear to me?

A GUEST

        To prove you are
No longer angry and in sign of peace,
Come, Laura, sing another song.

LAURA

        I'll sing
A farewell song. The hour is late. What shall
I sing? Ah, listen! *(Sings.)*

ALL

Charming! How sublime!

LAURA

Good night, my friends!

GUESTS

        Good night, and thank you, Laura!
(Guests depart. Laura stops Don Carlos.)

LAURA

You savage, you! Remain with me tonight.
You took my fancy, flaring up like that;
You brought Don Juan to my mind again
The way you railed at me and set your teeth.

DON CARLOS

The lucky man! You loved him?
        (Laura nods.)
        Deeply?

LAURA

        Yes.

ДОН КАРЛОС.

И любишь и теперь?

ЛАУРА.

В сию минуту?
Нет, не люблю. Мне двух любить нельзя.
Теперь люблю тебя.

ДОН КАРЛОС.

Скажи, Лаура,
Который год тебе?

ЛАУРА.

Осьмнадцать лет.

ДОН КАРЛОС.

Ты молода... и будешь молода
Еще лет пять иль шесть. Вокруг тебя
Еще лет шесть они толпиться будут,
Тебя ласкать, лелеить, и дарить,
И серенадами ночными тешить,
И за тебя друг друга убивать
На перекрестках ночью. Но когда
Пора пройдет, когда твои глаза
Впадут и веки, сморщась, почернеют
И седина в косе твоей мелькнет,
И будут называть тебя старухой,
Тогда — что скажешь ты?

ЛАУРА.

Тогда? Зачем
Об этом думать? что за разговор?
Иль у тебя всегда такие мысли?
Приди — открой балкон. Как небо тихо;
Недвижим теплый воздух, ночь лимоном
И лавром пахнет, яркая луна
Блестит на синеве густой и темной,
И сторожа кричат протяжно: «Ясно!..»
А далеко, на севере — в Париже —
Быть может, небо тучами покрыто,
Холодный дождь идет и ветер дует. —
А нам какое дело? слушай, Карлос,
Я требую, чтоб улыбнулся ты...
— Ну то-то ж! —

ДОН КАРЛОС.

Милый демон! *(Стучат.)*

ДОН ГУАН.

Гей! Лаура!

DON CARLOS

You love him deeply still?

LAURA

This very minute?
Ah, no! I cannot love two men at once.
'Tis you I love at present.

DON CARLOS

Tell me, Laura,
How old are you?

LAURA

I'm eighteen now, my friend.

DON CARLOS

O Laura, you're so young, and will be young
For five or six years longer. Six years more
At best our men will worship you in crowds,
And shower you with presents and caresses,
With flattery and serenades of love
At night. They'll fight for your dear sake in duels
On city squares. But soon the time will come
When wrinkles of old age will mar your brow.
Your eyes will lose their brightness; silver threads
Will streak the darkness of your raven hair,
And men will cast you off as one grown old.
What then? What do you say?

LAURA

Why fret about
The future now? What novel conversation!
Or do you always brood so gloomily? —
Come to the balcony. Here let us sit.
How calm the sky! The air is warm and still;
The night is sweet with lemon and with laurel;
The moon is shining in the dark-blue deep,
And only watchmen cry their lone 'All's well.'
But maybe in the north, in Paris, now
The sky is overcast with clouds, the winds
Are blowing hard, and rains are falling cold.
But we must have no care. — Don Carlos, smile
At me. I order you to smile at me!...
That's better.

DON CARLOS

Lovely demon! *(Knocking at the door.)*

DON JUAN

Laura, ho!

ЛАУРА.

Кто там? чей это голос?

ДОН ГУАН.

Отопри...

ЛАУРА.

Ужели!.. Боже!..
    (Отпирает двери, входит Дон Гуан.)

ДОН ГУАН.

Здравствуй...

ЛАУРА.

Дон Гуан!..
(Лаура кидается ему на шею.)

ДОН КАРЛОС.

Как! Дон Гуан!..

ДОН ГУАН.

Лаура, милый друг!..
(Целует ее.)
Кто у тебя, моя Лаура?

ДОН КАРЛОС.

Я,
Дон Карлос.

ДОН ГУАН.

Вот нечаянная встреча!
Я завтра весь к твоим услугам.

ДОН КАРЛОС.

Нет!
Теперь — сейчас.

ЛАУРА.

Дон Карлос, перестаньте!
Вы не на улице — вы у меня —
Извольте выйти вон.

ДОН КАРЛОС (ее не слушая).

Я жду. Ну что ж,
Ведь ты при шпаге.

ДОН ГУАН.

Ежели тебе
Не терпится, изволь. (Бьются.)

LAURA

What't that? Whose voice is that I hear?

DON JUAN

Open!

LAURA

Great heavens!.. He?
(Opens the door.)

DON JUAN

Good evening!

LAURA

Don Juan!
(She throws her arms about his neck.)

DON CARLOS

What! Don Juan?

DON JUAN

My Laura, dearest love!
(Kisses her.)
Whom have you here, my Laura?

DON CARLOS

I, Don Carlos.

DON JUAN

An unexpected meeting! Well, I'll be
Tomorrow at your service.

DON CARLOS

No, this minute!

LAURA

Don Carlos, stop, I say! You're in my house,
Not in a public square! I beg you, leave!

DON CARLOS *(Not listening to her.)*

I'm waiting. Well? You have sword with you.

DON JUAN

If you insist, I will... *(They fight.)*

ЛАУРА.

Ай! Ай! Гуан!..
(Кидается на постелю. Дон Карлос падает.)

ДОН ГУАН.

Вставай, Лаура, кончено.

ЛАУРА.

Что там?
Убит? прекрасно! в комнате моей!
Что делать мне теперь, повеса, дьявол?
Куда я выброшу его?

ДОН ГУАН.

Быть может,
Он жив еще.

ЛАУРА *(осматривает тело).*

Да! жив! гляди, проклятый,
Ты прямо в сердце ткнул — небось не мимо,
И кровь нейдет из треугольной ранки,
А уж не дышит — каково?

ДОН ГУАН.

Что делать?
Он сам того хотел.

ЛАУРА.

Эх, Дон Гуан,
Досадно, право. Вечные проказы —
А всё не виноват... Откуда ты?
Давно ли здесь?

ДОН ГУАН.

Я только что приехал
И то тихонько — я ведь не прощен.

ЛАУРА.

И вспомнил тотчас о своей Лауре?
Что хорошо, то хорошо. Да полно,
Не верю я. Ты мимо шел случайно
И дом увидел.

ДОН ГУАН.

Нет, моя Лаура,
Спроси у Лепорелло. Я стою
За городом, в проклятой венте. Я Лауры
Пришел искать в Мадрите.

(Целует ее.)

LAURA

Oh, oh! Don Juan!

(Throws herself on the couch. Don Carlos falls.)

DON JUAN

Rise, Laura, rise! It's done.

LAURA

Don Carlos dead?
How lovely — in my room! What shall I do,
You scapegrace devil? Where can I put him?

DON JUAN

Perhaps he's still alive.

LAURA *(Examining the body.)*

Alive? You wretch,
Just look at him! You pierced him through the heart.
His blood no longer flows; his breath has stopped.
How could you?

DON JUAN

Laura, I am not to blame.
He dared me to the duel.

LAURA

Oh, Don Juan!
You're always up to pranks, and always not
At fault. But tell me where you come from now?
How long have you been here?

DON JUAN

I've just returned,
In secrecy. I had no right to come.

LAURA

And you remembered Laura first of all?
For that, I'm glad. I don't believe you, no!
You happened to be passing near by chance
And saw my house.

DON JUAN

No, Laura! I am lodged
Outside the city in a wretched inn.
Ask Leporello. For your sake alone
I came into Madrid.

(Kisses her.)

ЛАУРА.

                    Друг ты мой!..
Постой... при мертвом!.. что нам делать с ним?

ДОН ГУАН.

Оставь его: перед рассветом, рано,
Я вынесу его под епанчою
И положу на перекрестке.

ЛАУРА.

                    Только
Смотри — чтоб не увидели тебя.
Как хорошо ты сделал, что явился
Одной минутой позже! у меня
Твои друзья здесь ужинали. Только
Что вышли вон. Когда б ты их застал!

ДОН ГУАН.

Лаура, и давно его ты любишь?

ЛАУРА.

Кого? ты, видно, бредишь.

ДОН ГУАН.

                    А признайся,
А сколько раз ты изменяла мне
В моем отсутствии?

ЛАУРА.

                    А ты, повеса?

ДОН ГУАН.

Скажи... Нет, после переговорим.

СЦЕНА III

(Памятник командора.)

ДОН ГУАН.

Всё к лучшему: нечаянно убив
Дон Карлоса, отшельником смиренным
Я скрылся здесь — и вижу каждый день
Мою прелестную вдову, и ею,
Мне кажется, замечен. До сих пор
Чинились мы друг с другом; но сегодня
Впущуся в разговоры с ней; пора.
С чего начну? «Осмелюсь»... или нет:
«Сеньора»... ба! что в голову придет,

LAURA

My dearest boy!
Stop... not before the dead! What shall we do?

DON JUAN

Let him lie there. Before the break of day
I'll take him with me, hidden in my cloak,
And drop him at a cross-road.

LAURA

Only take
Good care that no one sees you. 'Tis your luck
You did not come a minute earlier!
I had your friends at supper here with me
A while ago. Suppose you'd met them here!

DON JUAN

How long, my Laura, have you loved that man?

LAURA

Loved him? You must be raving!

DON JUAN

Come, confess
How many times you've been unfaithful since
I left?

LAURA

Scapegrace, and what about yourself?

DON JUAN

Confess it, Laura!... No, some other time!

SCENE III

(The Commander's Monument)

DON JUAN

It's worked out well! Since having slain by chance
Don Carlos, I've taken refuge here, concealed
In humble hermit's guise, and here each day
I see my charming widow. I dare to think
I've won her true regard; till now we have
Remained on formal terms. But I will speak
To her spontaneously and plain at last.
Shall I then say, «May I presume?» or greet
Her with «Señora?» Bah! I'll say what comes

То и скажу, без предуготовленья,
Импровизатором любовной песни...
Пора б уж ей приехать. Без нее —
Я думаю — скучает командор.
Каким он здесь представлен исполином!
Какие плечи! что за Геркулес!..
А сам покойник мал был и щедушен,
Здесь, став на цыпочки, не мог бы руку
До своего он носу дотянуть.
Когда за Ескурьялом мы сошлись,
Наткнулся мне на шпагу он и замер,
Как на булавке стрекоза — а был
Он горд и смел — и дух имел суровый...
А! вот она.

(Входит Дона Анна.)

ДОНА АННА.

Опять он здесь. Отец мой,
Я развлекла вас в ваших помышленьях —
Простите.

ДОН ГУАН.

Я просить прощенья должен
У вас, сеньора. Может, я мешаю
Печали вашей вольно изливаться.

ДОНА АННА.

Нет, мой отец, печаль моя во мне,
При вас мои моленья могут к небу
Смиренно возноситься — я прошу
И вас свой голос с ними съединить.

ДОН ГУАН.

Мне, мне молиться с вами, Дона Анна!
Я недостоин участи такой.
Я не дерзну порочными устами
Мольбу святую вашу повторять —
Я только издали с благоговеньем
Смотрю на вас, когда, склонившись тихо,
Вы черные власы на мрамор бледный
Рассыплете — и мнится мне, что тайно
Гробницу эту ангел посетил,
В смущенном сердце я не обретаю
Тогда молений. Я дивлюсь безмолвно
И думаю — счастлив, чей хладный мрамор
Согрет ее дыханием небесным
И окроплен любви ее слезами...

Into my head. I'll speak with frankness, simply,
Like one whose serenade is improvised.
'Tis time she came. Her absence makes the stone
Commander seem so lone. They've made him look
Big-shouldered, giant-like, a Hercules!
And yet he was, poor chap, so small and puny
That, standing here on tiptoe with his arms
Held high, he'd scarcely reach the statue's nose.
The time we met at Escurial together,
I pricked him with my sword, and there he lay,
A dragonfly transfixed upon a pin.
Still he was proud and bold, a rugged man
In spirit... Ah, she comes!

DOÑA ANNA

                    He's here again.
Forgive me, Father, if I have disturbed
Your meditation.

DON JUAN

                    No, 'tis I who must,
Señora, pray forgiveness, for perhaps
My presence hinders you in your great grief.

DOÑA ANNA

No, Father, for my grief lies buried deep.
My humble prayer will in your presence here
Ascend to Heaven peacefully. I beg
You join your voice and prayer with my appeal.

DON JUAN

To pray together — you and I alone?
I am unworthy of so great an honor.
I cannot venture with unholy lips
Your holy supplication to repeat;
I can but look from far with reverence
On you, when, as you kneel in prayer, your head
Lies mournfully upon the pallid marble,
And then it seems to me an angel blest
Has visited this tomb. Nor dare I hope
To find a prayer in this, my troubled heart.
I stand in silent wonder and I think
How blessed is the man whose cold marble
Glows with a widow's warm celestial breath
And tears of her eternal love in death.

ДОНА АННА.

Какие речи — странные!

ДОН ГУАН.

        Сеньора?

ДОНА АННА.

Мне... вы забыли.

ДОН ГУАН.

        Что? что недостойный
Отшельник я? что грешный голос мой
Не должен здесь так громко раздаваться?

ДОНА АННА.

Мне показалось... я не поняла...

ДОН ГУАН.

Ах вижу я: вы всё, вы всё узнали!

ДОНА АННА.

Что я узнала?

ДОН ГУАН.

        Так, я не монах —
У ваших ног прощенья умоляю.

ДОНА АННА.

О Боже! встаньте, встаньте... Кто же вы?

ДОН ГУАН.

Несчастный, жертва страсти безнадежной.

ДОНА АННА.

О Боже мой! и здесь, при этом гробе!
Подите прочь.

ДОН ГУАН.

        Минуту, Дона Анна,
Одну минуту!

ДОНА АННА.

        Если кто взойдет!..

ДОН ГУАН.

Решетка заперта. Одну минуту!

ДОНА АННА.

Ну? что? чего вы требуете?

ДОН ГУАН.

        Смерти.
О пусть умру сейчас у ваших ног,

DOÑA ANNA

Strange words are these!

DON JUAN

Señora?

DOÑA ANNA

You have forgotten —

DON JUAN

That I'm a lowly monk and that my voice
Must not resound thus freely in this place?

DOÑA ANNA

It seems to me... I do not understand...

DON JUAN

Ah, I see you have guessed my secret heart!

DOÑA ANNA

What secret, please?

DON JUAN

No hermit monk the man
Who lowly craves forgiveness at your feet!

DOÑA ANNA

O Heavens! Rise at once! Who are you then?

DON JUAN

A hapless victim of my hopeless love.

DOÑA ANNA

O God in Heaven! Before this tomb? Leave me!

DON JUAN

One minute, Doña Anna!

DOÑA ANNA

We could be seen!...

DON JUAN

The gate is locked. Grant me a single word.

DOÑA ANNA

What is it that you wish this minute?

DON JUAN

Death!
Oh, let me die this minute at your feet,

Пусть бедный прах мой здесь же похоронят
Не подле праха, милого для вас,
Не тут — не близко — дале где-нибудь,
Там — у дверей — у самого порога,
Чтоб камня моего могли коснуться
Вы легкою ногой или одеждой,
Когда сюда, на этот гордый гроб
Пойдете кудри наклонять и плакать.

ДОНА АННА.

Вы не в своем уме.

ДОН ГУАН.

      Или желать
Кончины, Дона Анна, знак безумства?
Когда б я был безумец, я б хотел
В живых остаться, я б имел надежду
Любовью нежной тронуть ваше сердце;
Когда б я был безумец, я бы ночи
Стал провождать у вашего балкона,
Тревожа серенадами ваш сон,
Не стал бы я скрываться, я, напротив,
Старался быть везде б замечен вами;
Когда б я был безумец, я б не стал
Страдать в безмолвии...

ДОНА АННА.

      И так-то вы
Молчите?

ДОН ГУАН.

      Случай, Дона Анна, случай
Увлек меня. — Не то вы б никогда
Моей печальной тайны не узнали.

ДОНА АННА.

И любите давно уж вы меня?

ДОН ГУАН.

Давно или недавно, сам не знаю,
Но с той поры лишь только знаю цену
Мгновенной жизни, только с той поры
И понял я, что значит слово *счастье.*

ДОНА АННА.

Подите прочь — вы человек опасный.

ДОН ГУАН.

Опасный! чем?

And let my wretched dust lie buried here —
O not beside the dust of him you love —
Not near him — but a little distance off,
Beside the gates perchance, at the threshold.
And there the stone upon my grave may feel
Your footfall or the rustling of your dress
When hither you will come to pray before
This lofty monument and, silent, weep.

DOÑA ANNA

You've surely lost your mind.

DON JUAN

Doña Anna!
What madness this — my yearning for the end?
Were I but mad, I'd have a strong desire
To stay alive with you and keep the hope
Someday to move your heart with tender love;
Were I but mad, I'd watch your balcony,
I'd keep long vigils, haunt your sleep with song.
1 would not hide from you were I but mad.
I'd seek to live each moment in your sight,
And never in the world consent to suffer
So in silence.

DOÑA ANNA

You've proved your silence well.

DON JUAN

A happy chance has tempted me to speak,
Doña Anna, or ne'er would you have known
Of this, the mournful secret of my heart.

DOÑA ANNA

And have you been in love with me for long?

DON JUAN

How long in love with you I do not know.
But since the time I came to feel how good
My earthly days might be, I realized
The truth and shape of happiness in life.

DOÑA ANNA

Leave me: I fear to stay alone with you.

DON JUAN

You fear, with me?

ДОНА АННА.

Я слушать вас боюсь.

ДОН ГУАН.

Я замолчу; лишь не гоните прочь
Того, кому ваш вид одна отрада.
Я не питаю дерзостных надежд,
Я ничего не требую, но видеть
Вас должен я, когда уже на жизнь
Я осужден.

ДОНА АННА.

Подите — здесь не место
Таким речам, таким безумствам. Завтра
Ко мне придите. Если вы клянетесь
Хранить ко мне такое ж уваженье,
Я вас приму; но вечером, позднее, —
Я никого не вижу с той поры,
Как овдовела...

ДОН ГУАН.

Ангел Дона Анна!
Утешь вас Бог, как сами вы сегодня
Утешили несчастного страдальца.

ДОНА АННА.

Подите ж прочь.

ДОН ГУАН.

Еще одну минуту.

ДОНА АННА.

Нет, видно, мне уйти... к тому ж моленье
Мне в ум нейдет. Вы развлекли меня
Речами светскими; от них уж ухо
Мое давно, давно отвыкло. — Завтра
Я вас приму.

ДОН ГУАН.

Еще не смею верить,
Не смею счастью моему предаться...
Я завтра вас увижу! — и не здесь
И не украдкою!

ДОНА АННА.

Да, завтра, завтра.
Как вас зовут?

ДОН ГУАН.

Диего де Кальвадо.

DOÑA ANNA

    Your words arouse my fears.

DON JUAN

I'll ask no more, but do not banish me
Who, in your presence, finds his only joy.
I do nor dare foolhardily to hope;
I ask no favor, if you doom me thus,
Except to see you.

DOÑA ANNA

    Leave me! Not this the place
For words like yours, for madness such as yours.
Come tomorrow, and if you'll vow at first
To guard my person with all reverence,
I shall receive you — in the evening, late, —
Though I have kept myself apart in life
Since I was widowed.

DON JUAN

    Angel! Doña Anna!
God bless and comfort you as you today
Have comforted one hapless sufferer.

DOÑA ANNA

And now you must depart.

DON JUAN

      One moment, one.

DOÑA ANNA

No more. I cannot stay. Besides, I'm not
Inclined to praying now. Your words of love,
To which my ears have long, long been unused,
Have turned me from my task. Tomorrow then
I will receive you.

DON JUAN

    I can scarcely dare
Believe my happiness is true! Tomorrow,
At evening then, not here, and not by stealth!

DOÑA ANNA

Tomorrow, yes, tomorrow. And your name?

DON JUAN

Diego de Calvado.

ДОНА АННА.

Прощайте, Дон Диего *(уходит)*.

ДОН ГУАН.

Лепорелло!
(Лепорелло входит.)

ЛЕПОРЕЛЛО.

Что вам угодно?

ДОН ГУАН.

Милый Лепорелло!
Я счастлив!.. «Завтра — вечером, позднее...»
Мой Лепорелло, завтра — приготовь...
Я счастлив, как ребенок!

ЛЕПОРЕЛЛО.

С Доной Анной
Вы говорили? может быть, она
Сказала вам два ласкового слова
Или ее благословили вы.

ДОН ГУАН.

Нет, Лепорелло, нет! она свиданье,
Свиданье мне назначила!

ЛЕПОРЕЛЛО.

Неужто!
О вдовы, все вы таковы.

ДОН ГУАН.

Я счастлив!
Я петь готов, я рад весь мир обнять.

ЛЕПОРЕЛЛО.

А командор? что скажет он об этом?

ДОН ГУАН.

Ты думаешь, он станет ревновать?
Уж верно нет; он человек разумный
И верно присмирел с тех пор, как умер.

ЛЕПОРЕЛЛО.

Нет; посмотрите на его статую.

ДОН ГУАН.

Что ж?

ЛЕПОРЕЛЛО.

Кажется, на вас она глядит
И сердится.

DOÑA ANNA
Don Diego,
Farewell. *(Exit.)*

DON JUAN

Leporello!

(Leporello enters.)

LEPORELLO
What now your pleasure?

DON JUAN

My dearest Leporello! Oh, I'm happy!
Tomorrow, late, when evening comes! Tomorrow,
Tomorrow, Leporello! Be prepared!
I'm happy as a child.

LEPORELLO
You spoke with her?
Perhaps she said a few kind words, no more,
Or maybe you have given her your blessing.

DON JUAN

No, Leporello, no! 'Tis an appointment,
A real appointment at her house for me!

LEPORELLO

Really? Oh, widows! you are all alike.

DON JUAN

I'm wild with joy! I want to sing for joy!

LEPORELLO

But what will the Commander say to this?

DON JUAN

You think he will be jealous? He's a man
Of common sense, grown wise since he is dead.

LEPORELLO

No, look upon that statue there!

DON JUAN
Well, what?

LEPORELLO

I fear he looks with anger there at you.

ДОН ГУАН.

Ступай же, Лепорелло,
Проси ее пожаловать ко мне —
Нет, не ко мне — а к Доне Анне, завтра.

ЛЕПОРЕЛЛО.

Статую в гости звать! зачем?

ДОН ГУАН.

                              Уж верно
Не для того, чтоб с нею говорить —
Проси статую завтра к Доне Анне
Прийти попозже вечером и стать
У двери на часах.

ЛЕПОРЕЛЛО.

                         Охота вам
Шутить, и с кем!

ДОН ГУАН.

         Ступай же.

ЛЕПОРЕЛЛО.

                         Но...

ДОН ГУАН.

                              Ступай.

ЛЕПОРЕЛЛО.

Преславная, прекрасная статуя!
Мой барин Дон Гуан покорно просит
Пожаловать... Ей-богу, не могу,
Мне страшно.

ДОН ГУАН.

         Трус! вот я тебя!..

ЛЕПОРЕЛЛО.

                         Позвольте.
Мой барин Дон Гуан вас просит завтра
Прийти попозже в дом супруги вашей
И стать у двери...
         (Статуя кивает головой в знак согласия.)
                  Ай!

ДОН ГУАН.

         Что там?

ЛЕПОРЕЛЛО.

                         Ай, ай!..
Ай, ай... Умру!

DON JUAN

Well speak, good Leporello, speak to it,
And bid it come tomorrow to my house —
To Doña Anna's house, tomorrow night.

LEPORELLO

Invite the statue Why?

DON JUAN

                    Well, rest assured
I don't intend to keep it company.
Ask the statue to come to Doña Anna's
Tomorrow late at night, to stand on guard
Alone before her door.

LEPORELLO

                    You're jesting; think!

DON JUAN

I bid you go!

LEPORELLO

     But...

DON JUAN

          Go, I tell you now!

LEPORELLO

Most wonderful, O statue great in fame!
My master, Don Juan, invites you humbly
To come... Good Lord, I cannot, I am afraid!

DON JUAN

Coward! I'll make you do it.

LEPORELLO

                    Very well.
My master, Don Juan, invites you humbly
To stand on guard outside your widow's door
Tomorrow night.
          (The statue nods.)
          Ah, Ah!

DON JUAN

               What now?

LEPORELLO

                              Ah, ah!
Oh, God! I'll die!

ДОН ГУАН.

   Что сделалось с тобою?

ЛЕПОРЕЛЛО *(кивая головой)*.

Статуя... ай!..

    ДОН ГУАН.

   Ты кланяешься!

    ЛЕПОРЕЛЛО.

         Нет,

Не я, она!

    ДОН ГУАН.

   Какой ты вздор несешь!

    ЛЕПОРЕЛЛО.

Подите сами.

    ДОН ГУАН.

   Ну смотри ж, бездельник.

(Статуе.) Я, командор, прошу тебя прийти

К твоей вдове, где завтра буду я,

И стать на сто́роже в дверях. Что? будешь?

   (Статуя кивает опять.)

О Боже!

    ЛЕПОРЕЛЛО.

   Что? я говорил...

    ДОН ГУАН.

       Уйдем.

СЦЕНА IV

(Комната Доны Анны.)

ДОН ГУАН И ДОНА АННА.

    ДОНА АННА.

Я приняла вас, Дон Диего; только

Боюсь, моя печальная беседа

Скучна вам будет: бедная вдова,

Все помню я свою потерю. Слезы

С улыбкою мешаю, как апрель.

Что ж вы молчите?

    ДОН ГУАН.

     Наслаждаюсь молча,

Глубоко мыслью быть наедине

DON JUAN

What ails you, fool!?

LEPORELLO *(Nodding.)*

The statue!

DON JUAN

Are you inviting it?

LEPORELLO

The statue, look!

DON JUAN

What folly! Why, you're mad!

LEPORELLO

Then try yourself.

DON JUAN

Well, look, you knave!
    (To the statue.) My Lord, I bid you come
Tomorrow to your widow's house, to stand
On guard before the door. Then will you come?
    (Statue nods.)
Oh, heavens!

LEPORELLO

Well, I told you!...

DON JUAN

Come! Let's go!

SCENE IV

(Doña Anna 's room)

DON JUAN AND DOÑA ANNA

DOÑA ANNA

I gave, Don Diego, my consent to have
You come tonight, and yet I fear my talk
And grief might weary you. Alone I bear
My loss, but like a day in spring, I cry
And smile. Why so silent?

DON JUAN

Too glad for words,
I deeply muse on being here alone

С прелестной Доной Анной. Здесь — не там.
Не при гробнице мертвого счастливца —
И вижу вас уже не на коленах
Пред мраморным супругом.

ДОНА АННА.

                              Дон Диего,
Так вы ревнивы. — Муж мой и во гробе
Вас мучит?

ДОН ГУАН.

              Я не должен ревновать.
Он вами выбран был.

ДОНА АННА.

                    Нет, мать моя
Велела мне дать руку Дон Альвару,
Мы были бедны, Дон Альвар богат.

ДОН ГУАН.

Счастливец! он сокровища пустые
Принес к ногам богини, вот за что
Вкусил он райское блаженство! Если б
Я прежде вас узнал — с каким восторгом
Мой сан, мои богатства, всё бы отдал,
Всё за единый благосклонный взгляд;
Я был бы раб священной вашей воли,
Все ваши прихоти я б изучал,
Чтоб их предупреждать; чтоб ваша жизнь
Была одним волшебством беспрерывным.
Увы! — Судьба судила мне иное.

ДОНА АННА.

Диего, перестаньте: я грешу,
Вас слушая, — мне вас любить нельзя,
Вдова должна и гробу быть верна.
Когда бы знали вы, как Дон Альвар
Меня любил! о, Дон Альвар уж верно
Не принял бы к себе влюбленной дамы,
Когда б он овдовел. — Он был бы верн
Супружеской любви.

ДОН ГУАН.

                  Не мучьте сердца
Мне, Дона Анна, вечным поминаньем
Супруга. Полно вам меня казнить,
Хоть казнь я заслужил, быть может.

With you, O lovely Doña Anna, — not there
Beside the tombstone of the happy dead.
I joy not seeing you upon your knees
Before a stony spouse.

DOÑA ANNA

Oh, Don Diego,
Are you so jealous that the graves torment
Your mind?

DON JUAN

There is no room for jealousy.
Your husband was your own free choice.

DOÑA ANNA

Ah, no!
My mother bade me marry Don Alvaro,
For we were poor, and Don Alvaro, rich.

DON JUAN

O happy man! He spread his wealth before
The shrine of beauty, and with empty gold
He won the bliss of paradise. Had I
But known you first, I'd have bestowed on you
My rank, estate, my wealth, and life itself
With rapture, all for one sweet smile from you.
Your slave, each little whim of yours I would
Have tried to understand and gratify
Before you'd told your wish, that all your life
Might be one everlasting fairy dream.
But Heaven granted me a sadder fate.

DOÑA ANNA

Ah, Diego, say no more! 'Tis wrong of me
To listen since I dare not give my love;
I must be faithful even to the dead.
If you but knew how Don Alvaro loved me!
Had he been left a widower, I'm sure
He'd never have received a lovelorn lady
In his great loyalty to me.

DON JUAN

I pray you,
O Doña Anna, torture me no more,
Remembering the dead. Have pity then,
Although I well deserve your punishment.

ДОНА АННА.

Чем же?
Вы узами не связаны святыми
Ни с кем. — Не правда ль? Полюбив меня,
Вы предо мной и перед небом правы.

ДОН ГУАН.

Пред вами! Боже!

ДОНА АННА.

Разве вы виновны
Передо мной? Скажите, в чем же.

ДОН ГУАН.

Нет!
Нет, никогда.

ДОНА АННА.

Диего, что такое?
Вы предо мной не правы? в чем, скажите.

ДОН ГУАН.

Нет! ни за что!

ДОНА АННА.

Диего, это странно:
Я вас прошу, я требую.

ДОН ГУАН.

Нет, нет.

ДОНА АННА.

А! Так-то вы моей послушны воле!
А что сейчас вы говорили мне?
Что вы б рабом моим желали быть.
Я рассержусь, Диего: отвечайте,
В чем предо мной виновны вы?

ДОН ГУАН.

Не смею.
Вы ненавидеть станете меня.

ДОНА АННА.

Нет, нет. Я вас заранее прощаю,
Но знать желаю...

ДОН ГУАН.

Не желайте знать
Ужасную, убийственную тайну.

DOÑA ANNA

But why? You're free, not bound by holy ties
To anyone. In loving me, you do
No wrong at all in Heaven's eyes or mine!

DON JUAN

In yours!.. O God!

DOÑA ANNA

But are you guilty then
Of any wrong to me? Do tell me, why?

DON JUAN

Never!

DOÑA ANNA

Diego, tell me what you mean!
How have you wronged me, that you blame yourself?

DON JUAN

No, not for worlds!

DOÑA ANNA

Diego, this is strange.
I ask you, I demand it now.

DON JUAN

No, no!

DOÑA ANNA

Is this your blind obedience to my will?
And did you not so hotly proffer me
Just now to be my very slave for life?
I feel the hurt you give, Diego. Answer:
For what great wrong to me are you to blame?

DON JUAN

I dare not say a word, or you would hate
Me then.

DOÑA ANNA

But I forgive you from the first,
And yet I wish to know.

DON JUAN

Ah, do not ask
To hear my horrible, my fateful secret.

ДОНА АННА.

Ужасную! вы мучите меня.
Я страх как любопытна — что такое?
И как меня могли вы оскорбить?
Я вас не знала — у меня врагов
И нет и не было. Убийца мужа
Один и есть.

ДОН ГУАН (*про себя*).

　　　　　Идет к развязке дело!
Скажите мне, несчастный Дон Гуан
Вам незнаком?

ДОНА АННА.

　　　　　Нет, отроду его
Я не видала.

ДОН ГУАН.

　　　　　Вы в душе к нему
Питаете вражду?

ДОНА АННА.

　　　　　По долгу чести.
Но вы отвлечь стараетесь меня
От моего вопроса, Дон Диего —
Я требую...

ДОН ГУАН.

　　　　　Что, если б Дон Гуана
Вы встретили?

ДОНА АННА.

　　　　　Тогда бы я злодею
Кинжал вонзила в сердце.

ДОН ГУАН.

　　　　　　　Дона Анна,
Где твой кинжал? вот грудь моя.

ДОНА АННА.

　　　　　　　　Диего!
Что вы?

ДОН ГУАН.

Я не Диего, я Гуан.

ДОНА АННА.

О Боже! нет, не может быть, не верю.

ДОН ГУАН.

Я Дон Гуан.

ДОНА АННА.

Неправда.

DOÑA ANNA

Fateful! Your words are wild and fill my heart
With pain. I wait in fear and want to know
The nature of your harm and wrong to me.
We'd never met; I have no enemies,
And never had, except the man who killed
My husband.

DON JUAN *(Aside.)*

Now the secret must be told.
Please tell me, frankly, did you ever meet
Poor Don Juan?

DOÑA ANNA

No, never in my life.

DON JUAN

But in your inmost heart you hate that man?

DOÑA ANNA

I'm honor bound. But you are trying hard
To turn aside my question, Don Diego.
But I demand, I must...

DON JUAN

Suppose that you
Should chance somehow to meet Don Juan?

DOÑA ANNA

I'd plunge
My dagger in his heart!

DON JUAN

Doña Anna,
Where now your dagger? Here's my naked breast!

DOÑA ANNA

Diego!

DON JUAN

No, not Diego. I'm Don Juan.

DOÑA ANNA

O God... You play with me; I don't believe.

DON JUAN

I'm Don Juan.

DOÑA ANNA

No, no!

ДОН ГУАН.

                    Я убил
Супруга твоего; и не жалею
О том — и нет раскаянья во мне.

ДОНА АННА.

Что слышу я? нет, нет, не может быть.

ДОН ГУАН.

Я Дон Гуан, и я тебя люблю.

ДОНА АННА *(падая)*.

Где я?.. где я? мне дурно, дурно.

ДОН ГУАН.

                              Небо!
Что с нею? что с тобою, Дона Анна?
Встань, встань, проснись, опомнись: твой Диего,
Твой раб у ног твоих.

ДОНА АННА.

                    Оставь меня!
        (Слабо.)
        О, ты мне враг — ты отнял у меня
Всё, что я в жизни...

ДОН ГУАН.

                    Милое созданье!
Я всем готов удар мой искупить,
У ног твоих жду только приказанья,
Вели — умру; вели — дышать я буду
Лишь для тебя...

ДОНА АННА.

        Так это Дон Гуан...

ДОН ГУАН.

Не правда ли, он был описан вам
Злодеем, извергом. — О, Дона Анна, —
Молва, быть может, не совсем неправа,
На совести усталой много зла,
Быть может, тяготеет. Так, разврата
Я долго был покорный ученик,
Но с той поры, как вас увидел я,
Мне кажется, я весь переродился.
Вас полюбя, люблю я добродетель
И в первый раз смиренно перед ней
Дрожащие колена преклоняю.

ДОНА АННА.

О, Дон Гуан красноречив — я знаю,
Слыхала я; он хитрый искуситель.

DON JUAN

          'Tis I who killed
Your husband, nor do I regret my deed,
Nor feel the sting of penitence or wrong.

DOÑA ANNA

What do I hear? No, no, it can't be true!

DON JUAN

I'm Don Juan. I love you.

DOÑA ANNA *(Fainting.)*

                 Where am I?..
Where? Oh, I'm ill, so faint!

DON JUAN

               What have I done?
What is the matter, Doña Anna? Come,
Wake up, arouse yourself! I am your slave,
Your Diego's at your feet.

DOÑA ANNA

             Leave me alone.
(Weakly.)
You are my enemy; you took away
All, all I had in life...

DON JUAN

          Oh, my dearest!
If only for my crimes I could atone,
I'd wait upon your sentence at your feet.
I'll die if that's your wish; or bid me live
For you alone...

DOÑA ANNA

        Then you are Don Juan.

DON JUAN

I'm sure he's often been described to you
As scoundrel, monster, rogue. O Doña Anna,
There is perhaps some truth in hearsay tales.
Perhaps a heavy weight of evil lies
Upon my conscience. True, for long I've been
The willing slave of lust. But since I first
Saw you, it seems I have been born again,
And loving you, I am in love with virtue.
And now in humility I kneel at last
Before all excellence on trembling knees.

DOÑA ANNA

Ah, yes, I've heard Don Juan's eloquent.
I've heard he is a man of evil, guile,

Вы, говорят, безбожный развратитель,
Вы сущий демон. Сколько бедных женщин
Вы погубили?

ДОН ГУАН.

Ни одной доныне
Из них я не любил.

ДОНА АННА.

И я поверю,
Чтоб Дон Гуан влюбился в первый раз,
Чтоб не искал во мне он жертвы новой!

ДОН ГУАН.

Когда б я вас обманывать хотел,
Признался ль я, сказал ли я то имя,
Которого не можете вы слышать?
Где ж видно тут обдуманность, коварство?

ДОНА АННА.

Кто знает вас? — Но как могли прийти
Сюда вы; здесь узнать могли бы вас,
И ваша смерть была бы неизбежна.

ДОН ГУАН.

Что значит смерть? за сладкий миг свиданья
Безропотно отдам я жизнь.

ДОНА АННА.

Но как же
Отсюда выйти вам, неосторожный!

ДОН ГУАН *(целуя ей руки)*.

И вы о жизни бедного Гуана
Заботитесь! Так ненависти нет
В душе твоей небесной, Дона Анна?

ДОНА АННА.

Ах если б вас могла я ненавидеть!
Однако ж надобно расстаться нам.

ДОН ГУАН.

Когда ж опять увидимся?

ДОНА АННА.

Не знаю.
Когда-нибудь.

ДОН ГУАН.

А завтра?

ДОНА АННА.

Где же?

That he's godless man, an arrant fiend.
How many women have you sent to their
Great misery?

DON JUAN

      Believe, not one among
Those women have I loved.

DOÑA ANNA

           Must I believe
Don Juan is in love at last, that I
Am not just one more victim of his lust?

DON JUAN

Had I desired but only to deceive you,
Would I confess, reveal my name to you,
A name that you can scarcely bear to hear?
I pray you, where my guile, my craftiness?

DOÑA ANNA

Who knows your heart?.. How is it that you dared
To come into this house? Here any man
Might know your face at once and kill at sight.

DON JUAN

But why fear death? For one sweet meeting here
With you, I'll uncomplaining give my life.

DOÑA ANNA

Imprudent man, how can you leave this house?

DON JUAN (*Kissing her hand.*)

You then do care for me — the life of poor
Don Juan! Then you do not hate me now
In your angelic soul, O Doña Anna?

DOÑA ANNA

Alas! I wish I had the strength to hate!
But we must part.

DON JUAN

      When shall we meet again?

DOÑA ANNA

Another time; I do not know.

DON JUAN

         Tomorrow?

DOÑA ANNA

Where?

ДОН ГУАН.

Здесь.

ДОНА АННА.

О Дон Гуан, как сердцем я слаба.

ДОН ГУАН.

В залог прощенья мирный поцелуй...

ДОНА АННА.

Пора, поди.

ДОН ГУАН.

Один, холодный, мирный...

ДОНА АННА.

Какой ты неотвязчивый! на, вот он.
Что там за стук?.. о, скройся, Дон Гуан.

ДОН ГУАН.

Прощай же, до свиданья, друг мой милый.
(Уходит и вбегает опять.)
А!..

ДОНА АННА.

Что с тобой? А!..
(Входит статуя командора.
Дона Анна падает.)

СТАТУЯ.

Я на зов явился.

ДОН ГУАН.

О Боже! Дона Анна!

СТАТУЯ.

Брось ее,
Всё кончено. Дрожишь ты, Дон Гуан.

ДОН ГУАН.

Я? нет. Я звал тебя и рад, что вижу.

СТАТУЯ.

Дай руку.

ДОН ГУАН.

Вот она... о, тяжело
Пожатье каменной его десницы!
Оставь меня, пусти — пусти мне руку...
Я гибну — кончено — о Дона Анна!
(Проваливаются.)

1830

DON JUAN

Here.

DOÑA ANNA

How weak my woman's heart, Don Juan!

DON JUAN

One parting kiss, your token of forgiveness.

DOÑA ANNA

No, no! 'Tis late.

DON JUAN

Just one, one kiss of peace.

DOÑA ANNA

How teasingly you ask. Then kiss me — once.
What noise is that? Oh hide, Don Juan, quick!

DON JUAN

Farewell, my dearest, till we meet again!
(Goes out, and runs in again.)
Oh!...

DOÑA ANNA

What's the matter? Oh!...
(The statue enters. Doña Anna faints.)

STATUE

You bade me come.

DON JUAN

O God! O Doña Anna!

STATUE

Leave her now.
This is the end. Don Juan is not afraid?

DN JUAN

No, no! I bade you come. I'm glad you've come.

STATUE

Give me your hand.

DON JUAN

My hand I give to you...
Oh, hard his hand, his mighty hand of stone!
Oh, let me go! Enough! Let go my hand!..
I'm dying — all is over! O Doña Anna!
(They sink into the ground.)

Translated by Eugene M. Kayden

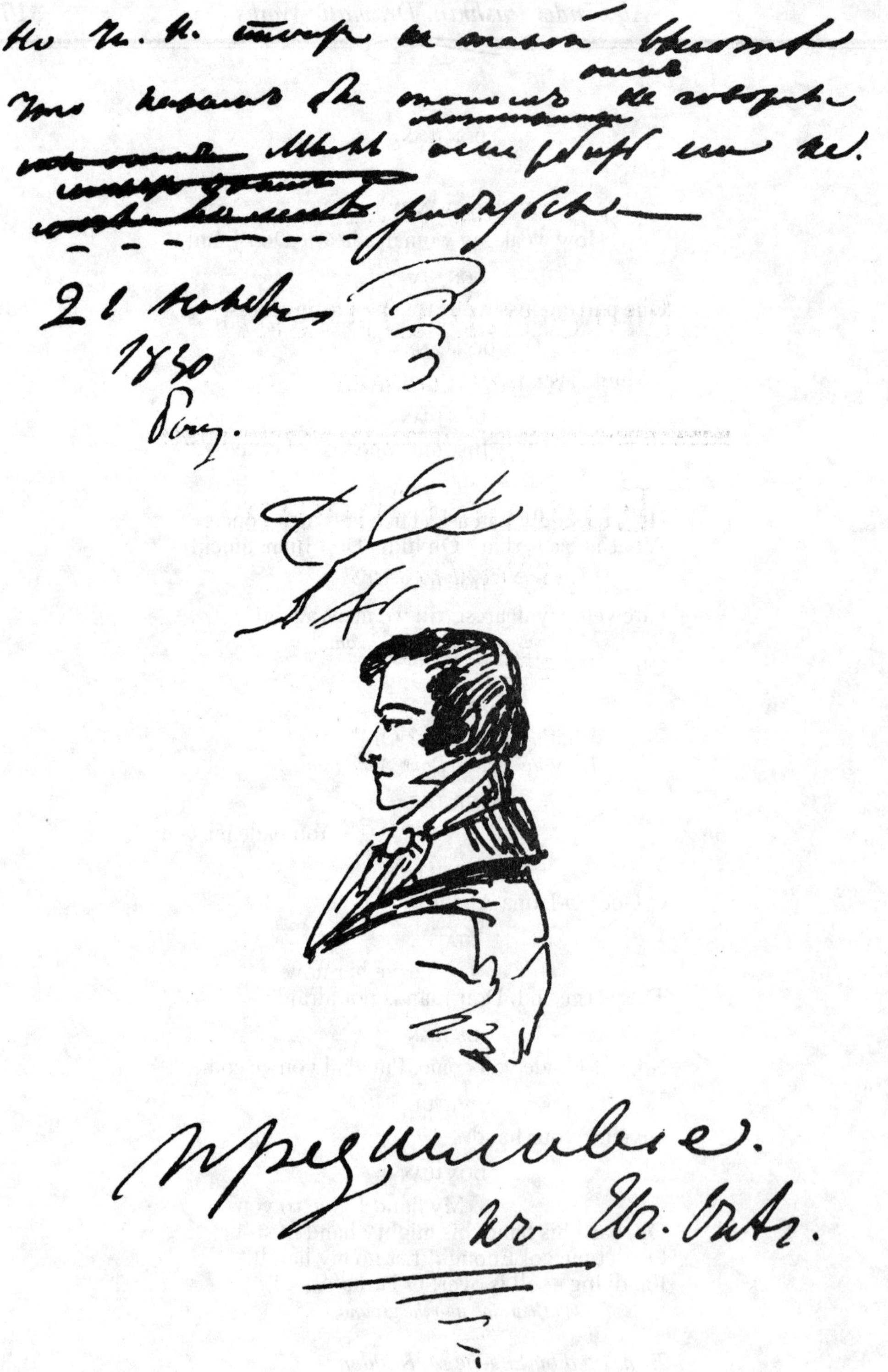

Евгений Онегин

Роман в стихах

Eugene Onegin

A Novel in Verse

Pétri de vanité il avait encore plus de cette
espèce d'orgueil qui fait avouer avec la même
indifférence les bonnes comme les mauvaises
actions, suite d'un sentiment de supériorité,
peut-être imaginaire.

Tiré d'une lettre particulière.

Не мысля гордый свет забавить,
Вниманье дружбы возлюбя,
Хотел бы я тебе представить
Залог достойнее тебя,
Достойнее души прекрасной,
Святой исполненной мечты,
Поэзии живой и ясной,
Высоких дум и простоты;
Но так и быть — рукой пристрастной
Прими собранье пестрых глав,
Полусмешных, полупечальных,
Простонародных, идеальных,
Небрежный плод моих забав,
Бессонниц, легких вдохновений,
Незрелых и увядших лет,
Ума холодных наблюдений
И сердца горестных замет.

Pétri de vanité il avait encore plus de cette
espèce d'orgueil qui fait avouer avec la même
indifférence les bonnes comme les mauvaises
actions, suite d'un sentiment de supériorité,
peut-être imaginaire.

Tiré d'une lettre particulière

DEDICATION

Not thinking of the proud world's pleasure,
But cherishing your friendship's claim,
I would have wished a finer treasure
To pledge my token to your name —
One worthy of your soul's perfection
The sacred dreams that fill your gaze,
Your verse's limpid, live complexion,
Your noble thoughts and simple ways.
But let it be. Take this collection
Of sundry chapters as my suit:
Half humorous, half pessimistic,
Blending the plain and idealistic —
Amusement's yield, the careless fruit
Of sleepless nights, light inspirations,
Born of my green and withered years...
The intellect's cold observations,
The heart's reflections, writ in tears.

Chapters 1—3, 6, 8.

ГЛАВА ПЕРВАЯ

И жить торопится и чувствовать спешит.
К. Вяземский

I

«Мой дядя самых честных правил,
Когда не в шутку занемог,
Он уважать себя заставил
И лучше выдумать не мог.
Его пример другим наука;
Но, Боже мой, какая скука
С больным сидеть и день и ночь,
Не отходя ни шагу прочь!
Какое низкое коварство
Полуживого забавлять,
Ему подушки поправлять,
Печально подносить лекарство,
Вздыхать и думать про себя:
Когда же черт возьмет тебя!»

II

Так думал молодой повеса,
Летя в пыли на почтовых,
Всевышней волею Зевеса
Наследник всех своих родных.
Друзья Людмилы и Руслана!
С героем моего романа
Без предисловий, сей же час
Позвольте познакомить вас:
Онегин, добрый мой приятель,
Родился на брегах Невы,
Где, может быть, родились вы
Или блистали, мой читатель;
Там некогда гулял и я:
Но вреден север для меня.

CHAPTER ONE

To live he hurries and to feel makes haste.
Prince Vjazemsky

I

«My uncle, man of firm convictions...
By falling gravely ill, he's won
A due respect for his afflictions —
The only clever thing he's done.
May his example profit others;
But God, what deadly boredom, brothers,
To tend a sick man night and day,
Not daring once to steal away!
And, oh, how base to pamper grossly
And entertain the nearly dead,
To fluff the pillows for his head,
And pass him medicines morosely —
While thinking under every sigh:
The devil take you, Uncle. Die!»

II

Just so a youthful rake reflected,
As through the dust by post he flew,
By mighty Zeus's will elected
Sole heir to all the kin he knew.
Ludmila's and Ruslan's adherents!
Without a foreword's interference,
May I present, as we set sail,
The hero of my current tale:
Onegin, my good friend and brother,
Was born beside the Neva's span,
Where maybe, reader, you began,
Or sparkled in one way or other.
I too there used to saunter forth,
But found it noxious in the north.

11*

III

Служив отлично-благородно,
Долгами жил его отец,
Давал три бала ежегодно
И промотался наконец.
Судьба Евгения хранила:
Сперва *Madame* за ним ходила,
Потом *Monsieur* ее сменил.
Ребенок был резов, но мил.
Monsieur l'Abbé, француз убогой,
Чтоб не измучилось дитя,
Учил его всему шутя,
Не докучал моралью строгой,
Слегка за шалости бранил
И в Летний сад гулять водил.

IV

Когда же юности мятежной
Пришла Евгению пора,
Пора надежд и грусти нежной,
Monsieur прогнали со двора.
Вот мой Онегин на свободе;
Острижен по последней моде;
Как *dandy* лондонский одет —
И наконец увидел свет.
Он по-французски совершенно
Мог изъясняться и писал;
Легко мазурку танцевал
И кланялся непринужденно;
Чего ж вам больше? Свет решил,
Что он умен и очень мил.

V

Мы все учились понемногу
Чему-нибудь и как-нибудь,
Так воспитаньем, слава Богу,
У нас немудрено блеснуть.
Онегин был по мненью многих
(Судей решительных и строгих)
Ученый малый, но педант,
Имел он счастливый талант
Без принужденья в разговоре
Коснуться до всего слегка,
С ученым видом знатока
Хранить молчанье в важном споре
И возбуждать улыбку дам
Огнем нежданных эпиграмм.

III

An honest man who'd served sincerely,
His father ran up debts galore;
He gave a ball some three times yearly,
Until he had no means for more.
Fate watched Eugene in his dependence;
At first *Madame* was in attendance;
And then *Monsieur* took on the child,
A charming lad, though somewhat wild.
Monsieur l'Abbé, a needy fellow,
To spare his charge excessive pain,
Kept lessons light and rather plain;
His views on morals ever mellow,
He seldom punished any lark,
And walked the boy in Letny Park.

IV

But when age of restless turnings
Became in time our young man's fate,
The age of hopes and tender yearnings,
Monsieur l'Abbé was shown the gate.
And here's Onegin — liberated,
To fad and fashion newly mated:
A London *dandy*, hair all curled,
At last he's ready for the world!
In French he could and did acutely
Express himself and even write;
In dancing too his step was light,
And bows he'd mastered absolutely.
Who'd ask for more? The world could tell
That he had wit and charm as well.

V

We've all received an education
In something somehow, have we not?
So thank the Lord that in this nation
A little learning means a lot.
Onegin was, so some decided
(Strict judges, not to be derided),
A learned, if pedantic, sort.
He did possess the happy forte
Of free and easy conversation,
Or in a grave dispute he's wear
The solemn expert's learned air
And keep to silent meditation;
And how the ladies' eyes he lit
With flashes of his sudden wit!

VI

Латынь из моды вышла ныне:
Так, если правду вам сказать,
Он знал довольно по-латыне,
Чтоб эпиграфы разбирать,
Потолковать об Ювенале,
В конце письма поставить *vale*,
Да помнил, хоть не без греха,
Из Энеиды два стиха.
Он рыться не имел охоты
В хронологической пыли
Бытописания земли;
Но дней минувших анекдоты
От Ромула до наших дней
Хранил он в памяти своей.

VII

Высокой страсти не имея
Для звуков жизни не щадить,
Не мог он ямба от хорея,
Как мы ни бились, отличить.
Бранил Гомера, Феокрита;
Зато читал Адама Смита,
И был глубокий эконом,
То есть умел судить о том,
Как государство богатеет,
И чем живет, и почему
Не нужно золота ему,
Когда *простой продукт* имеет.
Отец понять его не мог
И земли отдавал в залог.

VIII

Всего, что знал еще Евгений,
Пересказать мне недосуг;
Но в чем он истинный был гений,
Что знал он тверже всех наук,
Что было для него измлада
И труд, и мука, и отрада,
Что занимало целый день
Его тоскующую лень, —
Была наука страсти нежной,
Которую воспел Назон,
За что страдальцем кончил он
Свой век блестящий и мятежный
В Молдавии, в глуши степей,
Вдали Италии своей.

VI

The Latin vogue today is waning,
And yet I'll say on his behalf,
He had sufficient Latin training
To gloss a common epigraph,
Cite Juvenal in conversation,
Put *vale* in a salutation;
And he recalled, at least in part,
A line or two of Virgil's art.
He lacked, it's true, all predilection
For rooting in the ancient dust
Of history's annals full of must,
But knew by heart a fine collection
Of anecdotes of ages past:
From Romulus to Tuesday last.

VII

Lacking the fervent dedication
That sees in sounds life's highest quest,
He never knew, to our frustration,
A dactyl from an anapest.
Theocritus and Homer bored him,
But reading Adam Smith restored him,
And economics he knew well;
Which is to say that he could tell
The ways in which a state progresses —
The actual things that make it thrive,
And why for gold in need not strive,
When *basic products* it possesses.
His father never understood
And mortgaged all the land he could.

VIII

I have no leisure for retailing
The sum of all our hero's parts,
But where his genius proved unfailing,
The thing he'd learned above all arts,
What from his prime had been his pleasure,
His only torment, toil, and treasure,
What occupied, the livelong day,
His languid spirit's fretful play
Was love itself, the art of ardour,
Which Ovid sang in ages past,
And for which song he paid at last
By ending his proud days a martyr —
In dim Moldavia's vacant waste,
Far from the Rome his heart embraced.

IX

. . . .
. . . .
. . . .

X

Как рано мог он лицемерить,
Таить надежду, ревновать,
Разуверять, заставить верить,
Казаться мрачным, изнывать,
Являться гордым и послушным,
Внимательным иль равнодушным!
Как томно был он молчалив,
Как пламенно красноречив,
В сердечных письмах как небрежен!
Одним дыша, одно любя,
Как он умел забыть себя!
Как взор его был быстр и нежен,
Стыдлив и дерзок, а порой
Блистал послушною слезой!

XI

Как он умел казаться новым,
Шутя невинность изумлять,
Пугать отчаяньем готовым,
Приятной лестью забавлять,
Ловить минуту умиленья,
Невинных лет предубежденья
Умом и страстью побеждать,
Невольной ласки ожидать,
Молить и требовать признанья,
Подслушать сердца первый звук,
Преследовать любовь, и вдруг
Добиться тайного свиданья...
И после ей наедине
Давать уроки в тишине!

XII

Как рано мог уж он тревожить
Сердца кокеток записных!
Когда ж хотелось уничтожить
Ему соперников своих,
Как он язвительно злословил!
Какие сети им готовил!
Но вы, блаженные мужья,
С ним оставались вы друзья:
Его ласкал супруг лукавый,
Фобласа давний ученик,

IX

. . . .
. . . .
. . . .

X

How early on he could dissemble,
Conceal his hopes, play jealous swain,
Compel belief, or make her tremble,
Seem cast in gloom or mute with pain,
Appear so proud or so forbearing,
At times attentive, then uncaring!
What languor when his lips were sealed,
What fiery art his speech revealed!
What casual letters he would send her!
He lived, he breathed one single dream,
How self-oblivious he could seem!
How keen his glance, how bold and tender;
And when he wished, he'd make appear
The quickly summoned, glistening tear!

XI

How shrewdly he could be inventive
And playfully astound the young,
Use flattery as warm incentive,
Or frighten with despairing tongue.
And how he'd seize a moment's weakness
To conquer youthful virtue's meekness
Through force of passion and of sense,
And then await sweet recompense.
At first he'd beg a declaration,
And listen for the heart's first beat,
Then stalk love faster — and entreat
A lover's secret assignation...
And then in private he'd prepare
In silence to instruct the fair!

XII

How early he could stir or worry
The hearts of even skilled coquettes!
And when he found it necessary
To cruch a rival — oh, what nets,
What clever traps he'd set before him!
And how his wicked tongue would gore him!
But you, you men in wedded bliss,
You stayed his friends despite all this:
The crafty husband fawned and chuckled
(Faublas' disciple and his tool),

И недоверчивый старик,
И рогоносец величавый,
Всегда довольный сам собой,
Своим обедом и женой.

XIII. XIV

. . . .
. . . .
. . . .
. . . .

XV

Бывало, он еще в постеле:
К нему записочки несут.
Что? Приглашенья? В самом деле,
Три дома на вечер зовут:
Там будет бал, там детский праздник.
Куда ж поскачет мой проказник?
С кого начнет он? Все равно:
Везде поспеть немудрено.
Покамест в утреннем уборе,
Надев широкий *боливар*,
Онегин едет на бульвар
И там гуляет на просторе,
Пока недремлющий брегет
Не прозвонит ему обед.

XVI

Уж тёмно: в санки он садится.
«Пади, пади!» — раздался крик;
Морозной пылью серебрится
Его бобровый воротник.
К *Talon* помчался: он уверен,
Что там уж ждет его Каверин.
Вошел: и пробка в потолок,
Вина кометы брызнул ток,
Пред ним *roast-beef* окровавленный,
И трюфли, роскошь юных лет,
Французской кухни лучший цвет,
И Страсбурга пирог нетленный
Меж сыром лимбургским живым
И ананасом золотым.

XVII

Еще бокалов жажда просит
Залить горячий жир котлет,
Но звон брегета им доносит,
Что новый начался балет.

As did the skeptical old fool,
And the majestic, antlered cuckold —
So pleased with all he had in life:
Himself, his dinner, and his wife.

(XIII–XIV)

. . . .
. . . .
. . . .
. . . .

XV

Some mornings still abed he drowses,
Until his valet brings his tray.
What? Invitations? Yes, three houses
Have asked him to a grand soirée.
There'll be a ball, a children's party;
Where will he dash to, my good hearty?
Where will he make the night's first call?
Oh, never mind — he'll make them all.
But meanwhile, dressed for morning pleasure,
Bedecked in broad-brimmed *Bolivár*,
He drives to Nevsky Boulevard,
To stroll about at total leisure,
Until Bréguet's unsleeping chime
Reminds him that it's dinner time.

XVI

He calls a sleigh as daylight's dimming;
The cry resounds: «Make way! Let's go!»
His collar with its beaver trimming
Is silver bright with frosted snow.
He's off to Talon's, late, and racing,
Quite sure he'll find Kaverin pacing;
He enters — cork and bottle spout!
The comet wine comes gushing out,
A bloody roastbeef's on the table,
And truffles, youth's delight so keen,
The very flower of French cuisine,
And Strasbourg pie, that deathless fable;
While next to Limburg's lively mould
Sits ananas in splendid gold.

XVII

Another round would hardly hurt them,
To wash those sizzling cutlets down;
But now the chime and watch alert them:
The brand new ballet's on in town!

Театра злой законодатель,
Непостоянный обожатель
Очаровательных актрис,
Почетный гражданин кулис,
Онегин полетел к театру,
Где каждый, вольностью дыша,
Готов охлопать *entrechat*,
Обшикать Федру, Клеопатру,
Моину вызвать (для того,
Чтоб только слышали его).

XVIII

Волшебный край! там в стары годы,
Сатиры смелый властелин,
Блистал Фонвизин, друг свободы,
И переимчивый Княжнин;
Там Озеров невольны дани
Народных слез, рукоплесканий
С младой Семеновой делил;
Там наш Катенин воскресил
Корнеля гений величавый;
Там вывел колкий Шаховской
Своих комедий шумный рой,
Там и Дидло венчался славой,
Там, там под сению кулис
Младые дни мои неслись.

XIX

Мои богини! что вы? где вы?
Внемлите мой печальный глас:
Всё те же ль вы? другие ль девы,
Сменив, не заменили вас?
Услышу ль вновь я ваши хоры?
Узрю ли русской Терпсихоры
Душой исполненный полет?
Иль взор унылый не найдет
Знакомых лиц на сцене скучной,
И, устремив на чуждый свет
Разочарованный лорнет,
Веселья зритель равнодушный,
Безмолвно буду я зевать
И о былом воспоминать?

XX

Театр уж полон; ложи блещут;
Партер и кресла, всё кипит;
В райке нетерпеливо плещут,
И, взвившись, занавес шумит.

He's off! — this critic most exacting
Of all that touchess art or acting,
This fickel swain of every star,
And honoured patron of the *barre* —
To join the crowd, where each is ready
To greet an *entrechat* with cheers,
Or Cleopatra with his jeers,
To hiss at Phèdre — so unsteady,
Recall Moïna... and rejoice
That everyone has heard his voice.

XVIII

Enchanted land! There for a season,
That friend of freedom ruled the scene,
The daring satirist Fonvízin,
As did derivative Knyazhnín;
There Ózerov received the nation's
Unbidden tears and its ovations,
Which young Semyónova did share;
And our Katénin gave us there
Corneille's full genius resurrected;
And there the caustic Shakhovskóy
Refreshed the stage with comic joy,
Didelot his crown of fame perfected.
There too, beneath the theatre's tent,
My fleeeting, youthful days were spent.

XIX

My goddesses! You vanished faces!
Oh, hearken to my woeful call:
Have other maidens gained your places,
Yet not replaced you after all?
Shall once again I hear your chants?
Or see the Russian muse of dance
Perform her soaring, soulful flight?
Or shall my mournful gaze alight
On unknown faces on the stages?
And when across this world I pass
A disenchanted opera glass,
Shall I grow bored with mirth and rages,
And shall I then in silence yawn
And recollect a time that's gone?

XX

The theatre's full, the boxes glitter;
The restless gallery claps and roars;
The stalls and pit are all ajitter;
The curtain rustles as it soars.

Блистательна, полувоздушна,
Смычку волшебному послушна,
Толпою нимф окружена,
Стоит Истомина; она,
Одной ногой касаясь пола,
Другою медленно кружит,
И вдруг прыжок, и вдруг летит,
Летит, как пух от уст Эола;
То стан совьет, то разовьет,
И быстрой ножкой ножку бьет.

XXI

Всё хлопает. Онегин входит,
Идет меж кресел по ногам,
Двойной лорнет скосясь наводит
На ложи незнакомых дам;
Все ярусы окинул взором,
Всё видел: лицами, убором
Ужасно недоволен он;
С мужчинами со всех сторон
Раскланялся, потом на сцену
В большом рассеянье взглянул,
Отворотился — и зевнул.
И молвил: «Всех пора на смену;
Балеты долго я терпел,
Но и Дидло мне надоел».

XXII

Еще амуры, черти, змеи
На сцене скачут и шумят;
Еще усталые лакеи
На шубах у подъезда спят;
Еще не перестали топать,
Сморкаться, кашлять, шикать, хлопать;
Еще снаружи и внутри
Везде блистают фонари;
Еще, прозябнув, бьются кони,
Наскуча упряжью своей,
И кучера, вокруг огней,
Бранят господ и бьют в ладони:
А уж Онегин вышел вон;
Домой одеться едет он.

XXIII

Изображу ль в картине верной
Уединенный кабинет,
Где мод воспитанник примерный
Одет, раздет и вновь одет?

And there... ethereal... resplendent,
Poised to the magic bow attendant,
A throng of nymphs her guardian band,
Istómina takes up her stand.
One foot upon the ground she places,
And then the other slowly twirls,
And now she leaps! And now she whirls!
Like down from Eol's lips she races;
Then spins and twists and stops to beat
Her rapid, dazzling, dancing feet.

XXI

As all applaud, Onegin enters —
And treads on toes to reach his seat;
His double glass he calmy centres
On ladies he has yet to meet.
He takes a single glance to measure
These clothes and faces with displeasure;
Then trading bows on every side
With men he knew or friends he spied,
He turned at last and vaguely fluttered
His eyes toward the stage and play —
Then yawned and turned his head away:
«It's time for something new,» he muttered,
«I've suffered ballets long enough,
But now Didelot is boring stuff.»

XXII

While all those cupids, devils, serpents
Upon the stage still romp and roar,
And while the weary band of servants
Still sleeps on furs at carriage door;
And while the people still ate tapping,
Still sniffling, coughing, hissing, clapping;
And while the lamps both in and out
Still glitter grandly all about;
And while the horses, bored at tether,
Still fidget, freezing, in the snow,
And coachmen by the fire's glow
Curse masters and beat palms together;
Onegin now has left the scene
And driven home to change and preen.

XXIII

Shall I abandon every scruple
And picture truly with my pen
The room where fashion's model pupil
Is dressed, undressed, and dressed again?

Всё, чем для прихоти обильной
Торгует Лондон щепетильный
И по Балтическим волнам
За лес и сало возит нам,
Всё, что в Париже вкус голодный,
Полезный промысел избрав,
Изобретает для забав,
Для роскоши, для неги модной, —
Всё украшало кабинет
Философа в осьмнадцать лет.

XXIV

Янтарь на трубках Цареграда,
Фарфор и бронза на столе,
И, чувств изнеженных отрада,
Духи в граненом хрустале;
Гребенки, пилочки стальные,
Прямые ножницы, кривые,
И щетки тридцати родов
И для ногтей и для зубов.
Руссо (замечу мимоходом)
Не мог понять, как важный Грим
Смел чистить ногти перед ним,
Красноречивым сумасбродом.
Защитник вольности и прав
В сем случае совсем неправ.

XXV

Быть можно дельным человеком
И думать о красе ногтей:
К чему бесплодно спорить с веком?
Обычай деспот меж людей.
Второй Чадаев, мой Евгений,
Боясь ревнивых осуждений,
В своей одежде был педант
И то, что мы назвали франт.
Он три часа по крайней мере
Пред зеркалами проводил
И из уборной выходил
Подобный ветреной Венере,
Когда, надев мужской наряд,
Богиня едет в маскарад.

XXVI

В последнем вкусе туалетом
Заняв ваш любопытный взгляд,
Я мог бы пред ученым светом
Здесь описать его наряд;

Whatever clever London offers
To those with lavish whims and coffers,
And ships to us by Baltic seas
In trade for tallow and for trees;
Whatever Paris, seeking treasure,
Devises to attract the sight,
Or manufactures for delight,
For luxury, for modish pleasure —
All this adorned his dressing room,
Our sage of eighteen summers' bloom.

XXIV

Imported pipes of Turkish amber,
Fine china, bronzes — all displayed;
And purely to delight and pamper,
Perfumes in crystal jars arrayed;
Steel files and combs in many guises,
Straight scissors, curved ones, thirty sizes
Of brushes for the modern male —
For hair and teeth and fingernail.
Rousseau (permit me this digression)
Could not conceive how solemn Grimm
Dared clean his nails in front of *him*,
The brilliant madcap of confession.
In this case, though, one has to say
That Freedom's champion went astray.

XXV

For one may be a man of reason
And mind the beauty of his nails.
Why argue vainly with the season? —
For custom's rule o'er man prevails.
Now my Eugene, Chadáyev's double,
From jealous critics fearing trouble,
Was quite the pedant in his dress
And what we called a fop, no less.
At least three hours he peruses
His figure in the looking-glass;
Then through his dressing room he'll pass
Like flighty Venus when she chooses
In man's attire to pay a call
At masquerade or midnight ball.

XXVI

Your interest piqued and doubtless growing
In current fashions of *toilette*,
I might describe in terms more knowing
His clothing for the learned set.

Конечно б это было смело,
Описывать мое же дело:
Но *панталоны, фрак, жилет,*
Всех этих слов на русском нет;
А вижу я, винюсь пред вами,
Что уж и так мой бедный слог
Пестреть гораздо б меньше мог
Иноплеменными словами,
Хоть и заглядывал я встарь
В Академический Словарь.

XXVII

У нас теперь не то в предмете:
Мы лучше поспешим на бал,
Куда стремглав в ямской карете
Уж мой Онегин поскакал.
Перед померкшими домами
Вдоль сонной улицы рядами
Двойные фонари карет
Веселый изливают свет
И радуги на снег наводят;
Усеян плошками кругом,
Блестит великолепный дом;
По цельным окнам тени ходят,
Мелькают профили голов
И дам и модных чудаков.

XXVIII

Вот наш герой подъехал к сеням;
Швейцара мимо он стрелой
Взлетел по мраморным ступеням,
Расправил волоса рукой,
Вошел. Полна народу зала;
Музыка уж греметь устала;
Толпа мазуркой занята;
Кругом и шум и теснота;
Бренчат кавалергарда шпоры;
Летают ножки милых дам;
По их пленительным следам
Летают пламенные взоры,
И ревом скрыпок заглушен
Ревнивый шепот модных жен.

XXIX

Во дни веселий и желаний
Я был от балов без ума:
Верней нет места для признаний
И для вручения письма.

This might well seem an indiscretion,
Description, though, is my profession;
But *pantaloons, gilet,* and *frock* —
These words are hardly Russian stock;
And I confess (in public sorrow)
That as it is my diction groans
With far too many foreign loans;
But if indeed I overborrow,
I have of old relied upon
Our *Academic Lexicon.*

XXVII

But let's abandon idle chatter
And hasten rather to forestall
Our hero's headlong, dashing clatter
In hired coach towards the ball.
Before the fronts of darkened houses,
Along a street that gently drowses,
The double carriage lamps in rows
Pour forth their warm and cheerful glows
And on the snow make rainbows glitter.
One splendid house is all alight,
Its countless lampions burning bright;
While past its glassed-in windows flitter
In quick succession silhouettes
Of ladies and their modish pets.

XXVIII

But look, Onegin's at the gateway;
He's past the porter, up the stair,
Through marble entry rushes straightway,
Then runs his fingers through his hair,
And steps inside. The crush increases,
The droning music never ceases;
A bold mazurka grips the crowd,
The press intense, the hubbub loud;
The guardsman clinks his spurs and dances,
The charming ladies twirl their feet —
Enchanting creatures that entreat
A hot pursuit of flaming glances;
While muffled by the violin
The wives their jealous gossip spin.

XXIX

In days of dreams and dissipations
On balls I madly used to dote:
No surer place for declarations,
Or for the passing of a note.

О вы, почтенные супруги!
Вам предложу свои услуги;
Прошу мою заметить речь:
Я вас хочу предостеречь.
Вы также, маменьки, построже
За дочерьми смотрите вслед:
Держите прямо свой лорнет!
Не то... не то, избави Боже!
Я это потому пишу,
Что уж давно я не грешу.

XXX

Увы, на разные забавы
Я много жизни погубил!
Но если б не страдали нравы,
Я балы б до сих пор любил.
Люблю я бешеную младость,
И тесноту, и блеск, и радость,
И дам обдуманный наряд;
Люблю их ножки; только вряд
Найдете вы в России целой
Три пары стройных женских ног.
Ах! долго я забыть не мог
Две ножки... Грустный, охладелый,
Я всё их помню, и во сне
Они тревожат сердце мне.

XXXI

Когда ж и где, в какой пустыне,
Безумец, их забудешь ты?
Ах, ножки, ножки! где вы ныне?
Где мнете вешние цветы?
Взлелеяны в восточной неге,
На северном, печальном снеге
Вы не оставили следов:
Любили мягких вы ковров
Роскошное прикосновенье.
Давно ль для вас я забывал
И жажду славы и похвал,
И край отцов, и заточенье?
Исчезло счастье юных лет,
Как на лугах ваш легкий след.

XXXII

Дианы грудь, ланиты Флоры
Прелестны, милые друзья!
Однако ножка Терпсихоры
Прелестней чем-то для меня.

And so I offer, worthy spouses,
My services to save your houses:
I pray you, heed my sound advice,
A word of warning should suffice.
You too, you mamas, I commend you
To keep you daughters well in sight;
Don't lower your lorgnettes at night!
Or else... or else... may God defend you!
All this I now can let you know,
Since I dropped sinning long ago.

XXX

So much of life have I neglected
In following where pleasure calls!
Yet were not morals ill affected
I even now would worship balls.
I love youth's wanton, fevered madness,
The crush, the glitter, and the gladness,
The ladies' gowns so well designed;
I love their feet — although you'll find
That all of Russia scarcely numbers
Three pairs of shapely feet... And yet,
How long it took me to forget
Two special feet. And in my slumbers
They still assail a soul grown cold
And on my heart retain their hold.

XXXI

In what grim desert, madman, banished,
Will you at last cut memory's thread?
Ah, dearest feet, where have you vanished?
What vernal flowers do you tread?
Brought up in Oriental splendour,
You left no prints, no pressings tender,
Upon our mournful northern snow.
You loved instead to come and go
On yielding rugs in rich profusion;
While I — so long ago it seems! —
For your sake smothered all my dreams
Of glory, country, proud seclusion.
All gone are youth's bright years of grace,
As from the meadow your light trace.

XXXII

Diana's breast is charming, brothers,
And Flora's cheek, I quite agree;
But I prefer above these others
The foot of sweet Terpsichore.

Она, пророчествуя взгляду
Неоцененную награду,
Влечет условною красой
Желаний своевольный рой.
Люблю ее, мой друг Эльвина,
Под длинной скатертью столов,
Весной на мураве лугов,
Зимой на чугуне камина,
На зе́ркальном паркете зал,
У моря на граните скал.

XXXIII

Я помню море пред грозою:
Как я завидовал волнам,
Бегущим бурной чередою
С любовью лечь к ее ногам!
Как я желал тогда с волнами
Коснуться милых ног устами!
Нет, никогда средь пылких дней
Кипящей младости моей
Я не желал с таким мученьем
Лобзать уста младых Армид,
Иль розы пламенных ланит,
Иль перси, полные томленьем;
Нет, никогда порыв страстей
Так не терзал души моей!

XXXIV

Мне памятно другое время!
В заветных иногда мечтах
Держу я счастливое стремя...
И ножку чувствую в руках;
Опять кипит воображенье,
Опять ее прикосновенье
Зажгло в увядшем сердце кровь,
Опять тоска, опять любовь!..
Но полно прославлять надменных
Болтливой лирою своей;
Они не стоят ни страстей,
Ни песен, ими вдохновенных:
Слова и взор волшебниц сих
Обманчивы... как ножки их.

XXXV

Что ж мой Онегин? Полусонный
В постелю с бала едет он:
А Петербург неугомонный
Уж барабаном пробужден.

It hints to probing, ardent glances
Of rich rewards and peerless trances;
Its token beauty stokes the fires,
The wilful swarm of hot desires.
My dear Elvina, I adore it —
Beneath the table barely seen,
In springtime on the meadow's green,
In winter with the hearth before it,
Upon the ballroom's mirrored floor,
Or perched on granite by the shore.

XXXIII

I recollect the ocean rumbling:
O how I envied then the waves —
Those rushing tides in tumult tumbling
To fall about her feet like slaves!
1 longed to join the waves in pressing
Upon those feet these lips... caressing.
No, never midst the fiercest blaze
Of wildest youth's most fervent days
Was I so racked with yearning's anguish:
No maiden's lips were equal bliss,
No rosy cheek that I might kiss,
Or sultry breast on which to languish.
No, never once did passion's flood
So rend my soul, so flame my blood.

XXXIV

Another memory finds me ready:
In cherished dreams I sometimes stand
And hold the lucky stirrup steady,
Then feel her foot within my hand!
Once more imagination surges,
Once more that touch ignites and urges
The blood within this withered heart:
Once more the love... once more the dart!
But stop... Enough! My babbling lyre
Has overpraised these haughty things:
They're hardly worth the songs one sings
Or all the passions they inspire;
Their charming words and glances sweet
Are quite as faithless as their feet.

XXXV

But what of my Eugene? Half drowsing,
He drives to bed from last night's ball,
While Petersburg, already rousing,
Answers the drumbeat's duty call.

Встает купец, идет разносчик,
На биржу тянется извозчик,
С кувшином охтинка спешит,
Под ней снег утренний хрустит.
Проснулся утра шум приятный.
Открыты ставни; трубный дым
Столбом восходит голубым,
И хлебник, немец аккуратный,
В бумажном колпаке, не раз
Уж отворял свой *васисдас*.

XXXVI

Но, шумом бала утомленный
И утро в полночь обратя,
Спокойно спит в тени блаженной
Забав и роскоши дитя.
Проснется за́ полдень, и снова
До утра жизнь его готова,
Однообразна и пестра.
И завтра то же, что вчера.
Но был ли счастлив мой Евгений,
Свободный, в цвете лучших лет,
Среди блистательных побед,
Среди вседневных наслаждений?
Вотще ли был он средь пиров
Неосторожен и здоров?

XXXVII

Нет: рано чувства в нем остыли;
Ему наскучил света шум;
Красавицы не долго были
Предмет его привычных дум;
Измены утомить успели;
Друзья и дружба надоели,
Затем, что не всегда же мог
Beef-steaks и страсбургский пирог
Шампанской обливать бутылкой
И сыпать острые слова,
Когда болела голова;
И хоть он был повеса пылкой,
Но разлюбил он наконец
И брань, и саблю, и свинец.

XXXVIII

Недуг, которого причину
Давно бы отыскать пора,
Подобный английскому *сплину*,
Короче: русская *хандра*

The merchant's up, the pedlar scurries,
With jug in hand the milkmaid hurries,
Crackling the freshly fallen snow;
The cabby plods to hackney row.
In pleasant hubbub morn's awaking!
The shutters open, smoke ascends
In pale blue shafts from chimney ends.
The German baker's up and baking,
And more than once, in cotton cap,
Has opened up his window-trap.

XXXVI

But wearied by the ballroom's clamour,
He sleeps in blissful, sheer delight —
This child of comfort and of glamour,
Who turns each morning into night.
By afternoon he'll finally waken,
The day ahead all planned and taken:
The endless round, the varied game;
Tomorrow too will be the same.
But was he happy in the flower —
The very springtime of his days,
Amid his pleasures and their blaze,
Amid his conquests of the hour?
Or was he profligate and hale
Amid his feasts to no avail?

XXXVII

Yes, soon he lost all warmth of feeling:
The social buzz became a bore,
And all those beauties, once appealing,
Were objects of his thought no more.
Inconstancy grew too fatiguing;
And friends and friendship less intriguing;
For after all he couldn't drain
An endless bottle of champagne
To help those pies and beefsteaks settle,
Or go on dropping words of wit
With throbbing head about to split:
And so, for all his fiery mettle,
He did at last give up his love
Of pistol, sword, and ready glove.

XXXVIII

We still, alas, cannot forestall it —
This dreadful ailment's heavy toll;
The *spleen* is what the English call it,
We call it simply *Russian soul*.

Им овладела понемногу;
Он застрелиться, слава Богу,
Попробовать не захотел,
Но к жизни вовсе охладел.
Как *Child-Harold*, угрюмый, томный
В гостиных появлялся он;
Ни сплетни света, ни бостон,
Ни милый взгляд, ни вздох нескромный,
Ничто не трогало его,
Не замечал он ничего.

XXXIX. XL. XLI

. . . .
. . . .
. . . .

XLII

Причудницы большого света!
Всех прежде вас оставил он;
И правда то, что в наши лета
Довольно скучен высший тон;
Хоть, может быть, иная дама
Толкует Сея и Бентама,
Но вообще их разговор
Несносный, хоть невинный вздор;
К тому ж они так непорочны,
Так величавы, так умны,
Так благочестия полны,
Так осмотрительны, так точны,
Так неприступны для мужчин,
Что вид их уж рождает *сплин*.

XLIII

И вы, красотки молодые,
Которых позднею порой
Уносят дрожки удалые
По петербургской мостовой,
И вас покинул мой Евгений.
Отступник бурных наслаждений,
Онегин дома заперся,
Зевая, за перо взялся,
Хотел писать — но труд упорный
Ему был тошен; ничего
Не вышло из пера его,
И не попал он в цех задорный
Людей, о коих не сужу,
Затем, что к ним принадлежу.

'Twas this our hero had contracted;
And though, thank God, he never acted
To put a bullet through his head,
His former love of life was dead.
Like Byron's Harold, lost in trances,
Through drawing rooms he'd pass and stare;
But neither whist, nor gossip there,
Nor wanton sighs, nor tender glances —
No, nothing touched his sombre heart,
He noticed nothing, took no part.

(XXIX-XLI)

. . . .
. . . .
. . . .

XLII

Capricious belles of lofty station!
You were the first that he forswore;
For nowadays in our great nation,
The manner grand can only bore.
I wouldn't say that ladies never
Discuss a Say or Bentham — ever;
But generally, you'll have to grant,
Their talk's absurd, if harmless, cant.
On top of which, they're so unerring,
So dignified, so awfully smart,
So pious and so chaste of heart,
So circumspect, so strict in bearing,
So inaccessibly serene,
Mere sight of them brings on the spleen.

XLIII

You too, young mistresses of leisure,
Who late at night are whisked away
In racing droshkies bound for pleasure
Along the Petersburg *chaussée* —
He dropped you too in sudden fashion.
Apostate from the storms of passion,
He locked himself within his den
And, with a yawn, took up his pen
And tried to write. But art's exaction
Of steady labour made him ill,
And nothing issued from his quill;
So thus he failed to join the faction
Of writers — whom I won't condemn
Since, after all, I'm one of them.

XLIV

И снова, преданный безделью,
Томясь душевной пустотой,
Уселся он — с похвальной целью
Себе присвоить ум чужой;
Отрядом книг уставил полку,
Читал, читал, а всё без толку:
Там скука, там обман иль бред;
В том совести, в том смысла нет;
На всех различные вериги;
И устарела старина,
И старым бредит новизна.
Как женщин, он оставил книги,
И полку, с пыльной их семьей,
Задернул траурной тафтой.

XLV

Условий света свергнув бремя,
Как он, отстав от суеты,
С ним подружился я в то время.
Мне нравились его черты,
Мечтам невольная преданность,
Неподражательная странность
И резкий, охлажденный ум.
Я был озлоблен, он угрюм;
Страстей игру мы знали оба;
Томила жизнь обоих нас;
В обоих сердца жар угас;
Обоих ожидала злоба
Слепой Фортуны и людей
На самом утре наших дней.

XLVI

Кто жил и мыслил, тот не может
В душе не презирать людей;
Кто чувствовал, того тревожит
Призра́к невозвратимых дней:
Тому уж нет очарований,
Того змия воспоминаний,
Того раскаянье грызет.
Всё это часто придает
Большую прелесть разговору.
Сперва Онегина язык
Меня смущал; но я привык
К его язвительному спору,
И к шутке, с желчью пополам,
И злости мрачных эпиграмм.

XLIV

Once more an idler, now he smothers
The emptiness that plagues his soul
By making his the thoughts of others —
A laudable and worthy goal.
He crammed his bookshelf overflowing,
Then read and read — frustration growing:
Some raved or lied, and some were dense;
Some lacked all conscience; some, all sense;
Each with a different dogma girded;
The old was dated through and through,
While nothing new was in the new;
So books, like women, he deserted,
And over all that dusty crowd
He draped a linen mourning shroud.

XLV

I too had parted with convention,
With vain pursuit of worldly ends;
And when Eugene drew my attention,
I liked his ways and we made friends.
I liked his natural bent for dreaming,
His strangeness that was more than seeming,
The cold sharp mind that he possessed;
I was embittered, he depressed;
With passion's game we both were sated;
The fire in both our hearts was pale;
Our lives were weary, flat, and stale;
And for us both, ahead there waited —
While life was still but in its morn —
Blind fortune's malice and men's scorn.

XLVI

He who has lived as thinking being
Within his soul must hold men small;
He who can feel is always fleeing
The ghost of days beyond recall;
For him enchantment's deep infection
Is gone; the snake of recollection
And grim repentance gnaws his heart.
All this, of course, can help impart
Great charm to private conversation;
And though the language of my friend
At first disturbed me, in the end
I liked his caustic disputation —
His blend of banter and of bile,
His sombre wit and biting style.

XLVII

Как часто летнею порою,
Когда прозрачно и светло
Ночное небо над Невою
И вод веселое стекло
Не отражает лик Дианы,
Воспомня прежних лет романы,
Воспомня прежнюю любовь,
Чувствительны, беспечны вновь,
Дыханьем ночи благосклонной
Безмолвно упивались мы!
Как в лес зеленый из тюрьмы
Перенесен колодник сонный,
Так уносились мы мечтой
К началу жизни молодой.

XLVIII

С душою, полной сожалений,
И опершися на гранит,
Стоял задумчиво Евгений,
Как описал себя пиит.
Всё было тихо; лишь ночные
Перекликались часовые;
Да дрожек отдаленный стук
С Мильонной раздавался вдруг;
Лишь лодка, веслами махая,
Плыла по дремлющей реке:
И нас пленяли вдалеке
Рожок и песня удалая...
Но слаще, средь ночных забав,
Напев Торкватовых октав!

XLIX

Адриатические волны,
О Брента! нет, увижу вас
И, вдохновенья снова полный,
Услышу ваш волшебный глас!
Он свят для внуков Аполлона;
По гордой лире Альбиона
Он мне знаком, он мне родной.
Ночей Италии златой
Я негой наслажусь на воле,
С венецианкою младой,
То говорливой, то немой,
Плывя в таинственной гондоле;
С ней обретут уста мои
Язык Петрарки и любви.

XLVII

How often in the summer quarter,
When midnight sky is limpid-light
Above the Neva's placid water —
The river gay and sparkling bright,
Yet in its mirror not reflecting
Diana's visage — recollecting
The loves and intrigues of the past,
Alive once more and free at last,
We drank in silent contemplation
The balmy fragrance of the night!
Like convicts sent in dreaming flight
To forest green and liberation,
So we in fancy then were borne
Back to our springtime's golden morn.

XLVIII

Filled with his heart's regrets, and leaning
Against the rampart's granite shelf,
Eugene stood lost in pensive dreaming
(As once some poet drew himself).
The night grew still... with silence falling;
Only the sound of sentries calling,
Or suddenly from Million Street
Some distant droshky's rumbling beat;
Or floating on the drowsy river,
A lonely boat would sail along,
While far away some rousing song
Or plaintive horn would make us shiver.
But sweeter still, amid such nights,
Are Tasso's octaves' soaring flights.

XLIX

O Adriatic! Grand Creation!
O Brenta! I shall yet rejoice,
When, filled once more with inspiration,
1 hear at last your magic voice!
It's sacred to Apollo's choir;
Through Albion's great and haughty lyre
It speaks to me in words I know.
On soft Italian night I'll go
In search of pleasure's sweet profusion;
A fair Venetian at my side,
Now chatting, now a silent guide,
I'll float in gondola's seclusion;
And she my willing lips will teach
Both love's and Petrarch's ardent speech.

L

Придет ли час моей свободы?
Пора, пора! — взываю к ней;
Брожу над морем, жду погоды,
Маню ветрила кораблей.
Под ризой бурь, с волнами споря,
По вольному распутью моря
Когда ж начну я вольный бег?
Пора покинуть скучный брег
Мне неприязненной стихии
И средь полуденных зыбей,
Под небом Африки моей,
Вздыхать о сумрачной России,
Где я страдал, где я любил,
Где сердце я похоронил.

LI

Онегин был готов со мною
Увидеть чуждые страны;
Но скоро были мы судьбою
На долгий срок разведены.
Отец его тогда скончался.
Перед Онегиным собрался
Заимодавцев жадный полк.
У каждого свой ум и толк:
Евгений, тяжбы ненавидя,
Довольный жребием своим,
Наследство предоставил им,
Большой потери в том не видя
Иль предузнав издалека
Кончину дяди старика.

LII

Вдруг получил он в самом деле
От управителя доклад,
Что дядя при смерти в постеле
И с ним проститься был бы рад.
Прочтя печальное посланье,
Евгений тотчас на свиданье
Стремглав по почте поскакал
И уж заранее зевал,
Приготовляясь, денег ради,
На вздохи, скуку и обман
(И тем я начал мой роман);
Но, прилетев в деревню дяди,
Его нашел уж на столе,
Как дань готовую земле.

L

Will freedom come — and cut my tether?
It's time, it's time! I bid her hail;
I roam the shore, await fair weather,
And beckon to each passing sail.
O when, my soul, with waves contesting,
And caped in storms, shall I go questing
Upon the crossroads of the sea?
It's time to quit this dreary lee
And land of harsh, forbidding places;
And there, where southern waves break high,
Beneath my Africa's warm sky,
To sigh for sombre Russia's spaces,
Where first I loved, where first I wept,
And where my buried heart is kept.

LI

Eugene and I had both decided
To make the foreign tour we'd planned;
But all too soon our paths divided,
For fate took matters into hand.
His father died — quite unexpected,
And round Eugene there soon collected
The greedy horde demanding pay.
Each to his own, or so they say.
Eugene, detesting litigation
And quite contented with his fate,
Released to them the whole estate...
With no great sense of deprivation;
Perhaps he also dimly knew
His aged uncle's time was due.

LII

And sure enough a note came flying;
The bailif wrote as if on cue:
Onegin's uncle, sick and dying,
Would like to bid his heir adieu.
He gave the message one quick reading,
And then by post Eugene was speeding,
Already bored, to uncle's bed,
While thoughts of money filled his head.
He was prepared — like any craven —
To sigh, deceive, and play his part
(With which my novel took its start);
But when he reached his uncle's haven,
A laid-out corpse was what he found,
Prepared as tribute for the ground.

LIII

Нашел он полон двор услуги;
К покойнику со всех сторон
Съезжались недруги и други,
Охотники до похорон.
Покойника похоронили.
Попы и гости ели, пили
И после важно разошлись,
Как будто делом занялись.
Вот наш Онегин сельский житель,
Заводов, вод, лесов, земель
Хозяин полный, а досель
Порядка враг и расточитель,
И очень рад, что прежний путь
Переменил на что-нибудь.

LIV

Два дня ему казались новы
Уединенные поля,
Прохлада сумрачной дубровы,
Журчанье тихого ручья;
На третий роща, холм и поле
Его не занимали боле;
Потом уж наводили сон;
Потом увидел ясно он,
Что и в деревне скука та же,
Хоть нет ни улиц, ни дворцов,
Ни карт, ни балов, ни стихов.
Хандра ждала его на страже,
И бегала за ним она,
Как тень иль верная жена.

LV

Я был рожден для жизни мирной,
Для деревенской тишины:
В глуши звучнее голос лирный,
Живее творческие сны.
Досугам посвятясь невинным,
Брожу над озером пустынным,
И *far niente* мой закон.
Я каждым утром пробужден
Для сладкой неги и свободы:
Читаю мало, долго сплю,
Летучей славы не ловлю.
Не так ли я в былые годы
Провел в бездействии, в тени
Мои счастливейшие дни?

LIII

He found the manor fairly bustling
With those who'd known the now deceased;
Both friends and foes had come ahustling,
True lovers of a funeral feast.
They laid to rest the dear departed;
Then, wined and dined and heavy-hearted,
But pleased to have their duty done,
The priests and guests left one by one.
And here's Onegin — lord and master
Of woods and mills and streams and lands;
A country squire, there he stands,
That former wastrel and disaster;
And rather glad he was, it's true,
That he'd found something else to do.

LIV

For two full days he was enchanted
By lonely fields and burbling brook,
By sylvan shade that lay implanted
Within a cool and leafy nook.
But by the third he couldn't stick it:
The grove, the hill, the field, the thicket —
Quite ceased to tempt him any more
And, presently, induced a snore;
And then he saw that country byways —
With no great palaces, no streets,
No cards, no balls, no poets' feats —
Were just as dull as city highways;
And spleen, he saw, would dog his life,
Like shadow or a faithful wife.

LV

But I was born for peaceful roaming,
For country calm and lack of strife;
My lyre sings! And in the gloaming
My fertile fancies spring to life.
I give myself to harmless pleasures
And *far niente* rules my leisures:
Each morning early I'm awake
To wander by the lonely lake
Or seek some other sweet employment:
I read a little, often sleep,
For fleeting fame I do not weep.
And was it not in past enjoyment
Of shaded, idle times like this,
I spent my days of deepest bliss?

12*

LVI

Цветы, любовь, деревня, праздность,
Поля! я предан вам душой.
Всегда я рад заметить разность
Между Онегиным и мной,
Чтобы насмешливый читатель
Или какой-нибудь издатель
Замысловатой клеветы,
Сличая здесь мои черты,
Не повторял потом безбожно,
Что намарал я свой портрет,
Как Байрон, гордости поэт,
Как будто нам уж невозможно
Писать поэмы о другом,
Как только о себе самом.

LVII

Замечу кстати: все поэты —
Любви мечтательной друзья.
Бывало, милые предметы
Мне снились, и душа моя
Их образ тайный сохранила;
Их после муза оживила:
Так я, беспечен, воспевал
И деву гор, мой идеал,
И пленниц берегов Салгира.
Теперь от вас, мои друзья,
Вопрос нередко слышу я:
«О ком твоя вздыхает лира?
Кому, в толпе ревнивых дев,
Ты посвятил ее напев?

LVIII

Чей взор, волнуя вдохновенье,
Умильной лаской наградил
Твое задумчивое пенье?
Кого твой стих боготворил?»
И, други, никого, ей-богу!
Любви безумную тревогу
Я безотрадно испытал.
Блажен, кто с нею сочетал
Горячку рифм: он тем удвоил
Поэзии священный бред,
Петрарке шествуя вослед,
А муки сердца успокоил,
Поймал и славу между тем;
Но я, любя, был глуп и нем.

LVI

The country, love, green fields and flowers,
Sweet idleness! You have my heart.
With what delight I praise those hours
That set Eugene and me apart.
For otherwise some mocking reader
Or, God forbid, some wretched breeder
Of twisted slanders might combine
My hero's features here with mine
And then maintain the shameles fiction
That, like proud Byron, I have penned
A mere self-portrait in the end;
As if today, through some restriction,
We're no longer fit to write
On any theme but our own plight.

LVII

All poets, I need hardly mention,
Have drawn from love abundant themes;
I too have gazed in rapt attention
When cherished beings filled my dreams.
My soul preserved their secret features;
The Muse then made them living creatures:
Just so in carefree song I paid
My tribute to the mountain maid,
And sang the Salghir captives' praises.
And now, my friends, I hear once more
That question you have put before:
«For whom these sighs your lyre raises?
To whom amid the jealous throng
Do you today devote your song?

LVIII

«Whose gaze, evoking inspiration,
Rewards you with a soft caress?
Whose form, in pensive adoration,
Do you now clothe in sacred dress?»
Why no one, friends, as God's my witness,
For I have known too well the witless
And maddened pangs of love's refrain.
Oh, blest is he who joins his pain
To fevered rhyme: for thus he doubles
The sacred ecstasy of art;
Like Petrarch then, he calms the heart,
Subduing passion's host of troubles,
And captures worldly fame to boot! —
But I, in love, was dense and mute.

LIX

Прошла любовь, явилась муза,
И прояснился темный ум.
Свободен, вновь ищу союза
Волшебных звуков, чувств и дум;
Пишу, и сердце не тоскует,
Перо, забывшись, не рисует,
Близ неоконченных стихов,
Ни женских ножек, ни голов;
Погасший пепел уж не вспыхнет,
Я все грущу; но слез уж нет,
И скоро, скоро бури след
В душе моей совсем утихнет:
Тогда-то я начну писать
Поэму песен в двадцать пять.

LX

Я думал уж о форме плана,
И как героя назову;
Покамест моего романа
Я кончил первую главу;
Пересмотрел все это строго:
Противоречий очень много,
Но их исправить не хочу.
Цензуре долг свой заплачу,
И журналистам на съеденье
Плоды трудов моих отдам;
Иди же к невским берегам,
Новорожденное творенье,
И заслужи мне славы дань:
Кривые толки, шум и брань!

LIX

The Muse appeared as love was ending
And cleared the darkened mind she found.
Once free, I seek again the blending
Of feeling, thought, and magic sound.
I write... and want no more embraces;
My straying pen no longer traces,
Beneath a verse left incomplete,
The shapes of ladies' heads and feet.
Extinguished ashes won't rekindle,
And though I grieve, I weep no more;
And soon, quite soon, the tempest's core
Within my soul will fade and dwindle:
And *then* I'll write this world a song
That's five and twenty cantos long!

LX

I've drawn a plan and know what's needed,
The hero's named, the plotting's done;
And meantime I've just now completed
My present novel's Chapter One.
I've looked it over most severely;
It has its contradictions, clearly,
But I've no wish to change a line;
I'll grant the censor's right to shine
And send these fruits of inspiration
To feed the critics' hungry pen.
Fly to the Neva's water then,
My spirit's own newborn creation!
And earn me tribute paid to fame:
Distorted readings, noise, and blame!

ГЛАВА ВТОРАЯ

O rus!..
Hor.
О Русь!

I

Деревня, где скучал Евгений,
Была прелестный уголок;
Там друг невинных наслаждений
Благословить бы небо мог.
Господский дом уединенный,
Горой от ветров ограждённый,
Стоял над речкою. Вдали
Пред ним пестрели и цвели
Луга и нивы золотые,
Мелькали сёла; здесь и там
Стада бродили по лугам,
И сени расширял густые
Огромный, запущённый сад,
Приют задумчивых дриад.

II

Почтенный замок был построен,
Как замки строиться должны:
Отменно прочен и спокоен
Во вкусе умной старины.
Везде высокие покои,
В гостиной штофные обои,
Царей портреты на стенах,
И печи в пестрых изразцах.
Все это ныне обветшало,
Не знаю право почему;
Да, впрочем, другу моему
В том нужды было очень мало,
Затем, что он равно зевал
Средь модных и старинных зал.

CHAPTER TWO

O rus!..
(Horace)
O Rus'!

I

The place Eugene found so confining
Was quite a lovely country nest,
Where one who favoured soft reclining
Would thank his stars to be so blest.
The manor house, in proud seclusion,
Screened by a hill from wind's intrusion,
Stood by a river. Far away
Green meads and golden cornfields lay,
Lit by the sun and it paraded;
Small hamlets too the eye could see
And cattle wand'ring o'er the lea;
While near at hand, all dense and shaded,
A vast neglected garden made
A nook where pensive dryads played.

II

The ancient manse had been erected
For placid comfort — and to last;
And all its solid form reflected
The sense and taste of ages past.
Throughout the house the ceilings towered,
From walls ancestral portaits glowered;
The drawing room had rich brocades
And stoves of tile in many shades.
All this today seems antiquated —
I don't know why; but in the end
It hardly mattered to my friend,
For he'd become so fully jaded,
He yawned alike where'er he sat,
In ancient hall or modern flat.

III

Он в том покое поселился,
Где деревенский старожил
Лет сорок с ключницей бранился,
В окно смотрел и мух давил.
Всё было просто: пол дубовый,
Два шкафа, стол, диван пуховый,
Нигде ни пятнышка чернил.
Онегин шкафы отворил;
В одном нашел тетрадь расхода,
В другом наливок целый строй,
Кувшины с яблочной водой
И календарь осьмого года:
Старик, имея много дел,
В иные книги не глядел.

IV

Один среди своих владений,
Чтоб только время проводить,
Сперва задумал наш Евгений
Порядок новый учредить.
В своей глуши мудрец пустынный,
Ярем он барщины старинной
Оброком легким заменил;
И раб судьбу благословил.
Зато в углу своем надулся,
Увидя в этом страшный вред,
Его расчетливый сосед;
Другой лукаво улыбнулся,
И в голос все решили так,
Что он опаснейший чудак.

V

Сначала все к нему езжали;
Но так как с заднего крыльца
Обыкновенно подавали
Ему донского жеребца,
Лишь только вдоль большой дороги
Заслышит их домашни дроги, —
Поступком оскорбясь таким,
Все дружбу прекратили с ним.
«Сосед наш неуч; сумасбродит;
Он фармазон; он пьет одно
Стаканом красное вино;
Он дамам к ручке не подходит;
Все *да, да нет*; не скажет *да-с*
Иль *нет-с*». Таков был общий глас.

III

He settled where the former squire
For forty years had heaved his sighs,
Had cursed the cook in useless ire,
Stared out the window, and squashed the flies.
The furnishings were plain but stable:
A couch, two cupboards, and a table,
No spot of ink on oaken floors.
Onegin opened cupboard doors
And found in one a list of wages,
Some fruit liqueurs and applejack,
And in the next an almanac
From eighteen-eight with tattered pages;
The busy master never took
A glance in any other book.

IV

Alone amid his new possessions,
And merely as an idle scheme,
Eugene devised a few concessions
And introduced a new regime.
A backwoods genius, he commuted
The old *corvée* and substituted
A quitrent at a modest rate;
His peasants thanked their lucky fate,
But thrifty neighbours waxed indignant
And in their dens bewailed as one
The dreadful harm of what he'd done.
Still others sneered or turned malignant,
And everyone who chose to speak
Called him a menace and a freak.

V

At first the neighbours' calls were steady;
But when they learned that in the rear
Onegin kept his stallion ready
So he could quickly disappear
The moment one of them was sighted
Or heard approaching uninvited,
They took offence and, one and all,
They dropped him cold and ceased to call.
«The man's a boor, he's off his rocker.»
«Must be a Mason; drinks, they say...
Red wine, by tumbler, night and day!»
«Won't kiss a lady's hand, the mocker.»
«Won't call me «sir» the way he should.»
The general verdict wasn't good.

VI

В свою деревню в ту же пору
Помещик новый прискакал
И столь же строгому разбору
В соседстве повод подавал.
По имени Владимир Ленский,
С душою прямо геттингенской,
Красавец, в полном цвете лет,
Поклонник Канта и поэт.
Он из Германии туманной
Привез учености плоды:
Вольнолюбивые мечты,
Дух пылкий и довольно странный,
Всегда восторженную речь
И кудри черные до плеч.

VII

От хладного разврата света
Еще увянуть не успев,
Его душа была согрета
Приветом друга, лаской дев;
Он сердцем милый был невежда,
Его лелеяла надежда,
И мира новый блеск и шум
Еще пленяли юный ум.
Он забавлял мечтою сладкой
Сомненья сердца своего;
Цель жизни нашей для него
Была заманчивой загадкой,
Над ней он голову ломал
И чудеса подозревал.

VIII

Он верил, что душа родная
Соединиться с ним должна,
Что, безотрадно изнывая,
Его вседневно ждет она;
Он верил, что друзья готовы
За честь его приять оковы
И что не дрогнет их рука
Разбить сосуд клеветника;
Что есть избранные судьбами,
Людей священные друзья;
Что их бессмертная семья
Неотразимыми лучами,
Когда-нибудь, нас озарит
И мир блаженством одарит.

VI

Another squire chose this season
To reappear at his estate
And gave the neighbours equal reason
For scrutiny no less irate.
Vladímir Lénsky, just returning
From Göttingen with soulful yearning,
Was in his prime — a handsome youth
And poet filled with Kantian truth.
From misty Germany our squire
Had carried back the fruits of art:
A freedom-loving, noble heart,
A spirit strange but full of fire,
An always bold, impassioned speech,
And raven locks of shoulder reach.

VII

As yet unmarked by disillusion
Or chill corruption's deadly grasp,
His soul still knew the warm effusion
Of maiden's touch and friendship's clasp.
A charming fool at love's vocation,
He fed on hope's eternal ration;
The world's fresh glitter and its call
Still held his youthful mind in thrall;
He entertained with fond illusions
The doubts that plagued his heart and will;
The goal of life, he found, was still
A tempting riddle of confusions;
He racked his brains and rather thought
That miracles could still be wrought.

VIII

He knew a kindred soul was fated
To join her life to his career,
That even now she pined and waited,
Expecting he would soon appear.
And he believed that men would tender
Their freedom for his honour's splendour;
That friendly hands would surely rise
To shatter slander's cup of lies;
That there exists a holy cluster
Of chosen ones whom men should heed,
A happy and immortal breed,
Whose potent light in all its lustre
Would one day shine upon our race
And grant the world redeeming grace.

IX

Негодованье, сожаленье,
Ко благу чистая любовь
И славы сладкое мученье
В нем рано волновали кровь.
Он с лирой странствовал на свете;
Под небом Шиллера и Гете
Их поэтическим огнем
Душа воспламенилась в нем;
И муз возвышенных искусства,
Счастливец, он не постыдил:
Он в песнях гордо сохранил
Всегда возвышенные чувства,
Порывы девственной мечты
И прелесть важной простоты.

X

Он пел любовь, любви послушный,
И песнь его была ясна,
Как мысли девы простодушной,
Как сон младенца, как луна
В пустынях неба безмятежных,
Богиня тайн и вздохов нежных;
Он пел разлуку и печаль,
И *нечто*, и *туманну даль*,
И романтические розы;
Он пел те дальные страны,
Где долго в лоно тишины
Лились его живые слезы;
Он пел поблеклый жизни цвет
Без малого в осьмнадцать лет.

XI

В пустыне, где один Евгений
Мог оценить его дары,
Господ соседственных селений
Ему не нравились пиры;
Бежал он их беседы шумной,
Их разговор благоразумный
О сенокосе, о вине,
О псарне, о своей родне,
Конечно, не блистал ни чувством,
Ни поэтическим огнем,
Ни остротою, ни умом,
Ни общежития искусством;
Но разговор их милых жен
Гораздо меньше был умен.

IX

Compassion, noble indignation,
A perfect love of righteous ways,
And fame's delicious agitation
Had stirred his soul since early days.
He roamed the world with singing lyre
And found the source of lyric fire
Beneath the skies of distant lands,
From Goethe's and from Schiller's hands.
He never shamed, the happy creature,
The lofty Muses of his art;
He proudly sang with open heart
Sublime emotion's every feature,
The charm of gravely simple things,
And youthful hopes on youthful wings.

X

He sang of love, by love commanded,
A simple and affecting tune,
As clear as maiden thoughts, as candid
As infant slumber, as the moon
In heaven's peaceful desert flying,
That queen of secrets and of sighing.
He sang of parting and of pain,
Of something vague, of mists and rain;
He sang the rose, romantic flower,
And distant lands where once he'd shed
His living tears upon the bed
Of silence at a lonely hour;
He sang life's bloom gone pale and sere —
He'd almost reached his eighteenth year.

XI

Throughout that barren, dim dominion
Eugene alone could see his worth;
And Lensky formed a low opinion
Of neighbours' feasts and rounds of mirth;
He fled their noisy congregations
And found their solemn conversations —
Of liquor, and of hay brought in,
Of kennels, and of distant kin,
Devoid of any spark of feeling
Or hint of inner lyric grace;
Both wit and brains were out of place,
As were the arts of social dealing;
But then their charming wives he found
At talk were even less profound.

XII

Богат, хорош собою, Ленский
Везде был принят как жених;
Таков обычай деревенский;
Все дочек прочили своих
За *полурусского соседа*;
Взойдет ли он, тотчас беседа
Заводит слово стороной
О скуке жизни холостой;
Зовут соседа к самовару,
А Дуня разливает чай;
Ей шепчут: «Дуня, примечай!»
Потом приносят и гитару:
И запищит она (Бог мой!):
Приди в чертог ко мне златой!..

XIII

Но Ленский, не имев, конечно,
Охоты узы брака несть,
С Онегиным желал сердечно
Знакомство покороче свесть.
Они сошлись. Волна и камень,
Стихи и проза, лед и пламень
Не столь различны меж собой.
Сперва взаимной разнотой
Они друг другу были скучны;
Потом понравились; потом
Съезжались каждый день верхом
И скоро стали неразлучны.
Так люди (первый каюсь я)
От *делать* нечего друзья.

XIV

Но дружбы нет и той меж нами.
Все предрассудки истребя,
Мы почитаем всех нулями,
А единицами — себя.
Мы все глядим в Наполеоны;
Двуногих тварей миллионы
Для нас орудие одно;
Нам чувство дико и смешно.
Сноснее многих был Евгений;
Хоть он людей конечно знал
И вообще их презирал, —
Но (правил нет без исключений)
Иных он очень отличал
И вчуже чувство уважал.

XII

Well-of... and handsome in addition,
Young Lensky seemed the perfect catch;
And so, by countryside tradition,
They asked him round and sought to match
Their daughters with this semi-Russian.
He'd call — and right away discussion
Would touch obliquely on the point
That bachelors' lives were out of joint;
And then the guest would be invited
To take some tea while Dunya poured;
They whisper: «Dunya, don't look bored!» —
Then bring in her guitar, excited...
And then, good God, she starts to bawl:
«Come to my golden chamberhall!»

XIII

But Lensky, having no desire
For marriage bonds or wedding bell,
Had cordial hopes that he'd acquire
The chance to know Onegin well.
And so they met — like wave with mountain,
Like verse with prose, like flame with fountain:
Their natures distant and apart.
At first their differences of heart
Made meetings dull at one another's;
But then their friendship grew, and soon
They'd meet on horse each afternoon,
And in the end were close as brothers.
Thus people — so it seems to me —
Become good friends from sheer ennui.

XIV

But even friendships like our heroes'
Exist no more; for we've outgrown
All sentiments and deem men zeros —
Except of course ourselves alone.
We all take on Napoleon's features,
And millions of our fellow creatures
Are nothing more to us than tools...
Since feelings are for freaks and fools.
Eugene, of course, had keen perceptions
And on the whole despised mankind,
Yet wasn't, like so many, blind;
And since each rule permits exceptions,
He did respect a noble few,
And, cold himself, gave warmth its due.

XV

Он слушал Ленского с улыбкой.
Поэта пылкий разговор,
И ум, еще в сужденьях зыбкой,
И вечно вдохновенный взор, —
Онегину всё было ново;
Он охладительное слово
В устах старался удержать
И думал: глупо мне мешать
Его минутному блаженству;
И без меня пора придет;
Пускай покамест он живет
Да верит мира совершенству;
Простим горячке юных лет
И юный жар и юный бред.

XVI

Меж ими всё рождало споры
И к размышлению влекло:
Племен минувших договоры,
Плоды наук, добро и зло,
И предрассудки вековые,
И гроба тайны роковые,
Судьба и жизнь в свою чреду,
Все подвергалось их суду.
Поэт в жару своих суждений
Читал, забывшись, между тем
Отрывки северных поэм,
И снисходительный Евгений,
Хоть их не много понимал,
Прилежно юноше внимал.

XVII

Но чаще занимали страсти
Умы пустынников моих.
Ушед от их мятежной власти,
Онегин говорил об них
С невольным вздохом сожаленья.
Блажен, кто ведал их волненья
И наконец от них отстал;
Блаженней тот, кто их не знал,
Кто охлаждал любовь — разлукой,
Вражду — злословием; порой
Зевал с друзьями и с женой,
Ревнивой не тревожась мукой,
И дедов верный капитал
Коварной двойке не вверял.

XV

He smiled at Lensky's conversation.
Indeed the poet's fervent speech,
His gaze of constant inspiration,
His mind, still vacillant in reach —
All these were new and unexpected,
And so, for once, Eugene elected
To keep his wicked tongue in check,
And thought: What foolishness to wreck
The young man's blissful, brief infection;
Its time will pass without my knife,
So let him meanwhile live his life
Believing in the world's perfection;
Let's grant to fevered youthful days
Their youthful ravings and their blaze.

XVI

The two found everything a basis
For argument or food for thought:
The covenants of bygone races,
The fruits that learned science brought,
The prejudice that haunts all history,
The grave's eternal, fateful mystery,
And Good and Evil, Life and Fate —
On each in turn they'd ruminate.
The poet, lost in hot contention,
Would oft recite, his eyes ablaze,
Brief passages from Nordic lays;
Eugene, with friendly condescension,
Would listen with a look intense,
Although he seldom saw their sense.

XVII

More often, though, my two recluses
Would muse on passions and their flights.
Eugene, who'd fled their wild abuses,
Regretted still his past delights
And sighed, recalling their interment.
Oh, happy he who's known the ferment
Of passions and escaped their lot;
More happy he who knew them not,
Who cooled off love with separation
And enmity with harsh contempt;
Who yawned with wife and friends, exempt
From pangs of jealous agitation;
Who never risked his sound estate
Upon a deuce, that cunning bait.

XVIII

Когда прибегнем мы под знамя
Благоразумной тишины,
Когда страстей угаснет пламя,
И нам становятся смешны
Их своевольство иль порывы
И запоздалые отзывы, —
Смиренные не без труда,
Мы любим слушать иногда
Страстей чужих язык мятежный,
И нам он сердце шевелит.
Так точно старый инвалид
Охотно клонит слух прилежный
Рассказам юных усачей,
Забытый в хижине своей.

XIX

Зато и пламенная младость
Не может ничего скрывать.
Вражду, любовь, печаль и радость
Она готова разболтать.
В любви считаясь инвалидом,
Онегин слушал с важным видом,
Как, сердца исповедь любя,
Поэт высказывал себя;
Свою доверчивую совесть
Он простодушно обнажал.
Евгений без труда узнал
Его любви младую повесть,
Обильный чувствами рассказ,
Давно не новыми для нас.

XX

Ах, он любил, как в наши лета
Уже не любят; как одна
Безумная душа поэта
Еще любить осуждена:
Всегда, везде одно мечтанье,
Одно привычное желанье,
Одна привычная печаль.
Ни охлаждающая даль,
Ни долгие лета разлуки,
Ни музам данные часы,
Ни чужеземные красы,
Ни шум веселий, ни науки
Души не изменили в нем,
Согретой девственным огнем.

XVIII

When we at last turn into sages
And flock to tranquil wisdom's crest;
When passion's flame no longer rages,
And all the yearnings in our breast,
The wayward fits, the final surges,
Have all become mere comic urges,
And pain has made us humble men —
We sometimes like to listen then
As others tell of passions swelling;
They stir our hearts and fan the flame.
Just so a soldier, old and lame,
Forgotten in his wretched dwelling,
Will strain to hear with bated breath
The youngbloods' yarns of courting death.

XIX

But flaming youth in all its madness
Keeps nothing of its heart concealed:
Its loves and hates, its joy and sadness,
Are babbled out and soon revealed.
Onegin, who was widely taken
As one whom love had left forsaken,
Would listen gravely to the end
When self-expression gripped his friend;
The poet, feasting on confession,
Naively poured his secrets out;
And so Eugene learned all about
The course of youthful love's progression —
A story rich in feelings too,
Although to us they're hardly new.

XX

Ah yes, he loved in such a fashion
As men today no longer do;
As only poets, mad with passion,
Still love... because they're fated to.
He knew one constant source of dreaming,
One constant wish forever gleaming,
One ever-present cause for pain!
And neither distance, nor the chain
Of endless years of separation,
Nor pleasure's rounds, nor learning's well,
Nor foreign beauties' magic spell,
Nor yet the Muse, his true vocation,
Could alter Lensky's deep desire,
His soul aflame with virgin fire.

XXI

Чуть отрок, Ольгою плененный,
Сердечных мук еще не знав,
Он был свидетель умиленный
Ее младенческих забав;
В тени хранительной дубравы
Он разделял ее забавы,
И детям прочили венцы
Друзья-соседы, их отцы.
В глуши, под сенью смиренной,
Невинной прелести полна,
В глазах родителей, она
Цвела как ландыш потаенный,
Незнаемый в траве глухой
Ни мотыльками, ни пчелой.

XXII

Она поэту подарила
Младых восторгов первый сон,
И мысль об ней одушевила
Его цевницы первый стон.
Простите, игры золотые!
Он рощи полюбил густые,
Уединенье, тишину,
И ночь, и звезды, и луну,
Луну, небесную лампаду,
Которой посвящали мы
Прогулки средь вечерней тьмы,
И слезы, тайных мук отраду...
Но нынче видим только в ней
Замену тусклых фонарей.

XXIII

Всегда скромна, всегда послушна,
Всегда как утро весела,
Как жизнь поэта простодушна,
Как поцелуй любви мила,
Глаза как небо голубые,
Улыбка, локоны льняные,
Движенья, голос, легкий стан,
Всё в Ольге... но любой роман
Возьмите и найдете верно
Ее портрет: он очень мил,
Я прежде сам его любил,
Но надоел он мне безмерно.
Позвольте мне, читатель мой,
Заняться старшею сестрой.

XXI

When scarce a boy and not yet knowing
The torment of a heart in flames,
He'd been entranced by Olga growing
And fondly watched her girlhood games;
Beneath a shady park's protection
He'd shared her frolics with affection.
Their fathers, who were friends, had plans
To read one day their marriage banns.
And deep within her rustic bower,
Beneath her parents' loving gaze,
She blossomed in a maiden's ways —
A valley-lily come to flower
Off where the grass grows dense and high,
Unseen by bee or butterfly.

XXII

She gave the poet intimations
Of youthful ecstasies unknown,
And, filling all his meditations,
Drew forth his flute's first ardent moan.
Farewell, O golden games' illusion!
He fell in love with dark seclusion,
With stillness, stars, the lonely night,
And with the moon's celestial light —
That lamp to which we've consecrated
A thousand walks in evening's calm
And countless tears — the gentle balm
Of secret torments unabated....
Today, though, all we see in her
Is just another lantern's blur.

XXIII

Forever modest, meek in bearing,
As gay as morning's rosy dress,
Like any poet — open, caring,
As sweet as love's own soft caress;
Her sky-blue eyes, devoid of guile,
Her flaxen curls, her lovely smile,
Her voice, her form, her graceful stance,
Oh, Olga's every trait....But glance
In any novel — you'll discover
Her portrait there; it's charming, true;
I liked it once no less than you,
But round it boredom seems to hover;
And so, dear reader, grant me pause
To plead her elder sister's cause.

XXIV

Ее сестра звалась Татьяна...
Впервые именем таким
Страницы нежные романа
Мы своевольно освятим.
И что ж? оно приятно, звучно;
Но с ним, я знаю, неразлучно
Воспоминанье старины
Иль девичьей! Мы все должны
Признаться: вкусу очень мало
У нас и в наших именах
(Не говорим уж о стихах);
Нам просвещенье не пристало,
И нам досталось от него
Жеманство, — больше ничего.

XXV

Итак, она звалась Татьяной.
Ни красотой сестры своей,
Ни свежестью ее румяной
Не привлекла б она очей.
Дика, печальна, молчалива,
Как лань лесная боязлива,
Она в семье своей родной
Казалась девочкой чужой.
Она ласкаться не умела
К отцу, ни к матери своей;
Дитя сама, в толпе детей
Играть и прыгать не хотела
И часто целый день одна
Сидела молча у окна.

XXVI

Задумчивость, ее подруга
От самых колыбельных дней,
Теченье сельского досуга
Мечтами украшала ей.
Ее изнеженные пальцы
Не знали игл; склонясь на пяльцы,
Узором шелковым она
Не оживляла полотна.
Охоты властвовать примета,
С послушной куклою дитя
Приготовляется шутя
К приличию, закону света,
И важно повторяет ей
Уроки маменьки своей.

XXIV

Her sister bore the name Tatyana.
And we now press our wilful claim
To be the first who thus shall honour
A tender novel with that name.
Why not? I like its intonation;
It has, I know, association
With olden days beyond recall,
With humble roots and servants' hall;
But we must grant, though it offend us:
Our taste in names is less than weak
(Of verses I won't even speak);
Enlightenment has failed to mend us,
And all we've learned from its great store
Is affectation — nothing more.

XXV

So she was called Tatyana, reader.
She lacked that fresh and rosy tone
That made her sister's beauty sweeter
And drew all eyes to her alone.
A wild creature, sad and pensive,
Shy as a doe and apprehensive,
Tatyana seemed among her kin
A stranger who had wandered in.
She never learned to show affection,
To hug her parents — either one;
A child herself, for children's fun
She lacked the slightest predilection,
And oftentimes she'd sit all day
In silence at the window bay.

XXVI

But pensiveness, her friend and treasure
Through all her years since cradle days,
Adorned the course of rural leisure
By bringing dreams before her gaze.
She never touched a fragile finger
To thread a needle, wouldn't linger
Above a tambour to enrich
A linen cloth with silken stitch.
Mark how the world compels submission:
The little girl with docile doll
Prepares in play for protocol,
For every social admonition;
And to her doll, without demur,
Repeats what mama taught ot her.

XXVII

Но куклы даже в эти годы
Татьяна в руки не брала;
Про вести города, про моды
Беседы с нею не вела.
И были детские проказы
Ей чужды: страшные рассказы
Зимою в темноте ночей
Пленяли больше сердце ей.
Когда же няня собирала
Для Ольги на широкий луг
Всех маленьких ее подруг,
Она в горелки не играла,
Ей скучен был и звонкий смех,
И шум их ветреных утех.

XXVIII

Она любила на балконе
Предупреждать зари восход,
Когда на бледном небосклоне
Звезд исчезает хоровод,
И тихо край земли светлеет,
И, вестник утра, ветер веет,
И всходит постепенно день.
Зимой, когда ночная тень
Полмиром доле обладает,
И доле в праздной тишине,
При отуманенной луне,
Восток ленивый почивает,
В привычный час пробуждена
Вставала при свечах она.

XXIX

Ей рано нравились романы;
Они ей заменяли всё;
Она влюблялася в обманы
И Ричардсона и Руссо.
Отец ее был добрый малый,
В прошедшем веке запоздалый;
Но в книгах не видал вреда;
Он, не читая никогда,
Их почитал пустой игрушкой
И не заботился о том,
Какой у дочки тайный том
Дремал до утра под подушкой.
Жена ж его была сама
От Ричардсона без ума.

XXVII

But dolls were never Tanya's passion,
When she was small she didn't choose
To talk to them of clothes or fashion
Or tell them all the city news.
And she was not the sort who glories
In girlish pranks; but grisly stories
Quite charmed her heart when they were told
On winter nights all dark and cold.
Whenever nanny brought together
Young Olga's friends to spend the day,
Tatyana never joined their play
Or games of tag upon the heather;
For she was bored by all their noise,
Their laughing shouts and giddy joys.

XXVIII

Upon her balcony appearing,
She loved to greet Aurora's show,
When dancing stars are disappearing
Against the heavens' pallid glow,
When earth's horizon softly blushes,
And wind, the morning's herald, rushes,
And slowly day begins its flight.
In winter, when the shade of night
Still longer half the globe encumbers,
And 'neath the misty moon on high
An idle stillness rules the sky,
And late the lazy East still slumbers —
Awakened early none less,
By candlelight she'd rise and dress.

XXIX

From early youth she read romances,
And novels set her heart aglow;
She loved the fictions and the fancies
Of Richardson and of Rousseau.
Her father was a kindly fellow —
Lost in a past he found more mellow;
But still, in books he saw no harm,
And, though immune to reading's charm,
Deemed it a minor peccadillo;
Nor did he care what secret tome
His daughter read or kept at home
Asleep till morn beneath her pillow;
His wife herself, we ought to add,
For Richardson was simply mad.

XXX

Она любила Ричардсона
Не потому, чтобы прочла,
Не потому, чтоб Грандисона
Она Ловласу предпочла;
Но в старину княжна Алина,
Ее московская кузина,
Твердила часто ей об них.
В то время был еще жених
Ее супруг, но по неволе;
Она вздыхала по другом,
Который сердцем и умом
Ей нравился гораздо боле:
Сей Грандисон был славный франт,
Игрок и гвардии сержант.

XXXI

Как он, она была одета
Всегда по моде и к лицу;
Но, не спросясь ее совета,
Девицу повезли к венцу.
И, чтоб ее рассеять горе,
Разумный муж уехал вскоре
В свою деревню, где она,
Бог знает кем окружена,
Рвалась и плакала сначала,
С супругом чуть не развелась;
Потом хозяйством занялась,
Привыкла и довольна стала.
Привычка свыше нам дана:
Замена счастию она.

XXXII

Привычка усладила горе,
Не отразимое ничем;
Открытие большое вскоре
Ее утешило совсем:
Она меж делом и досугом
Открыла тайну, как супругом
Самодержавно управлять,
И всё тогда пошло на стать.
Она езжала по работам,
Солила на зиму грибы,
Вела расходы, брила лбы,
Ходила в баню по субботам,
Служанок била осердясь —
Все это мужа не спросясь.

XXX

It wasn't that she'd read him, really,
Nor was it that she much preferred
To Lovelace Grandison, but merely
That long ago she'd often heard
Her Moscow cousin, Princess Laura,
Go on about their special aura.
Her husband at the time was still
Her fiancé — against her will!
For she, in spite of family feeling,
Had someone else for whom she pined —
A man whose heart and soul and mind
She found a great deal more appealing;
This Grandison was fashion's pet,
A gambler and a guards cadet.

XXXI

About her clothes one couldn't fault her;
Like him, she dressed as taste decreed.
But then they led her to the altar
And never asked if she agreed.
The clever husband chose correctly
To take his grieving bride directly
To his estate, where first she cried
(With God knows whom on every side),
Then tossed about and seemed demented;
And almost even left her spouse;
But then she took to keeping house
And settled down and grew contented.
Thus heaven's gift to us is this:
That habit takes the place of bliss.

XXXII

'Twas only habit then that taught her
The way to master rampant grief;
And soon a great discovery brought her
A final and complete relief.
Betwixt her chores and idle hours
She learned to use her woman's powers
To rule the house as autocrat,
And life went smoothly after that.
She'd drive around to check the workers,
She pickled mushrooms for the fall,
She made her weekly bathhouse call,
She kept the books, she shaved the shirkers,
She beat the maids when she was cross —
And left her husband at a loss.

XXXIII

Бывало, писывала кровью
Она в альбомы нежных дев,
Звала Полиною Прасковью
И говорила нараспев,
Корсет носила очень узкий,
И русский *Н* как *N* французский
Произносить умела в нос;
Но скоро всё перевелось:
Корсет, альбом, княжну Алину,
Стишков чувствительных тетрадь
Она забыла: стала звать
Акулькой прежнюю Селину
И обновила наконец
На вате шлафор и чепец.

XXXIV

Но муж любил ее сердечно,
В ее затеи не входил,
Во всем ей веровал беспечно,
А сам в халате ел и пил;
Покойно жизнь его катилась;
Под вечер иногда сходилась
Соседей добрая семья,
Нецеремонные друзья,
И потужить и позлословить
И посмеяться кой о чем.
Проходит время; между тем
Прикажут Ольге чай готовить,
Там ужин, там и спать пора,
И гости едут со двора.

XXXV

Они хранили в жизни мирной
Привычки милой старины;
У них на масленице жирной
Водились русские блины;
Два раза в год они говели;
Любили круглые качели,
Подблюдны песни, хоровод;
В день Троицын, когда народ
Зевая слушает молебен,
Умильно на пучок зари
Они роняли слезки три;
Им квас как воздух был потребен,
И за столом у них гостям
Носили блюда по чинам.

XXXIII

She used to write, with blood, quotations
In maiden's albums, thought it keen
To speak in singsong intonations,
Would call Praskóvya «chère Pauline».
She laced her corset very tightly,
Pronounced a Russian *n* as slightly
As *n* in French... and through the nose;
But soon she dropped her city pose:
The corset, albums, chic relations,
The sentimental verses too,
Were quite forgot; she bid adieu
To all her foreign affectations,
And took at last to coming down
In just her cap and quilted gown.

XXXIV

And yet her husband loved her dearly;
In all her schemes he'd never probe;
He trusted all she did sincerely
And ate and drank in just his robe.
His life flowed on — quite calm and pleasant —
With kindly neighbours sometimes present
For hearty talk at evenfall,
Just casual friends who'd often call
To shake their heads, to prate and prattle,
To laugh a bit at something new;
And time would pass, till Olga'd brew
Some tea to whet their tittle-tattle;
Then supper came, then time for bed,
And off the guests would drive, well fed.

XXXV

Amid this peaceful life they cherished,
They held all ancient customs dear;
At Shrovetide feasts their table flourished
With Russian pancakes, Russian cheer;
Twice yearly too they did their fasting;
Were fond of songs for fortune-casting,
Of choral dances, garden swings.
At Trinity, when service brings
The people, yawning, in for prayer,
They'd shed a tender tear or two
Upon their buttercups of rue.
They needed *kvas* no less than air,
And at their table guests were served
By rank in turn as each deserved.

XXXVI

И так они старели оба.
И отворились наконец
Перед супругом двери гроба,
И новый он приял венец.
Он умер в час перед обедом,
Оплаканный своим соседом,
Детьми и верною женой
Чистосердечней, чем иной.
Он был простой и добрый барин,
И там, где прах его лежит,
Надгробный памятник гласит:
Смиренный грешник, Дмитрий Ларин,
Господний раб и бригадир,
Под камнем сим вкушает мир.

XXXVII

Своим пенатам возвращенный,
Владимир Ленский посетил
Соседа памятник смиренный,
И вздох он пеплу посвятил;
И долго сердцу грустно было.
«*Poor Yorick!* — молвил он уныло. —
Он на руках меня держал.
Как часто в детстве я играл
Его Очаковской медалью!
Он Ольгу прочил за меня,
Он говорил: дождусь ли дня?..»
И, полный искренней печалью,
Владимир тут же начертал
Ему надгробный мадригал.

XXXVIII

И там же надписью печальной
Отца и матери, в слезах,
Почтил он прах патриархальный...
Увы! на жизненных браздах
Мгновенной жатвой поколенья,
По тайной воле провиденья,
Восходят, зреют и падут;
Другие им вослед идут...
Так наше ветреное племя
Растет, волнуется, кипит
И к гробу прадедов теснит.
Придет, придет и наше время,
И наши внуки в добрый час
Из мира вытеснят и нас!

XXXVI

And thus they aged, as do all mortals.
Until at last the husband found
That death had opened wide its portals,
Through which he entered, newly crowned.
He died at midday's break from labour,
Lamented much by friend and neighbour,
By children and by faithful wife —
Far more than some who part this life.
He was a kind and simple *barin*,
And there where now his ashes lie
A tombstone tells the passer-by:
The humble sinner Dmitry Larin
A slave of God and Brigadier
Beneath this stone now resteth here.

XXXVII

Restored to home and its safekeeping,
Young Lensky came to cast an eye
Upon his neighbour's place of sleeping,
And mourned his ashes with a sigh.
And long he stood in sorrow aching;
«Poor Yorick!» then he murmured, shaking,
«How oft within his arms I lay,
How oft in childhood days I'd play
With his Ochakov decoration!
He destined Olga for my wife
And used to say: «Oh grant me, life,
To see the day!» ...In lamentation,
Right then and there Vladimir penned
A funeral verse for his old friend.

XXXVIII

And then with verse of quickened sadness
He honoured too, in tears and pain,
His parents' dust... their memory's gladness
Alas! Upon life's furrowed plain —
A harvest brief, each generation,
By fate's mysterious dispensation,
Arises, ripens, and must fall;
Then others too must heed the call.
For thus our giddy race gains power:
It waxes, stirs, turns seething wave,
Then crowds its forebears toward the grave.
And we as well shall face that hour
When one fine day our grandsons true
Straight out of life will crowd us too!

XXXIX

Покамест упивайтесь ею,
Сей легкой жизнию, друзья!
Ее ничтожность разумею
И мало к ней привязан я;
Для призраков закрыл я вежды;
Но отдаленные надежды
Тревожат сердце иногда:
Без неприметного следа
Мне было б грустно мир оставить.
Живу, пишу не для похвал;
Но я бы, кажется, желал
Печальный жребий свой прославить,
Чтоб обо мне, как верный друг,
Напомнил хоть единый звук.

XL

И чье-нибудь он сердце тронет;
И, сохраненная судьбой,
Быть может, в Лете не потонет
Строфа, слагаемая мной;
Быть может (лестная надежда!),
Укажет будущий невежда
На мой прославленный портрет
И молвит: то-то был поэт!
Прими ж мои благодаренья,
Поклонник мирных аонид,
О ты, чья память сохранит
Мои летучие творенья,
Чья благосклонная рука
Потреплет лавры старика!

XXXIX

So meanwhile, friends, enjoy your blessing:
This fragile life that hurries so!
Its worthlessness needs no professing,
And I'm not loathe to let it go;
I've closed my eyes to phantoms gleaming,
Yet distant hopes within me dreaming
Still stir my heart at times to flight:
I'd grieve to quit this world's dim light
And leave no trace, however slender.
I live, I write — not seeking fame;
And yet, I think, I'd wish to claim
For my sad lot its share of splendour —
At lest one note to linger long,
Recalling, like some friend, my song.

XL

And it may touch some heart with fire;
And thus preserved by fate's decree,
The stanza fashioned by my lyre
May yet not drown in Lethe's sea;
Perhaps (a flattering hope's illusion!)
Some future dunce with warm effusion
Will point my portrait out and plead:
«This was a poet, yes indeed!»
Accept my thanks and admiration,
You lover of the Muse's art,
O you whose mind shall know by heart
The fleeting works of my creation,
Whose cordial hand shall then be led
To pat the old man's laurelled head!

13*

ГЛАВА ТРЕТЬЯ

Elle était fille, elle était amoureuse.
Malfilâtre

I

«Куда? Уж эти мне поэты!»
— Прощай, Онегин, мне пора.
«Я не держу тебя; но где ты
Свои проводишь вечера?»
— У Лариных. — «Вот это чудно.
Помилуй! и тебе не трудно
Там каждый вечер убивать?»
— Нимало. — «Не могу понять.
Отселе вижу, что такое:
Во-первых (слушай, прав ли я?),
Простая, русская семья,
К гостям усердие большое,
Варенье, вечный разговор
Про дождь, про лён, про скотный двор...»

II

— Я тут еще беды не вижу.
«Да скука, вот беда, мой друг».
— Я модный свет ваш ненавижу;
Милее мне домашний круг,
Где я могу... — «Опять эклога!
Да полно, милый, ради Бога.
Ну что ж? ты едешь: очень жаль.
Ах, слушай, Ленский; да нельзя ль
Увидеть мне Филлиду эту,
Предмет и мыслей, и пера,
И слез, и рифм *et cetera*?..
Представь меня». — Ты шутишь. — «Нету!».
— Я рад. — «Когда же?» — Хоть сейчас.
Они с охотой примут нас.

CHAPTER THREE

> Elle était fille, elle était amoureuse.
> *Malfilâtre*

I

«Ah me, these poets... such a hurry!»
«Goodbye, Onegin... time I went.»
«Well, I won't keep you, have no worry,
But where are all your evenings spent?»
«The Larin place.» — «What reckless daring!
Good God, man, don't you find it wearing
Just killing time that way each night?»
«Why not at all.» — «Well, serves you right;
I've got the scene in mind so clearly:
For starters (tell me if I'm wrong),
A simple Russian family throng;
The guests all treated so sincerely;
With lots of jam and talk to spare.
On rain and flax and cattle care....»

II

«Well, where's the harm...the evening passes.»
«The boredom, brother, there's the harm.»
«Well, I despise your upper classes
And *like* the family circle's charm;
It's where I find...» — «More pastoral singing!
Enough, old boy, my ears are ringing!
And so you're off... forgive me then.
But tell me Lensky, how and when
I'll see this Phyllis so provoking —
Who haunts your thoughts and writer's quill,
Your tears and rhymes and what-you-will?
Present me, do.» — «You must be joking!»
«I'm not.» — «Well then, why not tonight?
They'll welcome us with great delight.»

III

Поедем. —
                    Поскакали други,
Явились; им расточены
Порой тяжелые услуги
Гостеприимной старины.
Обряд известный угощенья:
Несут на блюдечках варенья,
На столик ставят вощаной
Кувшин с брусничною водой,
. . . .
. . . .
. . . .
. . . .
. . . .
. . . .

IV

Они дорогой самой краткой
Домой летят во весь опор.
Теперь послушаем украдкой
Героев наших разговор:
— Ну что ж, Онегин? ты зеваешь. —
«Привычка, Ленский». — Но скучаешь
Ты как-то больше. — «Нет, равно,
Однако в поле уж темно;
Скорей! пошел, пошел, Андрюшка!
Какие глупые места!
А кстати: Ларина проста,
Но очень милая старушка;
Боюсь: брусничная вода
Мне не наделала б вреда.

V

Скажи: которая Татьяна?»
— Да та, которая грустна
И молчалива, как Светлана,
Вошла и села у окна. —
«Неужто ты влюблен в меньшую?»
— А что? — «Я выбрал бы другую,
Когда б я был, как ты, поэт.
В чертах у Ольги жизни нет.
Точь-в-точь в Вандиковой Мадонне:
Кругла, красна лицом она,
Как эта глупая луна
На этом глупом небосклоне».
Владимир сухо отвечал
И после во весь путь молчал.

III

«Let's go.»

        And so the friends departed —
And on arrival duly meet
That sometimes heavy, but good-hearted,
Old-fashioned Russian welcome treat.
The social ritual never changes:
The hostess artfully arranges
On little dishes her preserves,
And on her covered table serves
A drink of lingonberry flavour.
. . . .
. . . .
. . . .
. . . .
. . . .

IV

Now home's our heroes' destination,
As down the shortest road they fly;
Let's listen to their conversation
And use a furtive ear to spy.
«Why all these yawns, Onegin? Really!»
«Mere habit, Lensky.» — «But you're clearly
More bored than usual.» — «No, the same.
The fields are dark now, what a shame.
Come on, Andryúshka, faster, matey!
These stupid woods and fields and streams!
Oh, by the way, Dame Larin seems
A simple but a nice old lady;
I fear that lingonberry brew
May do me in before it's through.»

V

«But tell me, which one was Tatyana?»
«Why, she who with a wistful air —
All sad and silent like Svetlana —
Came in and took the window chair.»
«And really you prefer the other?»
«Why not?» — «Were I the poet, brother,
I'd chose the elder one instead —
Your Olga's look is cold and dead,
As in some dull, Van Dyck madonna;
So round and fair of face is she,
She's like that stupid moon you see,
Up in that stupid sky you honour.»
Vladimir gave a curt reply
And let the conversation die.

VI

Меж тем Онегина явленье
У Лариных произвело
На всех большое впечатленье
И всех соседей развлекло.
Пошла догадка за догадкой.
Все стали толковать украдкой,
Шутить, судить не без греха,
Татьяне прочить жениха;
Иные даже утверждали,
Что свадьба слажена совсем,
Но остановлена затем,
Что модных колец не достали.
О свадьбе Ленского давно
У них уж было решено.

VII

Татьяна слушала с досадой
Такие сплетни; но тайком
С неизъяснимою отрадой
Невольно думала о том;
И в сердце дума заронилась;
Пора пришла, она влюбилась.
Так в землю падшее зерно
Весны огнем оживлено.
Давно ее воображенье,
Сгорая негой и тоской,
Алкало пищи роковой;
Давно сердечное томленье
Теснило ей младую грудь;
Душа ждала... кого-нибудь,

VIII

И дождалась... Открылись очи;
Она сказала: это он!
Увы! теперь и дни и ночи,
И жаркий одинокий сон,
Всё полно им; всё деве милой
Без умолку волшебной силой
Твердит о нем. Докучны ей
И звуки ласковых речей,
И взор заботливой прислуги.
В уныние погружена,
Гостей не слушает она
И проклинает их досуги,
Их неожиданный приезд
И продолжительный присест.

VI

Meanwhile... Onegin's presentation
At Madame Larin's country seat
Produced at large a great sensation
And gave the neighbours quite a treat.
They all began to gossip slyly,
To joke and comment (rather wryly);
And soon the general verdict ran,
That Tanya'd finally found a man;
Some even knowingly conceded
That wedding plans had long been set,
The stylish rings the couple needed.
As far as Lensky's wedding stood,
They knew they'd settled *that* for good.

VII

Tatyana listened with vexation
To all this gossip; but it's true
That with a secret exultation,
Despite herself she wondered too;
And in her heart the thought was planted...
Until at last her fare was granted:
She fell in love. For thus indeed
Does spring awake the buried seed.
Long since her keen imagination,
With tenderness and pain imbued,
Had hungered for the fatal food;
Long since her heart's sweet agitation
Had choked her maiden breast too much:
Her soul awaited... someone's touch.

VIII

And now at last the wait has ended;
Her eyes have opened... seen his face!
And now, alas!... she lives attended –
All day, all night, in sleep's embrace –
By dreams of him; each passing hour
The world itself with magic power
But speaks of him. She cannot bear
The way the watchful servants stare,
Or stand the sound of friendly chatter.
Immersed in gloom beyond recall,
She pays no heed to guests at all,
And damns their idle ways and patter,
Their tendency to just drop in –
And talk all day once they begin.

IX

Теперь с каким она вниманьем
Читает сладостный роман,
С каким живым очарованьем
Пьет обольстительный обман!
Счастливой силою мечтанья
Одушевленные созданья,
Любовник Юлии Вольмар,
Малек-Адель и де Линар,
И Вертер, мученик мятежный,
И бесподобный Грандисон,
Который нам наводит сон, —
Все для мечтательницы нежной
В единый образ облеклись,
В одном Онегине слились.

X

Воображаясь героиней
Своих возлюбленных творцов,
Кларисой, Юлией, Дельфиной,
Татьяна в тишине лесов
Одна с опасной книгой бродит,
Она в ней ищет и находит
Свой тайный жар, свои мечты,
Плоды сердечной полноты,
Вздыхает и, себе присвоя
Чужой восторг, чужую грусть,
В забвенье шепчет наизусть
Письмо для милого героя...
Но наш герой, кто б ни был он,
Уж верно был не Грандисон.

XI

Свой слог на важный лад настроя,
Бывало, пламенный творец
Являл нам своего героя
Как совершенства образец.
Он одарял предмет любимый,
Всегда неправедно гонимый,
Душой чувствительной, умом
И привлекательным лицом.
Питая жар чистейшей страсти,
Всегда восторженный герой
Готов был жертвовать собой,
И при конце последней части
Всегда наказан был порок,
Добру достойный был венок.

IX

And now with what great concentration
To tender novels she retreats,
With what a vivid fascination
Takes in their ravishing deceits!
Those figures fancy has created
Her happy dreams have animated:
The lover of Julíe Wolmár,
Malék-Adhél and de Linár,
And Werther, that rebellious martyr,
And Grandison, the noble lord
(With whom today we're rather bored) —
All these our dreamy maiden's ardour
Has pictured with a single grace,
And seen in all... Onegin's face.

X

And then her warm imagination
Perceives herself as *heroïne* —
Some favourite author's fond creation:
Clarissa, Julia, or Delphine.
She wanders with her borrowed lovers
Through silent woods and so discovers
Within a book her heart's extremes,
Her secret passions, and her dreams.
She sighs... and in her soul possessing
Another's joy, another's pain,
She whispers in a soft refrain
The letter she would send caressing
Her hero... who was none the less
No Grandison in Russian dress.

XI

Time was, with grave and measured diction,
A fervent author used to show
The hero in his work of fiction
Endowed with bright perfection's glow.
He'd furnish his beloved child —
Forever hounded and reviled —
With tender soul and manly grace,
Intelligence and handsome face.
And nursing noble passion's rages,
The ever dauntless hero stood
Prepared to die for love of good;
And in the novel's final pages,
Deceitful vice was made to pay
And honest virtue won the day.

XII

А нынче все умы в тумане,
Мораль на нас наводит сон,
Порок любезен, и в романе,
И там уж торжествует он.
Британской музы небылицы
Тревожат сон отроковицы,
И стал теперь ее кумир
Или задумчивый Вампир,
Или Мельмот, бродяга мрачный,
Иль Вечный жид, или Корсар,
Или таинственный Сбогар.
Лорд Байрон прихотью удачной
Облек в унылый романтизм
И безнадежный эгоизм.

XIII

Друзья мои, что ж толку в этом?
Быть может, волею небес,
Я перестану быть поэтом,
В меня вселится новый бес,
И, Фебовы презрев угрозы,
Унижусь до смиренной прозы;
Тогда роман на старый лад
Займет веселый мой закат.
Не муки тайные злодейства
Я грозно в нем изображу,
Но просто вам перескажу
Преданья русского семейства,
Любви пленительные сны
Да нравы нашей старины.

XIV

Перескажу простые речи
Отца иль дяди-старика,
Детей условленные встречи
У старых лип, у ручейка;
Несчастной ревности мученья,
Разлуку, слезы примиренья,
Поссорю вновь, и наконец
Я поведу их под венец...
Я вспомню речи неги страстной,
Слова тоскующей любви,
Которые в минувши дни
У ног любовницы прекрасной
Мне приходили на язык,
От коих я теперь отвык.

XII

But now our minds have grown inactive,
We're put to sleep by talk of «sin»;
Our novels too make vice attractive,
And even there it seems to win.
It's now the British Muse's fables
That lie on maidens' bedside tables
And haunt their dreams. They worship now
The Vampire with his pensive brow,
Or gloomy Melmoth, lost and pleading,
The Corsair, or the Wandering Jew,
And enigmatic Sbogar too.
Lord Byron, his caprice succeeding,
Cloaked even hopeless egotism
In saturnine romanticism.

XIII

But what's the point? I'd like to know it.
Perhaps, my friends, by fate's decree,
I'll cease one day to be a poet —
When some new demon seizes me;
And scorning then Apollo's ire
To humble prose I'll bend my lyre:
A novel in the older vein
Will claim what happy days remain.
No secret crimes or passions gory
Shall I in grim detail portray,
But simply tell as best I may
A Russian family's age-old story,
A tale of lovers and their lot,
Of ancient customs unforgot.

XIV

I'll give a father's simple greetings,
An aged uncle's — in my book;
I'll show the children's secret meetings
By ancient lindens near the brook,
Their jealous torments, separation,
Their tears of reconciliation;
I'll make them quarrel yet again,
But lead them to the altar then.
I'll think up speeches tenderhearted,
Recall the words of passion's heat,
Those words with which — before the feet
Of some fair mistress long departed —
My heart and tongue once used to soar,
But which today I use no more.

XV

Татьяна, милая Татьяна!
С тобой теперь я слезы лью;
Ты в руки модного тирана
Уж отдала судьбу свою.
Погибнешь, милая; но прежде
Ты в ослепительной надежде
Блаженство темное зовешь,
Ты негу жизни узнаешь,
Ты пьешь волшебный яд желаний,
Тебя преследуют мечты:
Везде воображаешь ты
Приюты счастливых свиданий;
Везде, везде перед тобой
Твой искуситель роковой.

XVI

Тоска любви Татьяну гонит,
И в сад идет она грустить,
И вдруг недвижны очи клонит,
И лень ей далее ступить.
Приподнялася грудь, ланиты
Мгновенным пламенем покрыты,
Дыханье замерло́ в устах,
И в слухе шум, и блеск в очах...
Настанет ночь; луна обходит
Дозором дальный свод небес,
И соловей во мгле древес
Напевы звучные заводит.
Татьяна в темноте не спит
И тихо с няней говорит:

XVII

«Не спится, няня: здесь так душно!
Открой окно да сядь ко мне».
— Что, Таня, что с тобой? — «Мне скучно,
Поговорим о старине».
— О чем же, Таня? Я, бывало,
Хранила в памяти не мало
Старинных былей, небылиц
Про злых духов и про девиц;
А нынче всё мне тёмно, Таня:
Что знала, то забыла. Да,
Пришла худая череда!
Зашибло... — «Расскажи мне, няня,
Про ваши старые года:
Была ты влюблена тогда?»

XV

Tatyana, O my dear Tatyana!
I shed with you sweet tears too late;
Relying on a tyrant's honour,
You've now resigned to him your fate.
My dear one, you are doomed to perish;
But first in dazzling hope you nourish
And summon forth a sombre bliss,
You learn life's sweetness... feel its kiss,
And drink the draught of love's temptations,
As phantom daydreams haunt your mind:
On every side you seem to find
Retreats for happy assignations;
While everywhere before your eyes
Your fateful tempter's figure lies.

XVI

The ache of love pursues Tatyana;
She takes a garden path and sighs,
A sudden faintness comes upon her,
She can't go on, she shuts her eyes;
Her bosom heaves, her cheeks are burning,
Scarce-breathing lips grow still with yearning,
Her ears resound with ringing cries,
And sparkles dance before her eyes.
Night falls; the moon begins parading
The distant vault of heaven's hood;
The nightingale in darkest wood
Breaks out in mournful serenading.
Tatyana tosses through the night
And wakes her nurse to share her plight.

XVII

«I couldn't sleep... O nurse, it's stifling!
Put up the window... sit by me.»
«What ails you, Tanya?» — «Life's so trifling,
Come tell me how it used be.»
«Well, what about it? Lord, it's ages...
I must have known a thousand pages
Of ancient facts and fables too
'Bout evil ghosts and girls like you;
But nowadays I'm not so canny,
I can't remember much of late.
Oh, Tanya, it's a sorry state;
I get confused...» — «But tell me, nanny,
About the olden days... you know,
Were you in love then, long ago?»

XVIII

— И, полно, Таня! В эти лета
Мы не слыхали про любовь;
А то бы согнала со света
Меня покойница свекровь. —
«Да как же ты венчалась, няня?»
— Так, видно, Бог велел. Мой Ваня
Моложе был меня, мой свет,
А было мне тринадцать лет.
Недели две ходила сваха
К моей родне, и наконец
Благословил меня отец.
Я горько плакала со страха,
Мне с плачем косу расплели,
Да с пеньем в церковь повели.

XIX

И вот ввели в семью чужую...
Да ты не слушаешь меня... —
«Ах, няня, няня, я тоскую,
Мне тошно, милая моя:
Я плакать, я рыдать готова!..»
— Дитя мое, ты нездорова;
Господь помилуй и спаси!
Чего ты хочешь, попроси...
Дай окроплю святой водою,
Ты вся горишь... — «Я не больна:
Я... знаешь, няня... влюблена».
— Дитя мое, господь с тобою! —
И няня девушку с мольбой
Крестила дряхлою рукой.

XX

«Я влюблена», — шептала снова
Старушке с горестью она.
— Сердечный друг, ты нездорова.
«Оставь меня: я влюблена».
И между тем луна сияла
И томным светом озаряла
Татьяны бледные красы,
И распущенные власы,
И капли слез, и на скамейке
Пред героиней молодой,
С платком на голове седой,
Старушку в длинной телогрейке;
И все дремало в тишине
При вдохновительной луне.

XVIII

«Oh, come! Our world was quite another!
We'd never heard of love, you see.
Why, my good husband's sainted mother
Would just have been the death of me!»
«Then how'd you come to marry, nanny?»
«The will of God, I guess... My Danny
Was younger still than me, my dear,
And I was just thirteen that year.
The marriage maker kept on calling
For two whole weeks to see my kin,
Till father blessed me and gave in.
I got so scared... my tears kept falling;
And weeping, they undid my plait,
Then sang me to the churchyard gate.

XIX

«And so they took me off to stangers...
But you're not even listening, pet.»
«Oh, nanny, life's so full of dangers,
I'm sick at heart and all upset,
I'm on the verge of tears and wailing!»
«My goodness, girl, you must be ailing;
Dear Lord have mercy. God, I plead!
Just tell me, dearest, what you need.
I'll sprinkle you with holy water,
You're burning up!» — «Oh, do be still,
I'm... you know, nurse... in love, not ill.»
«The Lord be with you now, my daughter!»
And with her wrinkled hand the nurse
Then crossed the girl and mumbled verse.

XX

«Oh, I'm in love,» again she pleaded
With her old friend. «My little dove,
You're just not well, you're overheated.»
«Oh, let me be now... I'm in love.»
And all the while the moon was shining
And with its murky light defining
Tatyana's charms and pallid air,
Her long, unloosened braids of hair,
And drops of tears... while on a hassock,
Beside the tender maiden's bed,
A kerchief on her grizzled head,
Sat nanny in her quilted cassock;
And all the world in silence lay
Beneath the moon's seductive ray.

XXI

И сердцем далеко носилась
Татьяна, смотря на луну...
Вдруг мысль в уме ее родилась...
«Поди, оставь меня одну.
Дай, няня, мне перо, бумагу,
Да стол подвинь; я скоро лягу;
Прости». И вот она одна.
Все тихо. Светит ей луна.
Облокотясь, Татьяна пишет,
И все Евгений на уме,
И в необдуманном письме
Любовь невинной девы дышит.
Письмо готово, сложено...
Татьяна! для кого ж оно?

XXII

Я знал красавиц недоступных,
Холодных, чистых, как зима,
Неумолимых, неподкупных,
Непостижимых для ума;
Дивился я их спеси модной,
Их добродетели природной,
И, признаюсь, от них бежал,
И, мнится, с ужасом читал
Над их бровями надпись ада:
Оставь надежду навсегда.
Внушать любовь для них беда,
Пугать людей для них отрада.
Быть может, на брегах Невы
Подобных дам видали вы.

XXIII

Среди поклонников послушных
Других причудниц я видал,
Самолюбиво равнодушных
Для вздохов страстных и похвал.
И что ж нашел я с изумленьем?
Они, суровым поведеньем
Пугая робкую любовь,
Ее привлечь умели вновь,
По крайней мере, сожаленьем,
По крайней мере, звук речей
Казался иногда нежней,
И с легковерным ослепленьем
Опять любовник молодой
Бежал за милой суетой.

XXI

Far off Tatyana ranged in dreaming,
Bewitched by moonlight's magic curse...
And then a sudden thought came gleaming:
«I'd be alone now... leave me, nurse.
But give me first a pen and paper;
I won't be long... just leave the taper.
Good night.» She's now alone. All's still.
The moonlight shines upon her sill.
And propped upon an elbow, writing,
Tatyana pictures her Eugene,
And in a letter, rash and green,
Pours forth a maiden's blameless plighting.
The letter's ready — all but sent...
For whom, Tatyana, is it meant?

XXII

I've known great beauties proudly distant,
As cold and chaste as winter snow;
Implacable, to all resistant,
Impossible for mind to know;
I've marvelled at their haughty manner,
Their natural virtue's flaunted banner;
And I confess, from them I fled,
As if in terror I had read
Above their brows the sign of Hades:
Abandon Hope, Who Enter Here!
Their joy is striking men with fear,
For love offends these charming ladies.
Perhaps along the Neva's shore
You too have known such belles before.

XXIII

Why I've seen ladies so complacent
Before their loyal subjects' gaze,
That they would even grow impatient
With sighs of passion and with praise.
But what did I, amazed, discover?
On scaring off some timid lover
With stern behaviour's grim attack,
These creatures then would lure him back! —
By joining him at least in grieving,
By seeming in their words at least
More tender to the wounded beast;
And blind as ever, still believing,
The youthful lover with his yen
Would chase sweet vanity again.

XXIV

За что ж виновнее Татьяна?
За то ль, что в милой простоте
Она не ведает обмана
И верит избранной мечте?
За то ль, что любит без искусства,
Послушная влеченью чувства,
Что так доверчива она,
Что от небес одарена
Воображением мятежным,
Умом и волею живой,
И своенравной головой,
И сердцем пламенным и нежным?
Ужели не простите ей
Вы легкомыслия страстей?

XXV

Кокетка судит хладнокровно,
Татьяна любит не шутя
И предается безусловно
Любви, как милое дитя.
Не говорит она: отложим —
Любви мы цену тем умножим,
Вернее в сети заведем;
Сперва тщеславие кольнем
Надеждой, там недоуменьем
Измучим сердце, а потом
Ревнивым оживим огнем;
А то, скучая наслажденьем,
Невольник хитрый из оков
Всечасно вырваться готов.

XXVI

Еще предвижу затрудненья:
Родной земли спасая честь,
Я должен буду, без сомненья,
Письмо Татьяны перевесть.
Она по-русски плохо знала,
Журналов наших не читала
И выражалася с трудом
На языке своем родном,
Итак, писала по-французски...
Что делать! повторяю вновь:
Доныне дамская любовь
Не изъяснялася по-русски,
Доныне гордый наш язык
К почтовой прозе не привык.

XXIV

So why is Tanya, then, more tainted?
Is it because her simple heart
Believes the chosen dream she's painted
And in deceit will take no part?
Because she heeds the call of passion
In such an honest, artless fashion?
Because she's trusting more than proud,
And by the Heavens was endowed
With such a rashness in surrender,
With such a lively mind and will,
And with a spirit never still,
And with a heart that's warm and tender?
But can't you, friends, forgive her, pray,
The giddiness of passion's sway?

XXV

The flirt will always reason coldly;
Tatyana's love is deep and true:
She yields without conditions, boldly —
As sweet and trusting children do.
She does not say: «Let's wait till later
To make love's value all the greater
And bind him tighter with our rope;
Let's prick vainglory first with hope,
And then with doubt in fullest measure
We'll whip his heart, and when it's tame...
Revive it with a jealous flame;
For ortherwise, grown bored with pleasure,
The cunning captive any day
Might break his chains and slip away.»

XXVI

I face another complication:
My country's honour will demand
Without a doubt a full translation
Of Tanya's letter from my hand.
She knew the Russian language badly,
Ignored our journals all too gladly,
And in her native tongue, I fear,
Could barely make her meaning clear;
And so she turned for love's discussion
To French... There's nothing I can do!
A lady's love, I say to you,
Has never been expressed in Russian;
Our mighty tongue, God only knows,
Has still not mastered postal prose.

XXVII

Я знаю: дам хотят заставить
Читать по-русски. Право, страх!
Могу ли их себе представить
С «Благонамеренным» в руках!
Я шлюсь на вас, мои поэты;
Не правда ль: милые предметы,
Которым, за свои грехи,
Писали втайне вы стихи,
Которым сердце посвящали,
Не все ли, русским языком
Владея слабо и с трудом,
Его так мило искажали,
И в их устах язык чужой
Не обратился ли в родной?

XXVIII

Не дай мне Бог сойтись на бале
Иль при разъезде на крыльце
С семинаристом в желтой шале
Иль с академиком в чепце!
Как уст румяных без улыбки,
Без грамматической ошибки
Я русской речи не люблю.
Быть может, на беду мою,
Красавиц новых поколенье,
Журналов вняв молящий глас,
К грамматике приучит нас;
Стихи введут в употребленье;
Но я... какое дело мне?
Я верен буду старине.

XXIX

Неправильный, небрежный лепет,
Неточный выговор речей
По-прежнему сердечный трепет
Произведут в груди моей;
Раскаяться во мне нет силы,
Мне галлицизмы будут милы,
Как прошлой юности грехи,
Как Богдановича стихи.
Но полно. Мне пора заняться
Письмом красавицы моей;
Я слово дал, и что ж? ей-ей,
Теперь готов уж отказаться.
Я знаю: нежного Парни
Перо не в моде в наши дни.

XXVII

Some would that ladies be required
To read in Russian. Dread command!
Why, I can picture them — inspired,
The Good Samaritan in hand!
I ask you now to tell me truly,
You poets who have sinned unduly:
Have not those creatures you adore,
Those objects of your verse... and more,
Been weak at Russian conversation?
And have they not, the charming fools,
Distorted sweetly all the rules
Of usage and pronunciation;
While yet a foreign language slips
With native glibness from their lips?

XXVIII

God spare me from the apparition,
On leaving some delightful ball,
Of bonneted Academician
Or scholar in a yellow shawl!
I find a faultless Russian style
Like crimson lips without a smile,
Mistakes in grammar charm the mind.
Perhaps (if fate should prove unkind!)
This generation's younger beauties,
Responding to our journals' call,
With grammar may delight us all,
And verses will be common duties.
But what care I for all they do?
To former ways I'll still be true.

XXIX

A careless drawl, a tiny stutter,
Some imprecision of the tongue —
Can still produce a lovely flutter
Within this breast no longer young;
I lack the strength for true repentance,
And Gallicisms in a sentence
Seem sweet as youthful sins remote,
Or verse that Bogdanóvich wrote.
But that will do. My beauty's letter
Must occupy my pen for now;
I gave my word, but, Lord, I vow,
Retracting it would suit me better.
I know that gentle Parny's lays
Are out of fashion nowadays.

XXX

Певец Пиров и грусти томной,
Когда б еще ты был со мной,
Я стал бы просьбою нескромной
Тебя тревожить, милый мой:
Чтоб на волшебные напевы
Переложил ты страстной девы
Иноплеменные слова.
Где ты? приди: свои права
Передаю тебе с поклоном...
Но посреди печальных скал,
Отвыкнув сердцем от похвал,
Один, под финским небосклоном,
Он бродит, и душа его
Не слышит горя моего.

XXXI

Письмо Татьяны предо мною;
Его я свято берегу,
Читаю с тайною тоскою
И начитаться не могу.
Кто ей внушал и эту нежность,
И слов любезную небрежность?
Кто ей внушал умильный вздор,
Безумный сердца разговор,
И увлекательный и вредный?
Я не могу понять. Но вот
Неполный, слабый перевод,
С живой картины список бледный
Или разыгранный Фрейшиц
Перстами робких учениц:

Письмо Татьяны
к Онегину

Я к вам пишу — чего же боле?
Что я могу еще сказать?
Теперь, я знаю, в вашей воле
Меня презреньем наказать.
Но вы, к моей несчастной доле
Хоть каплю жалости храня,
Вы не оставите меня.
Сначала я молчать хотела;
Поверьте: моего стыда
Вы не узнали б никогда,
Когда б надежду я имела
Хоть редко, хоть в неделю раз

XXX

Bard of *The Feasts* and languid sorrow,
If you were with me still, my friend,
Immodestly I'd seek to borrow
Your genius for a worthy end:
I'd have you with your art refashion
A maiden's foreign words of passion
And make them magic songs anew.
Where are you? Come! I bow to you
And yield my rights to love's translation....
But there beneath the Finnish sky,
Amid those mournful crags on high,
His heart grown deaf to commendation —
Alone upon his way he goes
And does not heed my present woes.

XXXI

Tatyana's letter lies beside me,
And revently I guard it still;
I read it with an ache inside me
And cannot ever read my fill.
Who taught her then this soft surrender,
This careless gift for waxing tender,
This touching whimsy free of art,
This raving discourse of the heart —
Enchanting, yet so fraught with trouble?
I'll never know. But none the less,
I give it here in feeble dress:
A living picture's pallid double,
Or *Freishütz* played with timid skill
By fingers that are learning still.

Tatyana's Letter
to Onegin

I'm writing you this declaration —

What more can I in candour say?
It may be now your inclination
To scorn me and to turn away;
But if my hapless situation
Evokes some pity for my woe,
You won't abandon me, I know.
I first tried silence and evasion;
Believe me, you'd have never learned
My secret shame, had I discerned
The slightest hope that on occasion —

В деревне нашей видеть вас,
Чтоб только слышать ваши речи,
Вам слово молвить, и потом
Всё думать, думать об одном
И день и ночь до новой встречи.
Но говорят, вы нелюдим;
В глуши, в деревне всё вам скучно,
А мы... ничем мы не блестим,
Хоть вам и рады простодушно.

Зачем вы посетили нас?
В глуши забытого селенья
Я никогда не знала б вас,
Не знала б горького мученья.
Души неопытной волненья
Смирив со временем (как знать?),
По сердцу я нашла бы друга,
Была бы верная супруга
И добродетельная мать.

Другой!.. Нет, никому на свете
Не отдала бы сердца я!
То в вышнем суждено совете...
То воля неба: я твоя;
Вся жизнь моя была залогом
Свиданья верного с тобой;
Я знаю, ты мне послан Богом,
До гроба ты хранитель мой...
Ты в сновиденьях мне являлся,
Незримый, ты мне был уж мил,
Твой чудный взгляд меня томил,
В душе твой голос раздавался
Давно... нет, это был не сон!
Ты чуть вошел, я вмиг узнала,
Вся обомлела, запылала
И в мыслях молвила: вот он!
Не правда ль? я тебя слыхала:
Ты говорил со мной в тиши,
Когда я бедным помогала
Или молитвой услаждала
Тоску волнуемой души?
И в это самое мгновенье
Не ты ли, милое виденье,
В прозрачной темноте мелькнул,
Приникнул тихо к изголовью?
Не ты ль, с отрадой и любовью,
Слова надежды мне шепнул?

But once a week — I'd see your face,
Behold you at our country place,
Might hear you speak a friendly greeting,
Could say a word to you; and then,
Could dream both day and night again
Of but one thing, till our next meeting.
They say you like to be alone
And find the country unappealing;
We lack, I know, a worldly tone,
But still, we welcome you with feeling.

Why did you ever come to call?
In this forgotten country dwelling
I'd not have known you then at all,
Nor known this bitter heartache's swelling.
Perhaps, when time had helped in quelling
The girlish hopes on which I fed,
I might have found (who knows?) another
And been a faithful wife and mother,
Contented with the life I led.

Another! No! In all creation
There's no one else whom I'd adore;
The heavens chose my destination
And made me thine for evermore!
My life till now has been a token
In pledge of meeting you, my friend;
And in your coming, God has spoken,
You'll be my guardian till the end...
You filled my dreams and sweetest trances;
As yet unseen, and yet so dear,
You stirred me with your wondrous glances,
Your voice within my soul rang clear....
And then dream came true for me!
When you came in, I seemed to waken,
I turned to flame, I felt all shaken,
And in my heart I cried: It's he!
And was it you I heard replying
Amid the stillness of the night,
Or when I helped the poor and dying,
Or turned to heaven, softly crying,
And said a prayer to soothe my plight?
And even now, my dearest vision,
Did I not see your apparition
Flit softly through this lucent night?
Was it not you who seemed to hover
Above my bed, a gentle lover,

Кто ты, мой ангел ли хранитель,
Или коварный искуситель:
Мои сомненья разреши.
Быть может, это всё пустое,
Обман неопытной души!
И суждено совсем иное...
Но так и быть! Судьбу мою
Отныне я тебе вручаю,
Перед тобою слезы лью,
Твоей защиты умоляю...
Вообрази: я здесь одна,
Никто меня не понимает,
Рассудок мой изнемогает,
И молча гибнуть я должна.
Я жду тебя: единым взором
Надежды сердца оживи
Иль сон тяжелый перерви,
Увы, заслуженным укором!

Кончаю! Страшно перечесть...
Стыдом и страхом замираю...
Но мне порукой ваша честь,
И смело ей себя вверяю...

XXXII

Татьяна то вздохнет, то охнет;
Письмо дрожит в ее руке;
Облатка розовая сохнет
На воспаленном языке.
К плечу головушкой склонилась.
Сорочка легкая спустилась
С ее прелестного плеча...
Но вот уж лунного луча
Сиянье гаснет. Там долина
Сквозь пар яснеет. Там поток
Засеребрился; там рожок
Пастуший будит селянина.
Вот утро: встали все давно,
Моей Татьяне всё равно.

XXXIII

Она зари не замечает,
Сидит с поникшею главой
И на письмо не напирает
Своей печати вырезной.

To whisper hope and sweet delight?
Are you my angel of salvation
Or hell's own demon of tempation?
Be kind and send my doubts away;
For this may all be mere illusion,
The things a simple girl would say,
While Fate intends no grand conclusion...
So be it then! Henceforth I place
My faith in you and your affection;
I plead with tears upon my face
And beg you for your kind protection.
You cannot know: I'm so alone,
There's no one here to whom I've spoken,
My mind and will are almost broken,
And I must die without a moan.
I wait for you... and your decision:
Revive my hopes with but a sign,
Or halt this heavy dream of mine —
Alas, with well-deserved derision!

   I close. I dare not now reread...
I shrink with shame and fear. But surely,
Your honour's all the pledge I need,
And I submit to it securely.

XXXII

The letter trembles in her fingers;
By turns Tatyana groans and sighs.
The rosy sealing wafer lingers
Upon her fevered tongue and dries.
Her head is bowed, as if she's dozing;
Her light chemise has slipped, exposing
Her lovely shoulder to the night.
But now the moonbeams' glowing light
Begins to fade. The vale emerges
Above the mist. And now the stream
In silver curves begins to gleam.
The shepherd's pipe resounds and urges
The villager to rise. It's morn!
My Tanya, though, is so forlorn.

XXXIII

She takes no note of dawn's procession.
Just sits with lowered head, remote;
Nor does she put her seal's impression

Но, дверь тихонько отпирая,
Уж ей Филипьевна седая
Приносит на подносе чай.
«Пора, дитя мое, вставай:
Да ты, красавица, готова!
О пташка ранняя моя!
Вечор уж как боялась я!
Да, слава Богу, ты здорова!
Тоски ночной и следу нет,
Лицо твое как маков цвет».

XXXIV

— Ах! няня, сделай одолженье. —
«Изволь, родная, прикажи».
— Не думай... право... подозренье...
Но видишь... ах! не откажи. —
«Мой друг, вот Бог тебе порука».
— Итак, пошли тихонько внука
С запиской этой к О... к тому...
К соседу... да велеть ему,
Чтоб он не говорил ни слова,
Чтоб он не называл меня... —
«Кому же, милая моя?
Я нынче стала бестолкова.
Кругом соседей много есть;
Куда мне их и перечесть».

XXXV

— Как недогадлива ты, няня! —
«Сердечный друг, уж я стара,
Стара; тупеет разум, Таня;
А то, бывало, я востра,
Бывало, слово барской воли...»
— Ах, няня, няня! до того ли?
Что нужды мне в твоем уме?
Ты видишь, дело о письмо
К Онегину. — «Ну, дело, дело.
Не гневайся, душа моя,
Ты знаешь, непонятна я...
Да что ж ты снова побледнела?»
— Так, няня, право ничего.
Пошли же внука своего.

XXXVI

Но день протек, и нет ответа.
Другой настал: всё нет как нет.
Бледна как тень, с утра одета,
Татьяна ждет: когда ж ответ?

Upon the letter that she wrote.
But now her door is softly swinging:
It's grey Filátievna, who's bringing
Her morning tea upon a tray.
«It's time, my sweet, to greet the day;
Why, pretty one, you're up already!
You're still my little early bird!
Last night you scared me, 'pon my word!
But thank the Lord, you seem more steady;
No trace at all of last night's fret,
Your cheeks are poppies now, my pet.»

XXXIV

«Oh, nurse, a favour, please... and hurry!»
«Why, sweetheart, anything you choose.»
«You mustn't think... and please don't worry...
But see... Oh, nanny, don't refuse!»
«As God's my witness, dear, I promise.»
«Then send your grandson, little Thomas,
To take this note of mine to O — —,
Our neighbour, nurse, the one... you know!
And tell him that he's not to mention
My name, or breathe a single word....
«But who's it for, my little bird?
I'm trying hard to pay attention;
But we have lots of neighbours call,
I couldn't even count them all.»

XXXV

«Oh nurse, your wits are all befuddled!»
«But, sweetheart, I've grown old... I mean...
I'm old; my mind... it does get muddled.
There was a time when I was keen,
There just the master's least suggestion....»
«Oh, nanny, please, that's not the question,
It's not your mind I'm talking of,
I'm thinking of Onegin, love;
This note's to him.» — «Now don't get riled,
You know these days I'm not so clear,
I'll take the letter, never fear.
But you've gone pale again, my child!»
«It's nothing, nanny, be at ease,
Just send your grandson, will you please.»

XXXVI

The day wore on, no word came flying.
Another fruitless day went by.
All dressed since dawn, dead-pale and sighing,

Приехал Ольгин обожатель.
«Скажите: где же ваш приятель? —
Ему вопрос хозяйки был. —
Он что-то нас совсем забыл».
Татьяна, вспыхнув, задрожала.
— Сегодня быть он обещал, —
Старушке Ленский отвечал, —
Да, видно, почта задержала. —
Татьяна потупила взор,
Как будто слыша злой укор.

XXXVII

Смеркалось; на столе, блистая,
Шипел вечерний самовар,
Китайский чайник нагревая;
Под ним клубился легкий пар.
Разлитый Ольгиной рукою,
По чашкам темною струею
Уже душистый чай бежал,
И сливки мальчик подавал;
Татьяна пред окном стояла,
На стекла хладные дыша,
Задумавшись, моя душа,
Прелестным пальчиком писала
На отуманенном стекле
Заветный вензель *О* да *Е.*

XXXVIII

И между тем душа в ней ныла,
И слез был полон томный взор.
Вдруг топот!.. кровь ее застыла.
Вот ближе! скачут... и на двор
Евгений! «Ах!» — и легче тени
Татьяна прыг в другие сени,
С крыльца на двор, и прямо в сад,
Летит, летит; взглянуть назад
Не смеет; мигом обежала
Куртины, мостики, лужок,
Аллею к озеру, лесок,
Кусты сирен переломала,
По цветникам летя к ручью,
И, задыхаясь, на скамью

XXXIX

Упала...

      «Здесь он! здесь Евгений!
О Боже! что подумал он!»
В ней сердце, полное мучений,
Хранит надежды темный сон;

Tatyana waits: will he reply?
Then Olga's suitor came a-wooing.
«But tell me, what's your friend been doing?»
Asked Tanya's mother, full of cheer;
«He's quite forgotten us, I fear.»
Tatyana blushed and trembled gently.
«He promised he would come today,»
Said Lensky in his friendly way,
«The mail has kept him evidently.»
Tatyana bowed her head in shame,
As if they all thought her to blame.

XXXVII

'Twas dusk; and on the table, gleaming,
The evening samovar grew hot;
It hissed and sent its vapour steaming
In swirls about the china pot.
And soon the fragrant tea was flowing
As Olga poured it, dark and glowing,
In all the cups; without a sound
A serving boy took cream around.
Tatyana by the window lingers
And breathes upon the chilly glass;
All lost in thought, the gentle lass
Begins to trace with lovely fingers
Across the misted panes a row
Of hallowed letters: *E* and *O.*

XXXVIII

And all the while her soul was aching,
Her brimming eyes could hardly see.
Then sudden hoofbeats!... Now she's quaking...
They're closer., coming here... it's he!
Onegin! «Oh!» — And light as air,
She's out the backway, down the stair
From porch to yard, to garden straight;
She runs, she flies; she dares not wait
To glance behind her; on she pushes —
Past garden plots, small bridges, lawn,
The lakeway path, the wood; and on
She flies and breaks through lilac bushes,
Past seedbeds to the brook — so fast
That, panting, on a bench at last

XXXIX

She falls...
          «He's here! But all those faces!
O God, what must he think of me!»
But still her anguished heart embraces

Она дрожит и жаром пышет,
И ждет: нейдет ли? Но не слышит.
В саду служанки, на грядах,
Сбирали ягоду в кустах
И хором по наказу пели
(Наказ, основанный на том,
Чтоб барской ягоды тайком
Уста лукавые не ели
И пеньем были заняты:
Затея сельской остроты!)

Песня девушек

Девицы, красавицы,
Душеньки, подруженьки,
Разыграйтесь, девицы,
Разгуляйтесь, милые!
Затяните песенку,
Песенку заветную,
Заманите молодца
К хороводу нашему.
Как заманим молодца,
Как завидим издали,
Разбежимтесь, милые,
Закидаем вишеньем,
Вишеньем, малиною,
Красною смородиной.
Не ходи подслушивать
Песенки заветные,
Не ходи подсматривать
Игры наши девичьи.

XL

Они поют, и, с небреженьем
Внимая звонкий голос их,
Ждала Татьяна с нетерпеньем,
Чтоб трепет сердца в ней затих,
Чтобы прошло ланит пыланье.
Но в персях то же трепетанье,
И не проходит жар ланит,
Но ярче, ярче лишь горит...
Так бедный мотылек и блещет
И бьется радужным крылом,
Плененный школьным шалуном;
Так зайчик в озиме трепещет,
Увидя вдруг издалека
В кусты припадшего стрелка.

A misty dream of what might be.
She trembles, burns, and waits... so near him!
But will he come?.. She doesn't hear him.
Some serf girls in the orchard there,
While picking berries, filled the air
With choral song — as they'd been bidden
(An edict that was meant, you see,
To keep sly mouths from feeling free
To eat the master's fruit when hidden,
By filling them with song instead —
For rural cunning isn't dead!):

The Girls' Song

«Lovely maidens, pretty ones,
Dearest hearts and darling friends,
Romp away, sweet lassies, now,
Have your fling, my dear ones, do!
Strike you up a rousing song,
Sing our secret ditty now,
Lure some likely lusty lad
To the circle of our dance.
When we lure the fellow on,
When we see him from afar,
Darlings, then, let's scamper off,
Pelting him with cherries then,
Cherries, yes, and raspberries,
Ripe red-currants let us throw!
Never come to listen in
When we sing our secret songs,
Never come to spy on us
When we play our maiden games!»

XL

Tatyana listens, scarcely hearing
The vibrant voices, sits apart,
And waits impatient in her clearing
To calm the tremor in her heart
And halt the constant surge of blushes;
But still her heart in panic rushes,
Her cheeks retain their blazing glow
And ever brighter, brighter grow.
Just so a butterfly both quivers
And beats an iridescent wing
When captured by some boy in spring;
Just so a hare in winter shivers,
When suddenly far off it sees

14*

XLI

Но наконец она вздохнула
И встала со скамьи своей;
Пошла, но только повернула
В аллею, прямо перед ней,
Блистая взорами, Евгений
Стоит подобно грозной тени,
И, как огнем обожжена,
Остановилася она.
Но следствия нежданной встречи
Сегодня, милые друзья,
Пересказать не в силах я;
Мне должно после долгой речи
И погулять и отдохнуть:
Докончу после как-нибудь.

The hunter hiding in the trees.

XLI

But finally she rose, forsaken,
And, sighing, started home for bed;
But hardly had she turned and taken
The garden lane, when straight ahead,
His eyes ablaze, Eugene stood waiting —
Like some grim shade of night's creating;
And she, as if by fire seared,
Drew back and stopped when he appeared...
Just now though, friends, I feel too tired
To tell you how this meeting went
And what ensued from that event;
I've talked so long that I've required
A little walk, some rest and play;
I'll finish up another day.

ГЛАВА ШЕСТАЯ

La, sotto i giorni nubilosi e brevi,
Nasce una gente a cui l'morir non dole.
Petr.

I

Заметив, что Владимир скрылся,
Онегин, скукой вновь гоним,
Близ Ольги в думу погрузился,
Довольный мщением своим.
За ним и Оленька зевала,
Глазами Ленского искала,
И бесконечный котильон
Ее томил, как тяжкий сон.
Но кончен он. Идут за ужин.
Постели стелют; для гостей
Ночлег отводят от сеней
До самой девичьи. Всем нужен
Покойный сон. Онегин мой
Один уехал спать домой.

II

Всё успокоилось: в гостиной
Храпит тяжелый Пустяков
С своей тяжелой половиной.
Гвоздин, Буянов, Петушков
И Флянов, не совсем здоровый,
На стульях улеглись в столовой,
А на полу мосье Трике,
В фуфайке, в старом колпаке.
Девицы в комнатах Татьяны
И Ольги все объяты сном.
Одна, печальна под окном
Озарена лучом Дианы
Татьяна бедная не спит
И в поле темное глядит.

CHAPTER SIX

La, sotto i giorni nubilosi e brevi,
Nasce una gente a cui l'morir non dole.
Petrarch

I

Though pleased with the revenge he'd taken,
Onegin, noting Lensky'd left,
Felt all his old ennui awaken,
Which made poor Olga feel bereft.
She too now yawns and, as she dances,
Seeks Lensky out with furtive glances;
The endless dance had come to seem
To Olga like some dreadful dream.
But now it's over. Supper's heeded.
Then beds are made; the guests are all
Assigned their rooms — from entrance hall
To servant's quarters. Rest is needed
By everyone. Eugene has fled
And driven home alone to bed.

II

All's quiet now. Inside the parlour,
The portly Mr. Pustyakóv
Lies snoring with his portly partner.
Gvozdín, Buyánov, Petushkóv
And Flyánov, who'd been reeling badly —
On dining chairs have bedded gladly;
While on the floor Triquet's at rest
In tattered nightcap and his vest.
The rooms of Olga and Tatyana
Are filled with girls in sleep's embrace.
Alone, beside the windowcase,
Illumined sadly by Diana,
Poor Tanya, sleepless and in pain,
Sits gazing at the darkened plain.

III

Его нежданным появленьем,
Мгновенной нежностью очей
И странным с Ольгой поведеньем
До глубины души своей
Она проникнута; не может
Никак понять его; тревожит
Ее ревнивая тоска,
Как будто хладная рука
Ей сердце жмет, как будто бездна
Под ней чернеет и шумит...
«Погибну, — Таня говорит, —
Но гибель от него любезна.
Я не ропщу: зачем роптать?
Не может он мне счастья дать».

IV

Вперед, вперед, моя исторья!
Лицо нас новое зовет.
В пяти верстах от Красногорья,
Деревни Ленского, живет
И здравствует еще доныне
В философической пустыне
Зарецкий, некогда буян,
Картежной шайки атаман,
Глава повес, трибун трактирный,
Теперь же добрый и простой
Отец семейства холостой,
Надежный друг, помещик мирный
И даже честный человек:
Так исправляется наш век!

V

Бывало, льстивый голос света
В нем злую храбрость выхвалял:
Он, правда, в туз из пистолета
В пяти саженях попадал,
И то сказать, что и в сраженье
Раз в настоящем упоенье
Он отличился, смело в грязь
С коня калмыцкого свалясь,
Как зюзя пьяный, и французам
Достался в плен: драгой залог!
Новейший Регул, чести бог,
Готовый вновь предаться узам,
Чтоб каждым утром у Вери
В долг осушать бутылки три.

III

His unexpected reappearance,
That momentary tender look,
The strangeness of his interference
With Olga — all confused and shook
Tatyana's soul. His true intention
Remained beyond her comprehension,
And jealous anguish pierced her breast —
As if a chilling hand had pressed
Her heart; as if in awful fashion
A rumbling, black abyss did yawn....
«I'll die,» she whispers to the dawn,
«But death from him is sweet compassion.
Why murmur vainly? He can't give
The happiness for which I live.»

IV

But forward, forward, O my story!
A new persona has arrived:
Five versts or so from Krasnogory,
Our Lensky's seat, there lived and thrived
In philosophical seclusion
(And does so still, have no illusion)
Zarétsky — once a rowdy clown,
Chief gambler and arch rake in town,
The tavern tribune and a liar —
But now a kind and simple soul
Who plays an unwed father's role,
A faithful friend, a peaceful squire,
And man of honour, nothing less:
Thus does our age its sins redress!

V

Time was, when flunkies in high places
Would praise him for his nasty grit:
He could, it's true, from twenty paces,
Shoot pistol at an ace and hit;
And once, when riding battle station,
He'd earned a certain reputation
When in a frenzied state indeed
He'd plunged in mud from Kalmyk steed,
Drunk as a pig, and suffered capture
(A prize to make the French feel proud!).
Like noble Regulus, he bowed,
Accepting hostage bonds with rapture —
In hopes that he (on charge) might squeeze
Three bottles daily from Véry's.

VI

Бывало, он трунил забавно,
Умел морочить дурака
И умного дурачить славно,
Иль явно, иль исподтишка,
Хоть и ему иные штуки
Не проходили без науки,
Хоть иногда и сам впросак
Он попадался, как простак.
Умел он весело поспорить,
Остро и тупо отвечать,
Порой расчетливо смолчать,
Порой расчетливо повздорить,
Друзей поссорить молодых
И на барьер поставить их,

VII

Иль помириться их заставить,
Дабы позавтракать втроем,
И после тайно обесславить
Веселой шуткою, враньем.
Sed alia tempora! Удалость
(Как сон любви, другая шалость)
Проходит с юностью живой.
Как я сказал, Зарецкий мой,
Под сень черемух и акаций
От бурь укрывшись наконец,
Живет, как истинный мудрец,
Капусту садит, как Гораций,
Разводит уток и гусей
И учит азбуке детей.

VIII

Он был не глуп; и мой Евгений,
Не уважая сердца в нем,
Любил и дух его суждений,
И здравый толк о том о сем.
Он с удовольствием, бывало,
Видался с ним, и так нимало
Поутру не был удивлен,
Когда его увидел он.
Тот после первого привета,
Прервав начатый разговор,
Онегину, осклабя взор,
Вручил записку от поэта.
К окну Онегин подошел
И про себя ее прочел.

VI

He used to banter rather neatly,
Could gull a fool, and had an eye
For fooling clever men completely,
For all to see, or on the sly;
Of course not all his pranks succeeded
Or passed unpunished or unheeded,
And sometimes he himself got bled
And ended up the dunce instead.
He loved good merry disputations,
Could answer keenly, be obtuse,
Put silence cunningly to use,
Or cunningly start altercations;
Could get two friends prepared to fight,
Then lead them to the duelling site;

VII

Or else he'd patch things up between them
So he might lunch with them as guest,
And later secretly demean them
With nasty gossip or a jest....
Sed alia tempora! Such sporting
(With other capers such as courting)
Goes out of us when youth is dead —
And my Zaretsky, as I've said,
Neath flow'ring cherries and acacias,
Secure at last from tempest's rage,
Lives out his life a proper sage,
Plants cabbages like old Horatius,
Breeds ducks and geese, and oversees
His children at their ABCs.

VIII

He was no fool; and consequently
(Although he thought him lacking heart),
Eugene would hear his views intently
And liked his common sense in part.
He'd spent some time with him with pleasure,
And so was not in any measure
Surprised next morning when he found,
Zaretsky had again called round;
The latter, hard upon first greeting,
And cutting off Eugene's reply,
Presented him, with gloating eye,
The poet's note about a «meeting.»
Onegin, taking it, withdrew
And by the window read it through.

IX

То был приятный, благородный,
Короткий вызов, иль *картель*:
Учтиво, с ясностью холодной
Звал друга Ленский на дуэль.
Онегин с первого движенья,
К послу такого порученья
Оборотясь, без лишних слов
Сказал, что он *всегда готов*.
Зарецкий встал без объяснений;
Остаться доле не хотел,
Имея дома много дел,
И тотчас вышел; но Евгений
Наедине с своей душой
Был недоволен сам собой.

X

И поделом: в разборе строгом,
На тайный суд себя призвав,
Он обвинял себя во многом:
Во-первых, он уж был неправ,
Что над любовью робкой, нежной
Так подшутил вечор небрежно.
А во-вторых: пускай поэт
Дурачится; в осьмнадцать лет
Оно простительно. Евгений,
Всем сердцем юношу любя,
Был должен оказать себя
Не мячиком предрассуждений,
Не пылким мальчиком, бойцом,
Но мужем с честью и с умом.

XI

Он мог бы чувства обнаружить,
А не щетиниться, как зверь;
Он должен был обезоружить
Младое сердце. «Но теперь
Уж поздно; время улетело...
К тому ж — он мыслит — в это дело
Вмешался старый дуэлист;
Он зол, он сплетник, он речист...
Конечно, быть должно презренье
Ценой его забавных слов,
Но шепот, хохотня глупцов...»
И вот общественное мненье!
Пружина чести, наш кумир!
И вот на чем вертится мир!

IX

The note was brief in its correctness,
A proper challenge: or *cartel:*
Politely, but with cold directness,
It called him out and did it well.
Onegin, with his first reaction,
Quite curtly offered satisfaction
And bade the envoy, if he cared,
To say that he was *quite prepared.*
Avoiding further explanation,
Zaretsky, pleading much to do,
Arose... and instantly withdrew.
Eugene, once left to contemplation
And face to face with his own soul,
Felt far from happy with his role.

X

And rightly so: in inquisition,
With conscience as his judge of right,
He found much wrong in his position:
First off, he'd been at fault last night
To mock in such a casual fashion
At tender love's still timid passion;
And why not let the poet rage!
A fool, at eighteen years of age,
Can be excused his rash intentions.
Eugene, who loved the youth at heart,
Might well have played a better part —
No plaything of the mob's conventions
Or brawling boy to take offence,
But man of honour and of sense.

XI

He could have shown some spark of feeling
Instead of bristling like a beast;
He should have spoken words of healing,
Disarmed youth's heart... or tried at least.
«Too late,» he thought, «the moment's wasted....
What's more, that duelling fox has tasted
His chance to mix in this affair —
That wicked gossip with his flair
For jibes... and all his foul dominion.
He's hardly worth contempt, I know,
But fools will whisper... grin... and crow!...»
So there it is — the mob's opinion!
The spring with which our honour's wound!
The god that makes this world go round!

XII

Кипя враждой нетерпеливой,
Ответа дома ждет поэт;
И вот сосед велеречивый
Привез торжественно ответ.
Теперь ревнивцу то-то праздник!
Он все боялся, чтоб проказник
Не отшутился как-нибудь,
Уловку выдумав и грудь
Отворотив от пистолета.
Теперь сомненья решены:
Они на мельницу должны
Приехать завтра до рассвета,
Взвести друг на́ друга курок
И метить в ляжку иль в висок.

XIII

Решась кокетку ненавидеть,
Кипящий Ленский не хотел
Пред поединком Ольгу видеть,
На солнце, на часы смотрел,
Махнул рукою напоследок —
И очутился у соседок.
Он думал Оленьку смутить,
Своим приездом поразить;
Не тут-то было: как и прежде,
На встречу бедного певца
Прыгнула Оленька с крыльца,
Подобна ветреной надежде,
Резва, беспечна, весела,
Ну точно та же, как была.

XIV

«Зачем вечор так рано скрылись?»
Был первый Оленькин вопрос.
Все чувства в Ленском помутились,
И молча он повесил нос.
Исчезла ревность и досада
Пред этой ясностию взгляда,
Пред этой нежной простотой,
Пред этой резвою душой!..
Он смотрит в сладком умиленьи;
Он видит: он еще любим;
Уж он, раскаяньем томим,
Готов просить у ней прощенье,
Трепещет, не находит слов,
Он счастлив, он почти здоров...

XII

At home the poet, seething, paces
And waits impatiently to hear.
Then *in* his babbling neighbour races,
The answer in his solemn leer.
The jealous poet's mood turned festive!
He'd been, till now, uncertain... restive,
Afraid the scoundrel might refuse
Or laugh it off and, through some ruse,
Escape unscathed... the slippery devil!
But now at last his doubts were gone:
Next day, for sure, they'd drive at dawn
Out to the mill, where each would level
A pistol, cocked and lifted high,
To aim at temple or at thigh.

XIII

Convinced that Olga's heart was cruel,
Vladimir vowed he wouldn't run
To see that flirt before the duel.
He kept consulting watch and sun...
Then gave it up and finally ended
Outside the door of his intended.
He thought she'd blush with self-reproach,
Grow flustered when she saw his coach;
But not at all: as blithe as ever,
She bounded from the porch above
And rushed to greet her rhyming love
Like giddy hope — so gay and clever,
So frisky-carefree with her grin,
She seemed the same she'd always been.

XIV

«Why did you leave last night so early?»
Was all that Olga, smiling, said.
Poor Lensky's muddled mind was swirling,
And silently he hung his head.
All jealousy and rage departed
Before that gaze so openhearted,
Before that soft and simple trust,
Before that soul so bright and just!
With misty eyes he looks on sweetly
And sees the truth: *she loves him yet!*
Tormented now by deep regret,
He craves her pardon so completely,
He trembles, hunts for words in vain:
He's happy now, he's almost sane...

XV. XVI. XVII

И вновь задумчивый, унылый
Пред милой Ольгою своей,
Владимир не имеет силы
Вчерашний день напомнить ей;
Он мыслит: «Буду ей спаситель.
Не потерплю, чтоб развратитель
Огнем и вздохов и похвал
Младое сердце искушал;
Чтоб червь презренный, ядовитый
Точил лилеи стебелек;
Чтобы двухутренний цветок
Увял еще полураскрытый».
Все это значило, друзья:
С приятелем стреляюсь я.

XVIII

Когда б он знал, какая рана
Моей Татьяны сердце жгла!
Когда бы ведала Татьяна,
Когда бы знать она могла,
Что завтра Ленский и Евгений
Заспорят о могильной сени;
Ах, может быть, ее любовь
Друзей соединила б вновь!
Но этой страсти и случайно
Еще никто не открывал.
Онегин обо всем молчал;
Татьяна изнывала тайно;
Одна бы няня знать могла,
Да недогадлива была.

XIX

Весь вечер Ленский был рассеян,
То молчалив, то весел вновь;
Но тот, кто музою взлелеян,
Всегда таков: нахмуря бровь,
Садился он за клавикорды
И брал на них одни аккорды,
То, к Ольге взоры устремив,
Шептал: не правда ль? я счастлив.
Но поздно; время ехать. Сжалось
В нем сердце, полное тоской;
Прощаясь с девой молодой,
Оно как будто разрывалось.
Она глядит ему в лицо.
«Что с вами?» — Так. — И на крыльцо.

XV. XVI. XVII

Once more in solemn, rapt attention
Before his darling Olga's face,
Vladimir hasn't heart to mention
The night before and what took place;
«It's up to me,» he thought, «to save her.
I'll never let that foul depraver
Corrupt her youthful heart with lies,
With fiery praise... and heated sighs;
Nor see that noxious worm devour
My lovely lily, stalk and blade;
Nor watch this two-day blossom fade
When it has yet to fully flower.»
All this, dear readers, meant in fine:
I'm duelling with a friend of mine.

XVIII

Had Lensky known the deep emotion
That seared my Tanya's wounded heart!
Or had Tatyana had some notion
Of how these two had grown apart,
Or that by morn they'd be debating,
For which of them the grave lay waiting! —
Ah, then, perhaps, the love she bore
Might well have made them friends once more!
But no one knew her inclination
Or chanced upon the sad affair.
Eugene had kept his silent air;
Tatyana pined in isolation;
And only nanny might have guessed,
But her old wits were slow at best.

XIX

All evening Lensky was abstracted,
Remote one moment, gay the next;
But those on whom the Muse has acted
Are ever thus; with brow perplexed,
He'd sit at clavichord intently
And play but chords; or turning gently
To Olga, he would whisper low:
«I'm happy, love... it's true, you know.»
But now it's late and time for leaving.
His heart, so full of pain, drew tight;
And as he bid the girl goodnight,
He felt it break with desperate grieving.
«What's wrong?» She peered at him, intent.
«It's nothing.» And away he went.

XX

Домой приехав, пистолеты
Он осмотрел, потом вложил
Опять их в ящик и, раздетый,
При свечке, Шиллера открыл;
Но мысль одна его объемлет;
В нем сердце грустное не дремлет:
С неизъяснимою красой
Он видит Ольгу пред собой.
Владимир книгу закрывает,
Берет перо; его стихи,
Полны любовной чепухи,
Звучат и льются. Их читает
Он вслух, в лирическом жару,
Как Дельвиг пьяный на пиру.

XXI

Стихи на случай сохранились;
Я их имею; вот они:
«Куда, куда вы удалились,
Весны моей златые дни?
Что день грядущий мне готовит?
Его мой взор напрасно ловит,
В глубокой мгле таится он.
Нет нужды; прав судьбы закон.
Паду ли я, стрелой пронзенный,
Иль мимо пролетит она,
Все благо: бдения и сна
Приходит час определенный;
Благословен и день забот,
Благословен и тьмы приход!

XXII

«Блеснет заутра луч денницы
И заиграет яркий день;
А я, быть может, я гробницы
Сойду в таинственную сень,
И память юного поэта
Поглотит медленная Лета,
Забудет мир меня; но ты
Придешь ли, дева красоты,
Слезу пролить над ранней урной
И думать: он меня любил,
Он мне единой посвятил
Рассвет печальный жизни бурной!..
Сердечный друг, желанный друг,
Приди, приди: я твой супруг!..»

XX

On coming home, the youth inspected
His pistols; then he put them back.
Undressed, by candle he selected
A book of Schiller's from the rack;
But only one bright image holds him,
One thought within his heart enfolds him:
He sees before him, wondrous fair,
His incandescent Olga there.
He shuts the book and, with decision,
Takes up his pen.... His verses ring
With all the nonsense lovers sing;
And feverish with lyric vision,
He reads them out like one possessed,
Like drunken Delvig at a fest!

XXI

By chance those verses haven't vanished;
I have them, and I quote them here:
«Ah, whither, whither are ye banished,
My springtime's golden days so dear?
What fate will morning bring my lyre?
In vain my searching eyes enquire,
For all lies veiled in misty dust.
No matter; fate's decree is just;
And whether, pierced, I fall anointed,
Or arrow passed by — all's right:
The hours of waking and of night
Come each in turn as they're appointed;
And blest with all its cares the day,
And blest the dark that comes to stay!

XXII

«The morning star will gleam tomorrow,
And brilliant day begin to bloom;
While I, perhaps, descend in sorrow
The secret refuge of the tomb...
Slow Lethe, then, with grim insistence,
Will drown my memory's brief existence;
Of me the world shall soon grow dumb;
But thou, fair maiden, wilt thou come!
To shed a tear in desolation
And think at my untimely grave:
He loved me and for me he gave
His mournful life in consecration!...
Beloved friend, sweet friend, I wait,
Oh, come, Oh, come, I am thy mate!»

15*

XXIII

Так он писал *темно* и *вяло*
(Что романтизмом мы зовем,
Хоть романтизма тут нимало
Не вижу я; да что нам в том?)
И наконец перед зарею,
Склонясь усталой головою,
На модном слове *идеал*
Тихонько Ленский задремал;
Но только сонным обаяньем
Он позабылся, уж сосед
В безмолвный входит кабинет
И будит Ленского воззваньем:
«Пора вставать: седьмой уж час.
Онегин верно ждет уж нас».

XXIV

Но ошибался он: Евгений
Спал в это время мертвым сном.
Уже редеют ночи тени
И встречен Веспер петухом;
Онегин спит себе глубоко.
Уж солнце катится высоко,
И перелетная метель
Блестит и вьется; но постель
Еще Евгений не покинул,
Еще над ним летает сон.
Вот наконец проснулся он
И полы завеса раздвинул;
Глядит — и видит, что пора
Давно уж ехать со двора.

XXV

Он поскорей звонит. Вбегает
К нему слуга француз Гильо,
Халат и туфли предлагает
И подает ему белье.
Спешит Онегин одеваться,
Слуге велит приготовляться
С ним вместе ехать и с собой
Взять также ящик боевой.
Готовы санки беговые.
Он сел, на мельницу летит.
Примчались. Он слуге велит
Лепажа стволы роковые
Нести за ним, а лошадям
Отъехать в поле к двум дубкам.

XXIII

He wrote thus — *limply* and *obscurely*.
(We say «romantically» — although,
That's not romanticism, surely;
And if it is, who wants to know?)
But then at last, as it was dawning,
With drooping head and frequent yawning,
Upon the modish word «ideal»
Vladimir gently dozed for real;
But sleep had hardly come to take him
Off to be charmed by dreams and cheered,
When in that silent room appeared
His neighbour, calling out to wake him:
«It's time to rise! Past six... come on!
I'll bet Onegin woke at dawn.»

XXIV

But he was wrong; that idle sinner
Was sleeping soundly even then.
But now the shades of night grow thinner,
The cock hails Vesper once again;
Yet still Onegin slumbers deeply.
But now the sun climbs heaven steeply,
And gusting snowflakes flash and spin,
But still Onegin lies within
And hasn't stirred; still slumber hovers
Above his bed and holds him fast.
But now he slowly wakes at last,
Draws back the curtains and his covers,
Looks out — and sees with some dismay,
He'd better leave without delay.

XXV

He rings in haste and, with a racket,
His French valet, Guillot, runs in —
With slippers and a dressing jacket,
And fresh new linen from the bin.
Onegin, dressing in a flurry,
Instructs his man as well to hurry:
They're leaving for the duelling place,
Guillot's to fetch the pistol case.
The sleigh's prepared; his pacing ceases;
He climbs aboard and off they go.
They reach the mill. He bids Guillot
To bring Lepage's deadly pieces;
Then has the horses, on command,
Removed to where two oaklings stand.

XXVI

Опершись на плотину, Ленский
Давно нетерпеливо ждал;
Меж тем, механик деревенский,
Зарецкий жернов осуждал.
Идет Онегин с извиненьем.
«Но где же, — молвил с изумленьем
Зарецкий, — где ваш секундант?»
В дуэлях классик и педант,
Любил методу он из чувства,
И человека растянуть
Он позволял не как-нибудь,
Но в строгих правилах искусства,
По всем преданьям старины
(Что похвалить мы в нем должны).

XXVII

«Мой секундант? — сказал Евгений, —
Вот он: мой друг, monsieur Guillot.
Я не предвижу возражений
На представление мое:
Хоть человек он неизвестный,
Но уж конечно малый честный».
Зарецкий губу закусил.
Онегин Ленского спросил:
«Что ж, начинать?» — Начнем, пожалуй, —
Сказал Владимир. И пошли
За мельницу. Пока вдали
Зарецкий наш и *честный малый*
Вступили в важный договор,
Враги стоят, потупя взор.

XXVIII

Враги! Давно ли друг от друга
Их жажда крови отвела?
Давно ль они часы досуга,
Трапезу, мысли и дела
Делили дружно? Ныне злобно,
Врагам наследственным подобно,
Как в страшном, непонятном сне,
Они друг другу в тишине
Готовят гибель хладнокровно...
Не засмеяться ль им, пока
Не обагрилась их рука,
Не разойтиться ль полюбовно?..
Но дико светская вражда
Боится ложного стыда.

XXVI

Impatient, but in no great panic,
Vladimir waited near the dam;
Meanwhile Zaretsky, born mechanic
Was carping at the millstone's cam.
Onegin, late, made explanation.
Zaretsky frowned in consternation:
«Good God, man, where's your second? Where?»
In duels a purist doctrinaire,
Zaretsky favoured stout reliance
On proper form; he'd not allow
Dispatching chaps just anyhow,
But called for strict and full compliance
With rules, traditions, ancient ways
(Which we, of course, in him should praise).

XXVII

«My second?» said Eugene directly.
«Why here he is: Monsieur Guillot,
A friend of mine, whom you... *correctly*!
Will be quite pleased to greet, I know;
Though he's unknown and lives obscurely,
He's still an honest chap, most surely.»
Zaretsky bit his lip, well vexed.
Onegin turned to Lensky next:
«Shall we begin?» — «At my insistence.»
Behind the mill, without a word.
And while the «honest chap» conferred
With our Zaretsky at a distance
And sealed the solemn compact fast,
The foes stood by with eyes downcast.

XXVIII

The foes! How long has bloodlust parted
And so estranged these former friends?
How long ago did they, warmhearted,
Share meals and pastimes, thoughts and ends?
And now, malignant in intention,
Like ancient foes in mad dissension,
As in a dreadful senseless dream,
They glower coldly as they scheme
In silence to destroy each other....
Should they not laugh while yet there's time,
Before their hands are stained with crime?
Should each not part once more as brother?...
But enmity among their class
Holds shame in savage dread, alas.

XXIX

Вот пистолеты уж блеснули,
Гремит о шомпол молоток.
В граненый ствол уходят пули,
И щелкнул в первый раз курок.
Вот порох струйкой сероватой
На полку сыплется. Зубчатый,
Надежно ввинченный кремень
Взведен еще. За ближний пень
Становится Гильо смущенный.
Плащи бросают два врага.
Зарецкий тридцать два шага
Отмерил с точностью отменной,
Друзей развел по крайний след,
И каждый взял свой пистолет.

XXX

«Теперь сходитесь».

Хладнокровно,
Еще не целя, два врага
Походкой твердой, тихо, ровно
Четыре перешли шага,
Четыре смертные ступени.
Свой пистолет тогда Евгений,
Не преставая наступать,
Стал первый тихо подымать.
Вот пять шагов еще ступили,
И Ленский, жмуря левый глаз,
Стал также целить — но как раз
Онегин выстрелил... Пробили
Часы урочные: поэт
Роняет молча пистолет,

XXXI

На грудь кладет тихонько руку
И падает. Туманный взор
Изображает смерть, не муку.
Так медленно по скату гор,
На солнце искрами блистая,
Спадает глыба снеговая.
Мгновенным холодом облит,
Онегин к юноше спешит,
Глядит, зовет его... напрасно:
Его уж нет. Младой певец
Нашел безвременный конец!
Дохнула буря, цвет прекрасный
Увял на утренней заре,
Потух огонь на алтаре!..

XXIX

The gleaming pistols wake from drowsing.
Against the ramrods mallets pound.
The balls go in each bevelled housing.
The first sharp hammer clicks resound.
Now streams of greyish powder settle
Inside the pans. Screwed fast to metal,
The jagged flints are set to go.
Behind a nearby stump Guillot
Takes up his stand in indecision.
The duellists shed their cloaks and wait.
Zaretsky paces off their fate
At thirty steps with fine precision,
Then leads each man to where he'll stand,
And each takes pistol into hand.

XXX

«Approach at will!» Advancing coldly,
With quiet, firm, and measured tread,
Not aiming yet, the foes took boldly
The first four steps that lay ahead —
Four fateful steps. The space decreasing,
Onegin then, while still not ceasing
His slow advance, was first to raise
His pistol with a level gaze.
Five paces more, while Lensky waited
To close one eye and, only then,
To take his aim.... And that was when
Onegin fired! The hour fated
Has struck at last: the poet stops
And silently his pistols drops.

XXXI

He lays a hand, as in confusion,
On breast and falls. His misted eyes
Express not pain, but death's intrusion.
Thus, slowly, down a sloping rise,
And sparkling in the sunlight's shimmer,
A clump of snow will fall and glimmer.
Eugene, in sudden chill, despairs,
Runs to the stricken youth... and stares!
Calls out his name! — No earthly power
Can bring him back: the singer's gone,
Cut down by fate at break of dawn!
The storm has blown; the lovely flower
Has withered with the rising sun;
The altar fire is out and done!..

XXXII

Недвижим он лежал, и странен
Был томный мир его чела.
Под грудь он был навылет ранен;
Дымясь из раны кровь текла.
Тому назад одно мгновенье
В сем сердце билось вдохновенье,
Вражда, надежда и любовь,
Играла жизнь, кипела кровь, —
Теперь, как в доме опустелом,
Все в нем и тихо и темно;
Замолкло навсегда оно.
Закрыты ставни, окна мелом
Забелены. Хозяйки нет.
А где, Бог весть. Пропал и след.

XXXIII

Приятно дерзкой эпиграммой
Взбесить оплошного врага;
Приятно зреть, как он, упрямо
Склонив бодливые рога,
Невольно в зеркало глядится
И узнавать себя стыдится;
Приятней, если он, друзья,
Завоет сдуру: это я!
Еще приятнее в молчаньи
Ему готовить честный гроб
И тихо целить в бледный лоб
На благородном расстояньи;
Но отослать его к отцам
Едва ль приятно будет вам.

XXXIV

Что ж, если вашим пистолетом
Сражен приятель молодой,
Нескромным взглядом, иль ответом,
Или безделицей иной
Вас оскорбивший за бутылкой,
Иль даже сам в досаде пылкой
Вас гордо вызвавший на бой,
Скажите: вашею душой
Какое чувство овладеет,
Когда недвижим, на земле
Пред вами с смертью на челе,
Он постепенно костенеет,
Когда он глух и молчалив
На ваш отчаянный призыв?

XXXII

He lay quite still and past all feeling;
His languid brow looked strange at rest.
The steaming blood poured forth, revealing
The gaping wound beneath his breast.
One moment back — a breath's duration —
This heart still throbbed with inspiration;
Its hatreds, hopes, and loves still beat,
Its blood ran hot with life's own heat.
But now, as in a house deserted,
Inside it — all is hushed and stark,
Gone silent and forever dark.
The window boards have been inserted,
The panes chalked white. The owner's fled;
But where, God knows. All trace is dead.

XXXIII

With epigrams of spite and daring
It's pleasant to provoke a foe;
It's pleasant when you see him staring —
His stubborn, thrusting horns held low —
Unwillingly within the mirror,
Ashamed to see himself the clearer;
More pleasant yet, my friends, if he
Shrieks out in stupid shock: that's me!
Still pleasanter is mute insistence
On granting him his resting place
By shooting at his pallid face
From some quite gentlemanly distance.
But once you've had your fatal fun,
You won't be pleased to see it done.

XXXIV

And what would be your own reaction
If with your pistol you'd struck down
A youthful friend for some infraction:
A bold reply, too blunt a frown,
Some bagatelle when you'd been drinking;
Or what if he himself, not thinking,
Had called you out in fiery pride?
Well, tell me: what would you...inside
Be thinking of... or merely feeling,
Were your good friend before you now,
Stretched out with death upon his brow,
His blood by slow degrees congealing,
Too deaf and still to make reply
To your repeated, desperate cry?

XXXV

В тоске сердечных угрызений,
Рукою стиснув пистолет,
Глядит на Ленского Евгений.
«Ну, что ж? убит», — решил сосед.
Убит!.. Сим страшным восклицаньем
Сражен, Онегин с содроганьем
Отходит и людей зовет.
Зарецкий бережно кладет
На сани труп оледенелый;
Домой везет он страшный клад.
Почуя мертвого, храпят
И бьются кони, пеной белой
Стальные мочат удила,
И полетели как стрела.

XXXVI

Друзья мои, вам жаль поэта:
Во цвете радостных надежд,
Их не свершив еще для света,
Чуть из младенческих одежд,
Увял! Где жаркое волненье,
Где благородное стремленье
И чувств и мыслей молодых,
Высоких, нежных, удалых?
Где бурные любви желанья,
И жажда знаний и труда,
И страх порока и стыда,
И вы, заветные мечтанья,
Вы, призрак жизни неземной,
Вы, сны поэзии святой!

XXXVII

Быть может, он для блага мира
Иль хоть для славы был рожден;
Его умолкнувшая лира
Гремучий, непрерывный звон
В веках поднять могла. Поэта,
Быть может, на ступенях света
Ждала высокая ступень.
Его страдальческая тень,
Быть может, унесла с собою
Святую тайну, и для нас
Погиб животворящий глас,
И за могильною чертою
К ней не домчится гимн времен,
Благословение племен.

XXXV

In anguish, with his heart forsaken,
The pistol in his hand like lead,
Eugene stared down at Lensky, shaken.
His neighbour spoke: «Well then, he's dead.»
The awful word, so lightly uttered,
Was like a blow. Onegin shuddered,
Then called his men and walked away.
Zaretsky, carefully, then lay
The frozen corpse on sleigh, preparing
To drive the body home once more.
Sensing the dreadful load they bore,
The horses neighed, their nostrils flaring,
And wet the metal bit with foam,
Then swift as arrows raced foe home.

XXXVI

You mourn the poet, friends... and rightly:
Scarce out of infant clothes and killed!
Those joyous hopes that bloomed so brightly
Now doomed to winter unfulfilled!
Where now the ardent agitation,
The fine and noble aspiration
Of youthful feeling, youthful thought,
Exalted, tender, boldly wrought?
And where are stormy love's desires,
The thirst for knowledge, work, and fame,
The dread of vice, the fear of shame?
And where are you, poetic fires,
You cherished dreams of sacred worth
And pledge of life beyond this earth!

XXXVII

It may be he was born to fire
The world with good, or earn at least
A gloried name; his silenced lyre
Might well have raised, before it ceased,
A call to ring throughout the ages.
Perhaps, upon the world's great stages,
He might have scaled a lofty height.
His martyred shade, condemned to night,
Perhaps has carried off forever
Some sacred truth, a living word,
Now doomed by death to pass unheard;
And in the tomb his shade shall never
Receive our race's hymns of praise,
Nor hear the ages bless his days.

XXXVIII. XXXIX

А может быть и то: поэта
Обыкновенный ждал удел.
Прошли бы юношества лета:
В нем пыл души бы охладел.
Во многом он бы изменился,
Расстался б с музами, женился,
В деревне, счастлив и рогат,
Носил бы стеганый халат;
Узнал бы жизнь на самом деле,
Подагру б в сорок лет имел,
Пил, ел, скучал, толстел, хирел,
И наконец в своей постеле
Скончался б посреди детей,
Плаксивых баб и лекарей.

XL

Но что бы ни было, читатель,
Увы, любовник молодой,
Поэт, задумчивый мечтатель,
Убит приятельской рукой!
Есть место: влево от селенья,
Где жил питомец вдохновенья,
Две сосны корнями срослись;
Под ними струйки извились
Ручья соседственной долины.
Там пахарь любит отдыхать,
И жницы в волны погружать
Приходят звонкие кувшины;
Там у ручья в тени густой
Поставлен памятник простой.

XLI

Под ним (как начинает капать
Весенний дождь на злак полей)
Пастух, плетя свой пестрый лапоть,
Поет про волжских рыбарей;
И горожанка молодая,
В деревне лето провождая,
Когда стремглав верхом она
Несется по полям одна,
Коня пред ним остановляет,
Ремянный повод натянув,
И, флер от шляпы отвернув,
Глазами беглыми читает
Простую надпись — и слеза
Туманит нежные глаза.

XXXVIII. XXXIX

Or maybe he was merely fated
To live amid the common tide;
And as his years of youth abated,
The flame within him would have died.
In time he might have changed profoundly,
Have quit the Muses, married soundly;
And in the country he'd have worn
A quilted gown and cuckold's horn,
And happy, he'd have learned life truly;
At forty he'd have had the gout,
Have eaten, drunk, grown bored and stout,
And so decayed, until he duly
Passed on in bed... his children round,
While women wept and doctors frowned.

XL

However, reader, we may wonder...
The youthful lover's voice is stilled,
His dreams and songs all rent asunder;
And he, alas, by friend lies killed!
Not far from where the youth once flourished
There lies a spot the poet cherished:
Two pine trees grow there, roots entwined;
Beneath them quiet streamlets wind,
Meand'ring from the nearby valley.
And there the ploughman rests at will
And women reapers come to fill
Their pitchers in the stream and dally;
There too, within a shaded nook,
A simple stone adjoins the brook.

XLI

Sometimes a shepherd sits there waiting
(Till on the fields, spring rains have passed)
And sings of Volga fishers, plaiting
His simple, coloured shoes of bast;
Or some young girl from town who's spending
Her summer in the country mending —
When headlong and alone on horse
She races down the meadow course,
Will draw her leather reins up tightly
To halt just there her panting steed;
And lifting up her veil, she'll read
The plaim inscription, skimming lightly;
And as she reads, a tear will rise
And softly dim her gentle eyes.

XLII

И шагом едет в чистом поле,
В мечтанья погрузясь, она;
Душа в ней долго поневоле
Судьбою Ленского полна;
И мыслит: «Что-то с Ольгой стало?
В ней сердце долго ли страдало,
Иль скоро слез прошла пора?
И где теперь ее сестра?
И где ж беглец людей и света,
Красавиц модных модный враг,
Где этот пасмурный чудак,
Убийца юного поэта?»
Со временем отчет я вам
Подробно обо всем отдам,

XLIII

Но не теперь. Хоть я сердечно
Люблю героя моего,
Хоть возвращусь к нему, конечно,
Но мне теперь не до него.
Лета к суровой прозе клонят,
Лета шалунью рифму гонят,
И я — со вздохом признаюсь —
За ней ленивей волочусь.
Перу старинной нет охоты
Марать летучие листы;
Другие, хладные мечты,
Другие, строгие заботы
И в шуме света и в тиши
Тревожат сон моей души.

XLIV

Познал я глас иных желаний,
Познал я новую печаль;
Для первых нет мне упований,
А старой мне печали жаль.
Мечты, мечты! где ваша сладость?
Где, вечная к ней рифма, *младость*?
Ужель и вправду наконец
Увял, увял ее венец?
Ужель и впрям и в самом деле
Без элегических затей
Весна моих промчалась дней
(Что я шутя твердил доселе)?
И ей ужель возврата нет?
Ужель мне скоро тридцать лет?

XLII

And at a walk she'll ride, dejected,
Into the open field to gaze,
Her soul, despite herself, infected
By Lensky's brief, ill-fated days.
She'll wonder too: «Did Olga languish?
Her heart consumed with lasting anguish?
Or did the time of tears soon pass?
And where's her sister now, poor lass?
And where that gloomy, strange betrayer,
The modish beauty's modish foe,
That recluse from the world we know —
The youthful poet's friend and slayer?»
In time, I promise, I'll not fail
To tell you all in full detail.

XLIII

But not today. Although I cherish
My hero and of course I vow
To see how he may wane or flourish,
I'm not quite in the mood just now.
The years to solemn prose incline me;
The years chase playful rhyme behind me,
And I — alas, I must confess —
Pursue her now a good deal less.
My pen has lost its disposition
To mar the fleeting page with verse;
For other, colder dreams I nurse,
And sterner cares now seek admission;
And mid the hum and hush of life,
They haunt my soul with dreams of strife.

XLIV

I've learned the voice of new desires
And come to know a new regret;
The first within me light no fires,
And I lament old sorrows yet.
O dreams! Where has your sweetness vanished?
And where has youth (glib rhyme) been banished?
Can it be true, its bloom has passed,
Has withered, withered now at last?
Can it be true, my heyday's ended —
All elegiac play aside —
That now indeed my spring has died
(As I in jest so oft pretended)?
And is there no return of youth?
Shall I be thirty soon, in truth?

XLV

Так, полдень мой настал, и нужно
Мне в том сознаться, вижу я.
Но так и быть: простимся дружно,
О юность легкая моя!
Благодарю за наслажденья,
За грусть, за милые мученья,
За шум, за бури, за пиры,
За все, за все твои дары;
Благодарю тебя. Тобою,
Среди тревог и в тишине,
Я насладился... и вполне;
Довольно! С ясною душою
Пускаюсь ныне в новый путь
От жизни прошлой отдохнуть.

XLVI

Дай оглянусь. Простите ж, сени,
Где дни мои текли в глуши,
Исполнены страстей и лени
И снов задумчивой души.
А ты, младое вдохновенье,
Волнуй мое воображенье,
Дремоту сердца оживляй,
В мой угол чаще прилетай,
Не дай остыть душе поэта,
Ожесточиться, очерстветь,
И наконец окаменеть
В мертвящем упоенье света,
В сем омуте, где с вами я
Купаюсь, милые друзья!

XLV

And so, life's afternoon has started,
As I must now admit, I see.
But let us then as friends be parted,
My sparkling youth, before you flee!
I thank you for your host of treasures,
For pain and grief as well as pleasures,
For storms and feasts and wordly noise,
For all your gifts and all your joys;
My thanks to you. With you I've tasted,
Amid the tumult and the still,
Life's essence... and enjoyed my fill.
Enough! Clear-souled and far from wasted,
I start upon an untrod way
To take my rest from yesterday.

XLVI

But one glance back. Farewell, you bowers,
Sweet wilderness in which I spent
Impassioned days and idle hours,
And filled my soul with dreams, content.
And you, my youthful inspiration,
Come stir the bleak imagination,
Enrich the slumbering heart's dull load,
More often visit my abode;
Let not the poet's soul grow bitter
Or harden and congeal alone,
To turn at last to lifeless stone
Amid this world's deceptive glitter,
This swirling swamp in which we lie
And wallow, friends, both you and I!

ГЛАВА ВОСЬМАЯ

Fare thee well, and if for ever
Still for ever fare thee well.
Byron

I

В те дни, когда в садах Лицея
Я безмятежно расцветал,
Читал охотно Апулея,
А Цицерона не читал,
В те дни в таинственных долинах,
Весной, при кликах лебединых,
Близ вод, сиявших в тишине,
Являться муза стала мне.
Моя студенческая келья
Вдруг озарилась: муза в ней
Открыла пир младых затей,
Воспела детские веселья,
И славу нашей старины,
И сердца трепетные сны.

II

И свет ее с улыбкой встретил;
Успех нас первый окрылил;
Старик Державин нас заметил
И, в гроб сходя, благословил.

. . . .
. . . .
. . . .
. . . .
. . . .
. . . .
. . . .
. . . .
. . . .
. . . .

CHAPTER EIGHT

Fare thee well, and if for ever
Still for ever fare thee well.
Byron

I

In days when I still bloomed serenely
Inside our Lycée garden wall
And read my Apuleius keenly,
But read no Cicero at all —
Those springtime days in secret valleys,
Where swans call out and beauty dallies,
Near waters sparkling in the still,
The Muse first came to make me thrill.
My student cell turned incandescent;
And there the Muse spread out for me
A feast of youthful fancies free,
And sang of childhood effervescent,
The glory of our days of old,
The trembling dreams the heart can hold.

II

And with a smile the world caressed us;
What wings our first successes gave!
The old Derzhávin saw — and blessed us,
As he descended to the grave.
. . . .
. . . .
. . . .
. . . .
. . . .
. . . .
. . . .
. . . .
. . . .
. . . .

III

И я, в закон себе вменяя
Страстей единый произвол,
С толпою чувства разделяя,
Я музу резвую привел
На шум пиров и буйных споров,
Грозы полуночных дозоров;
И к ним в безумные пиры
Она несла свои дары
И как вакханочка резвилась,
За чашей пела для гостей,
И молодежь минувших дней
За нею буйно волочилась,
А я гордился меж друзей
Подругой ветреной моей.

IV

Но я отстал от их союза
И вдаль бежал... Она за мной.
Как часто ласковая муза
Мне услаждала путь немой
Волшебством тайного рассказа!
Как часто по скалам Кавказа
Она Ленорой, при луне,
Со мной скакала на коне!
Как часто по брегам Тавриды
Она меня во мгле ночной
Водила слушать шум морской,
Немолчный шепот нереиды,
Глубокий, вечный хор валов,
Хвалебный гимн отцу миров.

V

И, позабыв столицы дальной
И блеск и шумные пиры,
В глуши Молдавии печальной
Она смиренные шатры
Племен бродящих посещала,
И между ими одичала,
И позабыла речь богов
Для скудных, странных языков,
Для песен степи, ей любезной...
Вдруг изменилось все кругом,
И вот она в саду моем
Явилась барышней уездной,
С печальной думою в очах,
С французской книжкою в руках.

III

And I, who saw my single duty
As heeding passion's siren song —
To share with all the world her beauty,
Would take my merry Muse along
To rowdy feasts and altercations —
The bane of midnight sentry stations;
And to each mad and fevered rout
She brought her gifts... and danced about,
Bacchante-like, at all our revels,
And over wine she sang for guests;
And in those days when I was blest,
The young pursued my Muse like devils;
While I, mid friends, was drunk with pride —
My flighty mistress at my side.

IV

But from that band I soon departed —
And fled afar... and she as well.
How often, on the course I charted,
My gentle Muse's magic spell
Would light the way with secret stories!
How oft, mid far Caucasia's glories,
Like fair Lenore, on moonlit nights
She rode with me those craggy heights!
How often on the shores of Tauris,
On misty eves, she led me down
To hear the sea's incessant sound,
The Nereids' eternal chorus —
That endless chant the waves unfurled
In praise of him who made the world.

V

Forgetting, then, the city's splendour,
Its noisy feasts and grand events,
In sad Moldavia she turned tender
And visited the humble tents
Of wandering tribes; and like a child,
She learned their ways and soon grew wild:
The language of the gods she shed
For strange and simple tongues instead —
To sing the savage steppe, elated;
But then her course abruptly veered,
And in my garden she appeared —
A country miss — infatuated,
With mournful air and brooding glance,
And in her hands a French romance.

VI

И ныне музу я впервые
На светский раут привожу;
На прелести ее степные
С ревнивой робостью гляжу.
Сквозь тесный ряд аристократов,
Военных франтов, дипломатов
И гордых дам она скользит;
Вот села тихо и глядит,
Любуясь шумной теснотою,
Мельканьем платьев и речей,
Явленьем медленным гостей
Перед хозяйкой молодою
И темной рамою мужчин
Вкруг дам как около картин.

VII

Ей нравится порядок стройный
Олигархических бесед,
И холод гордости спокойной,
И эта смесь чинов и лет.
Но это кто в толпе избранной
Стоит безмолвный и туманный?
Для всех он кажется чужим.
Мелькают лица перед ним
Как ряд докучных привидений.
Что, сплин иль страждущая спесь
В его лице? Зачем он здесь?
Кто он таков? Ужель Евгений?
Ужели он?.. Так, точно он.
— Давно ли к нам он занесен?

VIII

Все тот же ль он иль усмирился?
Иль корчит так же чудака?
Скажите: чем он возвратился?
Что нам представит он пока?
Чем ныне явится? Мельмотом,
Космополитом, патриотом,
Гарольдом, квакером, ханжой,
Иль маской щегольнет иной,
Иль просто будет добрый малый,
Как вы да я, как целый свет?
По крайней мере мой совет:
Отстать от моды обветшалой.
Довольно он морочил свет...
— Знаком он вам? — И да и нет.

VI

And now I seize the first occasion
To show my Muse a grand soirée;
I watch with jealous trepidation
Her rustic charms on full display.
And lo! my beauty calmly passes
Through ranks of men from higborn classes,
Past diplomats and soldier-fops,
And haughty dames... then calmly stops
To sit and watch the grand procession —
The gowns, the talk, the milling mass,
The slow parade of guests who pass
Before the hostess in succession,
The sombre men who form a frame
Around each painted belle and dame.

VII

She likes the stately disposition
Of oligarchic colloquies,
Their chilly pride in high position,
The mix of years and ranks she sees.
But who is that among the chosen,
That figure standing mute and frozen,
That stranger no one seems to know?
Before him faces come and go
Like spectres in a bleak procession.
What is it — martyred pride, or spleen
That marks his face?... Is that Eugene?!
That figure with the strange expression?
Can that be he? It is, I say.
«But when did fate cast him our way?

VIII

«Is he the same, or is he learning?
Or does he play the outcast still?
In what new guise is he returning?
What role does he intend to fill?
Childe Harold? Melmoth for a while?
Cosmopolite? A Slavophile?
A Quaker? Bigot? — might one ask?
Or will he sport some other mask?
Or maybe he's just dedicated,
Like you and me, to being nice?
In any case, here's my advice:
Give up a role when it's outdated.
He's gulled the world... now let it go.»
«You know him then?» «Well, yes and no.»

IX

— Зачем же так неблагосклонно
Вы отзываетесь о нем?
За то ль, что мы неугомонно
Хлопочем, судим обо всем,
Что пылких душ неосторожность
Самолюбивую ничтожность
Иль оскорбляет, иль смешит,
Что ум, любя простор, теснит,
Что слишком часто разговоры
Принять мы рады за дела,
Что глупость ветрена и зла,
Что важным людям важны вздоры,
И что посредственность одна
Нам по плечу и не странна?

X

Блажен, кто смолоду был молод,
Блажен, кто вовремя созрел,
Кто постепенно жизни холод
С летами вытерпеть умел;
Кто странным снам не предавался,
Кто черни светской не чуждался,
Кто в двадцать лет был франт иль хват,
А в тридцать выгодно женат;
Кто в пятьдесят освободился
От частных и других долгов,
Кто славы, денег и чинов
Спокойно в очередь добился,
О ком твердили целый век:
N. N. прекрасный человек.

XI

Но грустно думать, что напрасно
Была нам молодость дана,
Что изменяли ей всечасно,
Что обманула нас она;
Что наши лучшие желанья,
Что наши свежие мечтанья
Истлели быстрой чередой,
Как листья осенью гнилой.
Несносно видеть пред собою
Одних обедов длинный ряд,
Глядеть на жизнь как на обряд,
И вслед за чинною толпою
Идти, не разделяя с ней
Ни общих мнений, ни страстей.

IX

But why on earth does he inspire
So harsh and negative a view?
Is it because we never tire
Of censuring what others do?
Because an ardent spirit's daring
Appears absurd or overbearing
From where the smug and worthless sit?
Because the dull are cramped by wit?
Because we take mere talk for action,
And malice rules a petty mind?
Because in tripe the solemn find
A cause for solemn satisfaction,
And mediocrity alone
Is what we like and call our own?

X

Oh, blest who in his youth was tender;
And blest who ripened in his prime;
Who learned to bear, without surrender,
The chill of life with passing time;
Who never knew exotic visions,
Nor scorned the social mob's decisions;
Who was at twenty fop or swell,
And then at thirty, married well,
At fifty shed all obligation
For private and for other debts;
Who gained in turn, without regrets,
Great wealth and rank and reputation;
Of whom lifelong the verdict ran:
«Old X is quite a splendid man.»

XI

How sad that youth, with all its power,
Was given us in vain, to burn;
That we betrayed it every hour,
And were deceived by it in turn;
That all our finest aspirations,
Our brightest dreams and inspirations,
Have withered with each passing day
Like leaves dank autumn rots away.
It's hard to face a long succession
Of dinners stretching out of sight,
To look at life as at a rite,
And trail the seemly crowd's procession —
Indifferent to the views they hold,
And to their passions ever cold.

XII

Предметом став суждений шумных,
Несносно (согласитесь в том)
Между людей благоразумных
Прослыть притворным чудаком,
Или печальным сумасбродом,
Иль сатаническим уродом,
Иль даже демоном моим.
Онегин (вновь займуся им),
Убив на поединке друга,
Дожив без цели, без трудов
До двадцати шести годов,
Томясь в бездействии досуга
Без службы, без жены, без дел,
Ничем заняться не умел.

XIII

Им овладело беспокойство,
Охота к перемене мест
(Весьма мучительное свойство,
Немногих добровольный крест).
Оставил он свое селенье,
Лесов и нив уединенье,
Где окровавленная тень
Ему являлась каждый день,
И начал странствия без цели,
Доступный чувству одному;
И путешествия ему,
Как всё на свете, надоели;
Он возвратился и попал,
Как Чацкий, с корабля на бал.

XIV

Но вот толпа заколебалась,
По зале шепот пробежал...
К хозяйке дама приближалась,
За нею важный генерал.
Она была нетороплива,
Не холодна, не говорлива,
Без взора наглого для всех,
Без притязаний на успех,
Без этих маленьких ужимок,
Без подражательных затей...
Все тихо, просто было в ней,
Она казалась верный снимок
Du comme il faut... (Шишков, прости:
Не знаю, как перевести.)

XII

When one becomes the butt of rumour,
It's hard to bear (as you well know)
When men of reason and good humour
Perceive you as a freak on show,
Or as a sad and raving creature,
A monster of Satanic feature,
Or even Demon of my pen!
Eugene (to speak of him again),
Who'd killed his friend for satisfaction,
Who in an aimless, idle fix
Has reached the age of twenty-six,
Annoyed with leisure and inaction,
Without position, work, or wife —
Could find no purpose for his life.

XIII

He felt a restless, vague ambition,
A craving for a change of air
(A most unfortunate condition —
A cross not many choose to bear).
He left his home in disillusion
And fled the woods' and fields' seclusion,
Where every day before his eyes
A bloody spectre seemed to rise;
He took up travel for distraction,
A single feeling in his breast;
But journeys too, like all the rest,
Soon proved a wearisome attraction.
So he returned one day to fall,
Like Chatsky, straight from boat to ball.

XIV

But look, the crowd's astir and humming;
A murmur through the ballroom steals...
The hostess sees a lady coming,
A stately general at her heels.
She isn't hurried or obtrusive,
Is neither cold nor too effusive;
She casts no brazen glance around
And makes no effort to astound
Or use those sorts of affectation
And artifice that ladies share —
But shows a simple, quiet air.
She seems the very illustration
Du comme il faut... (Shishkow, be kind:
I can't translate this phrase, I find.)

XV

К ней дамы подвигались ближе;
Старушки улыбались ей;
Мужчины кланялися ниже,
Ловили взор ее очей;
Девицы проходили тише
Пред ней по зале, и всех выше
И нос и плечи подымал
Вошедший с нею генерал.
Никто б не мог ее прекрасной
Назвать; но с головы до ног
Никто бы в ней найти не мог
Того, что модой самовластной
В высоком лондонском кругу
Зовется *vulgar* (Не могу...

XVI

Люблю я очень это слово,
Но не могу перевести;
Оно у нас покамест ново,
И вряд ли быть ему в чести.
Оно б годилось в эпиграмме...)
Но обращаюсь к нашей даме.
Беспечной прелестью мила,
Она сидела у стола
С блестящей Ниной Воронскою,
Сей Клеопатрою Невы;
И верно б согласились вы,
Что Нина мраморной красою
Затмить соседку не могла,
Хоть ослепительна была.

XVII

«Ужели, — думает Евгений: —
Ужель она? Но точно... Нет...
Как! из глуши степных селений...»
И неотвязчивый лорнет
Он обращает поминутно
На ту, чей вид напомнил смутно
Ему забытые черты.
«Скажи мне, князь, не знаешь ты,
Кто там в малиновом берете
С послом испанским говорит?»
Князь на Онегина глядит.
— Ага! давно ж ты не был в свете.
Постой, тебя представлю я. —
«Да кто ж она?» — Жена моя. —

XV

The ladies flocked to stand beside her;
Old women beamed as she went by;
The men bowed lower when they spied her
And sought in vain to catch her eye;
Young maidens hushed in passing by her;
While none held head and shoulders higher
Than he who brought the lady there —
The general with the prideful air.
One couldn't label her a beauty;
But neither did her form contain,
From head to toe, the slightest strain
Of what, with fashion's sense of duty,
The London social sets decry
As *vulgar*. (I won't even try

XVI

To find an adequate translation
For this delicious epithet;
With us the word's an innovation,
But though it's won no favour yet,
'Twould make an epigram of style. ...
But where's our lady all this while?)
With carefree charm and winsome air
She took a seat beside the chair
Of brilliant Nina Voronskáya,
That Cleopatra of the North;
But even Nina, shining forth
With all her marble beauty's fire —
However dazzling to the sight —
Could not eclipse her neighbour's light.

XVII

«Can it be true?» Eugene reflected.
«Can that be she? ...It seems... and yet...
From those backwoods!» And he directed
A curious and keen lorgnette
For several minutes in succession
Upon the lady whose expression
Called up a face from long ago.
«But tell me, Prince, you wouldn't know
Who's standing there in conversation
Beside the Spanish envoy, pray...
That lady in the red beret?»
«You *have* been out of circulation.
But I'll present you now with joy.»
«Who is she, though?» «My wife, old boy.»

XVIII

«Так ты женат! не знал я ране!
Давно ли?» — Около двух лет. —
«На ком?» — На Лариной. — «Татьяне!»
— Ты ей знаком? — «Я им сосед».
— О, так пойдем же. — Князь подходит
К своей жене и ей подводит
Родню и друга своего.
Княгиня смотрит на него...
И что ей душу ни смутило,
Как сильно ни была она
Удивлена, поражена,
Но ей ничто не изменило:
В ней сохранился тот же тон,
Был так же тих ее поклон.

XIX

Ей-ей! не то, чтоб содрогнулась
Иль стала вдруг бледна, красна...
У ней и бровь не шевельнулась;
Не сжала даже губ она.
Хоть он глядел нельзя прилежней,
Но и следов Татьяны прежней
Не мог Онегин обрести.
С ней речь хотел он завести
И — и не мог. Она спросила,
Давно ль он здесь, откуда он
И не из их ли уж сторон?
Потом к супругу обратила
Усталый взгляд; скользнула вон...
И недвижим остался он.

XX

Ужель та самая Татьяна,
Которой он наедине,
В начале нашего романа,
В глухой, далекой стороне,
В благом пылу нравоученья,
Читал когда-то наставленья,
Та, от которой он хранит
Письмо, где сердце говорит,
Где всё наруже, всё на воле,
Та девочка... иль это сон?..
Та девочка, которой он
Пренебрегал в смиренной доле,
Ужели с ним сейчас была
Так равнодушна, так смела?

XVIII

«You're married! Really?» — «On my honour.»
«To whom? How long?» — «Some two years since...
The Larin girl.» —«You mean Tatyana!»
«She knows you?» — «We were neighbours, Prince.»
«Well then, come on... we'll go and meet her.»
And so the prince led up to greet her
His kinsman and his friend Eugene.
The princess looked at him — serene;
However much the situation
Disturbed her soul and caused her pain,
However great her shock or strain,
She gave no hint of agitation:
Her manner stayed the same outside,
Her bow was calm and dignified.

XIX

It's true! The lady didn't shiver,
Or blush, or suddenly turn white...
Or even let an eyebrow quiver,
Or press her lips together tight.
Although Eugene with care inspected
This placid lady, he detected
No trace of Tanya from the past.
And when he tried to speak at last,
He found he couldn't. She enquired
When he'd arrived, and if of late
He'd been back home at his estate —
Then gave her spouse a look so tired,
He took her arm. She moved away...
And left Eugene in mute dismay.

XX

Was this the Tanya he once scolded
In that forsaken, distant place
Where first our novel's plot unfolded?
The one to whom, when face to face,
In such a burst of moral fire,
He'd lectured gravely on desire?
The girl whose letter he still kept —
In which a maiden heart had wept;
Where all was shown... all unprotected?
Was this that girl... or did he dream?
That little girl whose warm esteem
And humble lot he'd once rejected?...
And could she now have been so bold,
So unconcerned with him... so cold?

XXI

Он оставляет раут тесный,
Домой задумчив едет он;
Мечтой то грустной, то прелестной
Его встревожен поздний сон.
Проснулся он; ему приносят
Письмо: князь N покорно просит
Его на вечер. «Боже! к ней!..
О буду, буду!» и скорей
Марает он ответ учтивый.
Что с ним? в каком он странном сне!
Что шевельнулось в глубине
Души холодной и ленивой?
Досада? суетность? иль вновь
Забота юности — любовь?

XXII

Онегин вновь часы считает,
Вновь не дождется дню конца.
Но десять бьет; он выезжает,
Он полетел, он у крыльца,
Он с трепетом к княгине входит;
Татьяну он одну находит,
И вместе несколько минут
Они сидят. Слова нейдут
Из уст Онегина. Угрюмый,
Неловкий, он едва-едва
Ей отвечает. Голова
Его полна упрямой думой.
Упрямо смотрит он: она
Сидит покойна и вольна.

XXIII

Приходит муж. Он прерывает
Сей неприятный tête-à-tête;
С Онегиным он вспоминает
Проказы, шутки прежних лет.
Они смеются. Входят гости.
Вот крупной солью светской злости
Стал оживляться разговор;
Перед хозяйкой легкий вздор
Сверкал без глупого жеманства,
И прерывал его меж тем
Разумный толк без пошлых тем,
Без вечных истин, без педантства,
И не пугал ничьих ушей
Свободной живостью своей.

XXI

He left the rout in all its splendour
And drove back home, immersed in thought;
A swarm of dreams, both sad and tender,
Disturbed the slumber that he sought.
He woke to find, with some elation,
Prince N. had sent an invitaton.
«Oh God! I'll see her... and today!
Oh yes, I'll go!» — and straightaway
He scrawled a note: *he'd be delighted.*
What's wrong with him?... He's in a daze.
What's stirring in that idle gaze,
What's made that frigid soul excited?
Vexation? Pride? Or youth's old yen
For all the cares of love again?

XXII

Once more he counts the hours, pacing;
Once more can't wait till day is past.
The clock strikes ten: and off he's racing,
And now he's at the porch at last;
He enters in some apprehension;
The princess, to his added tension,
Is quite alone. Some minutes there
They sit. Eugene can only stare,
He has no voice. Without a smile,
And ill at ease, he scarcely tries
To answer her. His mind supplies
But one persistent thought the while.
His eyes retain their stare; but she
Sits unconstrained, quite calm and free.

XXIII

Her husband enters, thus arresting
This most unpleasant tête-à-tête;
Eugene and he recalled the jesting,
The pranks and fun when first they'd met.
They laughed. Then guests began arriving.
And on the spice of malice thriving,
The conversation sparkled bright;
The hostess kept the bander light
And quite devoid of affectations;
Good reasoned talk was also heard,
But not a trite or vulgar word,
No lasting truths or dissertations —
And no one's ears were shocked a bit
By all the flow of lively wit.

XXIV

Тут был, однако, цвет столицы,
И знать, и моды образцы,
Везде встречаемые лица,
Необходимые глупцы;
Тут были дамы пожилые
В чепцах и в розах, с виду злые;
Тут было несколько девиц,
Не улыбающихся лиц;
Тут был посланник, говоривший
О государственных делах;
Тут был в душистых сединах
Старик, по-старому шутивший:
Отменно тонко и умно,
Что нынче несколько смешно.

XXV

Тут был на эпиграммы падкий,
На всё сердитый господин:
На чай хозяйский слишком сладкий,
На плоскость дам, на тон мужчин,
На толки про роман туманный,
На вензель, двум сестрицам данный,
На ложь журналов, на войну,
На снег и на свою жену.
. . . .
. . . .
. . . .
. . . .
. . . .
. . . .

XXVI

Тут был Проласов, заслуживший
Известность низостью души,
Во всех альбомах притупивший,
St.-Priest, твои карандаши;
В дверях другой диктатор бальный
Стоял картинкою журнальной,
Румян, как вербный херувим,
Затянут, нем и недвижим,
И путешественник залётный,
Перекрахмаленный нахал,
В гостях улыбку возбуждал
Своей осанкою заботной,
И молча обмененный взор
Ему был общий приговор.

XXIV

The social cream had gathered gaily:
The nobly born and fashion's pets;
The faces one encounters daily,
The fools one never once forgets;
The aged ladies, decked in roses,
In bonnets and malignant poses;
And several maidens, far from gay —
Unsmiling faces on display;
And here's an envoy speaking slyly
Of some most solemn state affair;
A greybeard too... with scented hair,
Who joked both cleverly and wryly
In quite a keen, old-fashioned way,
Which seems a touch absurd today!

XXV

And here's a chap whose words are biting,
Who's cross with everything about:
With tea too sweet to be inviting,
With banal ladies, men who shout,
That foggy book they're all debating,
The badge on those two maids-in-waiting,
The falsehoods in reviews, the war,
The snow, his wife, and much, much more.
. . . .
. . . .
. . . .
. . . .
. . . .
. . . .

XXVI

And here's Prolázov, celebrated
For loathesomeness of soul — a clown,
As you, Saint-Priest, have demonstrated
In album drawings all through town.
Another ballroom king on station
(Like fashion's very illustration)
Beside the door stood tightly laced,
Immobile, mute, and cherub-faced;
A traveller home from distant faring,
A brazen chap all strached and proud,
Provoked amusement in the crowd
By his pretentious, studied bearing:
A mere exchange of looks conveyed
The sorry sight the fellow made.

XXVII

Но мой Онегин вечер целый
Татьяной занят был одной,
Не этой девочкой несмелой,
Влюбленной, бедной и простой,
Но равнодушною княгиней,
Но неприступною богиней
Роскошной, царственной Невы.
О люди! все похожи вы
На прародительницу Эву:
Что вам дано, то не влечет,
Вас непрестанно змий зовет
К себе, к таинственному древу;
Запретный плод вам подавай,
А без того вам рай не рай.

XXVIII

Как изменилася Татьяна!
Как твердо в роль свою вошла!
Как утеснительного сана
Приемы скоро приняла!
Кто б смел искать девчонки нежной
В сей величавой, в сей небрежной
Законодательнице зал?
И он ей сердце волновал!
Об нем она во мраке ночи,
Пока Морфей не прилетит,
Бывало, девственно грустит,
К луне подъемлет томны очи,
Мечтая с ним когда-нибудь
Свершить смиренный жизни путь!

XXIX

Любви все возрасты покорны;
Но юным, девственным сердцам
Ее порывы благотворны,
Как бури вешние полям:
В дожде страстей они свежеют,
И обновляются, и зреют —
И жизнь могущая дает
И пышный цвет и сладкий плод.
Но в возраст поздний и бесплодный,
На повороте наших лет,
Печален страсти мертвой след:
Так бури осени холодной
В болото обращают луг
И обнажают лес вокруг.

XXVII

But my Eugene all evening heeded
Tatyana.. only her alone:
But not the timid maid who'd pleaded,
That poor enamoured girl he'd known —
But this cool princess so resplendent,
This distant goddess so transcendent,
Who ruled the queenly Néva's shore.
Alas! We humans all ignore
Our Mother Eve's disastrous history:
What's given to us ever palls,
Incessantly the serpent calls
And lures us to the tree of mystery:
We've got to have forbidden fruit,
Or Eden's joys for us are moot.

XXVIII

How changed Tatyana is! How surely
She's taken up the role she plays!
How quick she's mastered, how securely,
Her lordly rank's commanding ways!
Who'd dare to seek the tender maiden
In this serene and glory-laden
Grande Dame of lofty social spheres?
Yet once he'd moved her heart to tears!
Her virgin brooding once had cherished
Sweet thoughts of him in darkest night,
While Morpheus still roamed in flight;
And, gazing at the moon, she'd nourished
A tender dream that she someday
Might walk with him life's humble way!

XXIX

To love all ages yield surrender;
But to the young its raptures bring
A blessing bountiful and tender
As storms refresh the fields of spring.
Neath passion's rains they green and thicken,
Renew themselves with joy, and quicken;
And vibrant life in taking root
Sends forth rich blooms and gives sweet fruit.
But when the years have made us older,
And barren age has shown its face,
How sad is faded passion's trace!...
Thus storms in autumn, blowing colder.
Turn meadows into marshy ground
And strip the forest bare all round.

XXX

Сомненья нет: увы! Евгений
В Татьяну как дитя влюблен;
В тоске любовных помышлений
И день и ночь проводит он.
Ума не внемля строгим пеням,
К ее крыльцу, стеклянным сеням
Он подъезжает каждый день;
За ней он гонится как тень;
Он счастлив, если ей накинет
Боа пушистый на плечо,
Или коснется горячо
Ее руки, или раздвинет
Пред нею пестрый полк ливрей,
Или платок подымет ей.

XXXI

Она его не замечает,
Как он ни бейся, хоть умри.
Свободно дома принимает,
В гостях с ним молвит слова три,
Порой одним поклоном встретит,
Порою вовсе не заметит:
Кокетства в ней ни капли нет —
Его не терпит высший свет.
Бледнеть Онегин начинает:
Ей иль не видно, иль не жаль;
Онегин сохнет — и едва ль
Уж не чахоткою страдает.
Все шлют Онегина к врачам,
Те хором шлют его к *водам*.

XXXII

А он не едет; он заране
Писать ко прадедам готов
О скорой встрече; а Татьяне
И дела нет (их пол таков);
А он упрям, отстать не хочет,
Еще надеется, хлопочет;
Смелей здорового, больной
Княгине слабою рукой
Он пишет страстное посланье.
Хоть толку мало вообще
Он в письмах видел не вотще;
Но, знать, сердечное страданье
Уже пришло ему невмочь.
Вот вам письмо его точь-в-точь.

XXX

Alas! it's true: Eugene's demented,
In love with Tanya like a boy;
He spends each day and night tormented
By thoughts of love, by dreams of joy.
Ignoring reason's condemnation,
Each day he rides to take his station
Outside her glassed-in entryway,
Then follows her about all day.
He's happy just to be around her,
To help her with her shawl or furs,
To touch a torrid hand to hers,
To part the footmen who surround her
In liveried ranks where'er she calls,
Or fetch her kerchief when it falls.

XXXI

She pays him not the least attention,
No matter what he tries to do;
At home receives him without tension;
In public speaks a word or two,
Or sometimes merely bows on meeting,
Or passes by without a greeting:
She's no coquette in any part —
The *monde* abhors a fickle heart.
Onegin, though, is fading quickly;
She doesn't see or doesn't care;
Onegin, wasting, has the air
Of one consumptive — wan and sickly.
He's urged to seek his doctor's view,
And these suggest a spa or two.

XXXII

But he refused to go. He's ready
To join his forebears any day;
Tatyana, though, stayed calm and steady
(Their sex, alas, is hard to sway).
And yet he's stubborn... still resistant,
Still hopeful and indeed persistent.
Much bolder than most healthy men,
He chose with trembling hand to pen
The princess an impassioned letter.
Though on the whole he saw no sense
In missives writ in love's defence
(And with good cause!), he found it better
That bearing all his pain unheard.
So here's his letter word for word.

П и с ь м о
О н е г и н а   к   Т а т ь я н е

Предвижу всё: вас оскорбит
Печальной тайны объясненье.
Какое горькое презренье
Ваш гордый взгляд изобразит!
Чего хочу? с какою целью
Открою душу вам свою?
Какому злобному веселью,
Быть может, повод подаю!

Случайно вас когда-то встретя,
В вас искру нежности заметя,
Я ей поверить не посмел:
Привычке милой не дал ходу;
Свою постылую свободу
Я потерять не захотел.
Еще одно нас разлучило...
Несчастной жертвой Ленский пал...
Ото всего, что сердцу мило,
Тогда я сердце оторвал;
Чужой для всех, ничем не связан,
Я думал: вольность и покой
Замена счастью. Боже мой!
Как я ошибся, как наказан...

Нет, поминутно видеть вас,
Повсюду следовать за вами,
Улыбку уст, движенье глаз
Ловить влюбленными глазами,
Внимать вам долго, понимать
Душой все ваше совершенство,
Пред вами в муках замирать,
Бледнеть и гаснуть... вот блаженство!

И я лишен того: для вас
Тащусь повсюду наудачу;
Мне дорог день, мне дорог час:
А я в напрасной скуке трачу
Судьбой отсчитанные дни.
И так уж тягостны они.
Я знаю: век уж мой измерен;
Но чтоб продлилась жизнь моя,
Я утром должен быть уверен,
Что с вами днем увижусь я...

Onegin's Letter
to Tatyana

I know you'll feel a deep distress
At this unwanted revelation.
What bitter scorn and condemnation
Your haughty glance may well express!
What aims... what hopes do I envision
In opening my soul to you?
What wicked and deserved derision
Perhaps I give occasion to!

When first I met you and detected
A warmth in you quite unexpected,
I dared not trust in love again:
I didn't yield to sweet temptation
And had, it's true, no inclination
To lose my hateful freedom then.
What's more: poor guiltless Lensky perished,
And his sad fate drew us apart...
From all that I had ever cherished
I tore away my grieving heart;
Estranged from men and discontented,
I thought: in freedom, peace of mind,
A substitute for joy I'd find.
How wrong I've been! And how tormented!

But no! Each moment of my days
To see you and pursue you madly!
To catch your smile and search your gaze
With loving eyes that seek you gladly;
To melt with pain before your face,
To hear your voice... to try to capture
With all my soul your perfect grace;
To swoon and pass away... what rapture!

And I'm deprived of this; for you
I search on all the paths I wander;
Each day is dear, each moment too!
Yet I in futile dullness squander
These days allotted me by fate...
Oppressive days indeed of late.
My span on earth is all but taken,
But lest too soon I join the dead,
I need to know when I awaken,
I'll see you in the day ahead...

Боюсь: в мольбе моей смиренной
Увидит ваш суровый взор
Затеи хитрости презренной —
И слышу гневный ваш укор.
Когда б вы знали, как ужасно
Томиться жаждою любви,
Пылать — и разумом всечасно
Смирять волнение в крови;
Желать обнять у вас колени,
И, зарыдав, у ваших ног
Излить мольбы, признанья, пени,
Всё, всё, что выразить бы мог,
А между тем притворным хладом
Вооружать и речь и взор,
Вести спокойный разговор,
Глядеть на вас веселым взглядом!..

Но так и быть: я сам себе
Противиться не в силах боле;
Все решено: я в вашей воле
И предаюсь моей судьбе.

XXXIII

Ответа нет. Он вновь посланье:
Второму, третьему письму
Ответа нет. В одно собранье
Он едет; лишь вошел... ему
Она навстречу. Как сурова!
Его не видят, с ним ни слова;
У! как теперь окружена
Крещенским холодом она!
Как удержать негодованье
Уста упрямые хотят!
Вперил Онегин зоркий взгляд:
Где, где смятенье, состраданье?
Где пятна слез?.. Их нет, их нет!
На сем лице лишь гнева след...

XXXIV

Да, может быть, боязни тайной,
Чтоб муж иль свет не угадал
Проказы, слабости случайной...
Всего, что мой Онегин знал...
Надежды нет! Он уезжает,
Свое безумство проклинает —
И, в нем глубоко погружен,
От света вновь отрекся он.

I fear that in this meek petition
Your solemn gaze may only spy
The cunning of a base ambition —
And I can hear your stern reply.
But if you knew the anguish in it:
To thirst with love in every part,
To burn — and with the each minute,
To calm the tumult in one's heart;
To long to claps in adoration
Your knees... and, sobbing at your feet,
Pour out confessions, lamentation,
Oh, all that I might then entreat!...
And meantime, feigning resignation,
To arm my gaze and speech with lies:
To look at you with cheerful eyes
And hold a placid conversation!...

But let it be: it's now too late
For me to struggle at this hour;
The die is cast: I'm in your power,
And I surrender to my fate.

XXXIII

No answer came. Eugene elected
To write again... and then once more —
With no reply. He drives, dejected,
To some soirée... and by the door,
Sees *her* at once! Her harshness stuns him!
Without a word the lady shuns him!
My god! How stern that haughty brow,
What wintry frost surrounds her now!
Her lips express determination
To keep her fury in control!
Onegin stares with all his soul:
But where's distress? Commiseration?
And where the tearstains?... Not a trace!
There's wrath alone upon that face...

XXXIV

And, maybe, secret apprehension
Lest *monde* or husband misconstrue
An episode too slight to mention,
The tale that my Onegin knew....
But he departs, his hopes in tatters,
And damns his folly in these matters —
And plunging into deep despond,
He once again rejects the *monde*.

И в молчаливом кабинете
Ему припомнилась пора,
Когда жестокая хандра
За ним гналася в шумном свете,
Поймала, зá ворот взяла
И в темный угол заперла.

XXXV

Стал вновь читать он без разбора.
Прочел он Гиббона, Руссо,
Манзони, Гердера, Шамфора,
Madame de Staël, Биша, Тиссо,
Прочел скептического Беля,
Прочел творенья Фонтенеля,
Прочел из наших кой-кого,
Не отвергая ничего:
И альманахи, и журналы,
Где поученья нам твердят,
Где нынче так меня бранят,
А где такие мадригалы
Себе встречал я иногда:
E sempre bene, господа.

XXXVI

И что ж? Глаза его читали,
Но мысли были далеко;
Мечты, желания, печали
Теснились в душу глубоко.
Он меж печатными строками
Читал духовными глазами
Другие строки. В них-то он
Был совершенно углублен.
То были тайные преданья
Сердечной, темной старины,
Ни с чем не связанные сны,
Угрозы, толки, предсказанья,
Иль длинной сказки вздор живой,
Иль письма девы молодой.

XXXVII

И постепенно в усыпленье
И чувств и дум впадает он,
А перед ним воображенье
Свой пестрый мечет фараон.
То видит он: на талом снеге,
Как будто спящий на ночлеге,
Недвижим юноша лежит,
И слышит голос: что ж? убит.

And he recalled with grim emotion,
Behind his silent study door,
How wicked spleen had once before
Pursued him through the world's commotion,
Had seized him by the collar then,
And locked him in a darkened den.

XXXV

Once more he turned to books and sages.
He read his Gibbon and Rousseau;
Chamfort, Manzoni, Herder's pages;
Madame de Staël, Bichat, Tissot.
The sceptic Bayle he quite devoured,
The works of Fontenelle he scoured;
He even read some Russians too,
Nor did he scorn the odd review —
Those journals where each modern Moses
Instructs us in a moral way —
Where I'm so much abused today,
But where such madrigals and roses
I used to meet with now and then:·
E sempre bene, gentlemen.

XXXVI

And yet — although his eyes were reading,
His thoughts had wandered far apart;
Desires, dreams, and sorrows pleading —
Had crowded deep within his heart.
Between the printed lines lay hidden
Quite other lines that rose unbidden
Before his gaze. And these alone
Absorbed his soul... as he was shown:
The heart's dark secrets and traditions,
The mysteries of its ancient past;
Disjointed dreams — obscure and vast;
Vague treats and rumours, premonitions;
A drawn-out tale of fancies grand,
And letters in a maiden's hand.

XXXVII

But then as torpor dulled sensation,
His feelings and his thoughts went slack,
While in his mind imagination
Dealt out her motley faro pack.
He sees a youth, quite still, reposing
On melting snow — as if he's dozing
On bivouac; then hears with dread
A voice proclaim: «Well then, he's dead!»

То видит он врагов забвенных,
Клеветников, и трусов злых,
И рой изменниц молодых,
И круг товарищей презренных,
То сельский дом — и у окна
Сидит *она*... и всё она!..

XXXVIII

Он так привык теряться в этом,
Что чуть с ума не своротил
Или не сделался поэтом.
Признаться: то-то б одолжил!
А точно: силой магнетизма
Стихов российских механизма
Едва в то время не постиг
Мой бестолковый ученик.
Как походил он на поэта,
Когда в углу сидел один,
И перед ним пылал камин,
И он мурлыкал: *Benedetta*,
Иль *Idol mio* и ронял
В огонь то туфлю, то журнал.

XXXIX

Дни мчались; в воздухе нагретом
Уж разрешалася зима;
И он не сделался поэтом,
Не умер, не сошел с ума.
Весна живит его: впервые
Свои покои запертые,
Где зимовал он как сурок,
Двойные окна, камелек
Он ясным утром оставляет,
Несется вдоль Невы в санях.
На синих, иссеченных льдах
Играет солнце; грязно тает
На улицах разрытый снег.
Куда по нем свой быстрый бег

XL

Стремит Онегин? Вы заране
Уж угадали; точно так:
Примчался к ней, к своей Татьяне
Мой неисправленный чудак.
Идет, на мертвеца похожий.
Нет ни одной души в прихожей.
Он в залу; дальше: никого.
Дверь отворил он. Что ж его

He sees forgotten foes he'd bested,
Base cowards, slanderers full-blown,
Unfaithful women he had known,
Companions whom he now detested...
A country house... a windowsill...
Where she sits waiting... waiting still!

XXXVIII

He got so lost in his depression,
He just about went mad I fear,
Or else turned poet (an obsession
That I'd have been the first to cheer!)
It's true: by self-hypnotic action,
My muddled pupil, in distraction,
Came close to grasping at that time
The principles of Russian rhyme.
He looked the poet so completely
When by the hearth he'd sit alone
And *Benedetta* he'd instone
Or sometimes *Idol mio* sweetly —
While on the flames he'd drop unseen
His slipper or his magazine!

XXXIX

The days flew by. The winter season
Dissolved amid the balmy air;
He didn't die, or lose his reason,
Or turn a poet in despair.
With spring he felt rejuvenated:
The cell in which he'd hibernated
So marmot-like through winter's night —
The hearth, the double panes shut tight —
He quit one sparkling morn and sprinted
Along the Neva's bank by sleigh.
On hacked-out bluish ice that lay
Beside the road the sunlight glinted.
The rutted snow had turned to slush;
But where in such a headlong rush

XL

Has my Eugene directly hastened?
You've guessed already. Yes, indeed:
The moody fellow, still unchastened,
Has flown to Tanya's in his need.
He enters like a dead man, striding
Through empty hall; then passes, gliding.
Through grand salon. And on!... All bare.
He opens up a door.... What's there

С такою силой поражает?
Княгиня перед ним, одна,
Сидит, не убрана, бледна,
Письмо какое-то читает
И тихо слезы льет рекой,
Опершись на руку щекой.

XLI

О, кто б немых ее страданий
В сей быстрый миг не прочитал!
Кто прежней Тани, бедной Тани
Теперь в княгине б не узнал!
В тоске безумных сожалений
К ее ногам упал Евгений;
Она вздрогнула и молчит,
И на Онегина глядит
Без удивления, без гнева...
Его больной, угасший взор,
Молящий вид, немой укор,
Ей внятно всё. Простая дева,
С мечтами, сердцем прежних дней,
Теперь опять воскресла в ней.

XLII

Она его не подымает
И, не сводя с него очей,
От жадных уст не отымает
Бесчувственной руки своей...
О чем теперь ее мечтанье?
Проходит долгое молчанье,
И тихо наконец она:
«Довольно; встаньте. Я должна
Вам объясниться откровенно.
Онегин, помните ль тот час,
Когда в саду, в аллее нас
Судьба свела, и так смиренно
Урок ваш выслушала я?
Сегодня очередь моя.

XLIII

Онегин, я тогда моложе,
Я лучше, кажется, была,
И я любила вас; и что же?
Что в сердце вашем я нашла?
Какой ответ? одну суровость.
Не правда ль? Вам была не новость
Смиренной девочки любовь?
И нынче — Боже! — стынет кровь,

That strikes him with such awful pleading?
The princess sits alone in sight,
Quite unadorned, her face gone white
Above some letter that she's reading —
And cheek in hand as down she peers,
She softly sheds a flood of tears.

XLI

In that brief instant then, who couldn't
Have read her tortured heart as last!
And in the princess then, who wouldn't
Have known poor Tanya from the past!
Mad with regret and anguished feeling,
Eugene fell down before her, kneeling;
She shuddered, but she didn't speak,
Just looked at him — her visage bleak —
Without surprise or indignation.
His stricken, sick, extinguished eyes,
Imploring aspect, mute replies —
She saw it all. In desolation,
The simple girl he'd known before,
Who'd dreamt and loved, was born once more.

XLII

Her gaze upon his face still lingers;
She does not bid him rise or go,
Does not withdraw impassive fingers
From avid lips that press them so.
What dreams of hers were re-enacted?
The heavy silence grew protracted,
Until at last she whispered low:
«Enough; get up. To you I owe
A word of candid explanation.
Onegin, do you still retain
Some memory of that park and lane,
Where fate once willed our confrontation,
And I so meekly heard you preach?
It's my turn now to make a speech.

XLIII

«Onegin, I was then much younger,
I daresay better-looking too,
And loved you with a girlish hunger;
But what did I then find in you?
What answer came? Just stern rejection.
A little maiden's meek affection
To you, I'm sure, was trite and old.
Oh God! — my blood can still turn cold

Как только вспомню взгляд холодный
И эту проповедь... Но вас
Я не виню: в тот страшный час
Вы поступили благородно,
Вы были правы предо мной:
Я благодарна всей душой...

XLIV

Тогда — не правда ли? — в пустыне,
Вдали от суетной молвы,
Я вам не нравилась... Что ж ныне
Меня преследуете вы?
Зачем у вас я на примете?
Не потому ль, что в высшем свете
Теперь являться я должна;
Что я богата и знатна,
Что муж в сраженьях изувечен,
Что нас за то ласкает двор?
Не потому ль, что мой позор
Теперь бы всеми был замечен
И мог бы в обществе принесть
Вам соблазнительную честь?

XLV

Я плачу... если вашей Тани
Вы не забыли до сих пор,
То знайте: колкость вашей брани,
Холодный, строгий разговор,
Когда б в моей лишь было власти,
Я предпочла б обидной страсти
И этим письмам и слезам.
К моим младенческим мечтам
Тогда имели вы хоть жалость,
Хоть уважение к летам...
А нынче! — что к моим ногам
Вас привело? какая малость!
Как с вашим сердцем и умом
Быть чувства мелкого рабом?

XLVI

А мне, Онегин, пышность эта,
Постылой жизни мишура,
Мои успехи в вихре света,
Мой модный дом и вечера,
Что в них? Сейчас отдать я рада
Всю эту ветошь маскарада,
Весь этот блеск, и шум, и чад
За полку книг, за дикий сад,

When I recall how you reacted:
Your frigid glance... that sermonette!...
But I can't blame you or forget
How nobly in a sense you acted,
How right toward me that awful day:
I'm grateful now in every way....

XLIV

«Back then — far off from vain commotion,
In our backwoods, as you'll allow,
You had no use for my devotion...
So why do you pursue me now?
Why mark me out for your attention?
Is it perhaps my new ascension
To circles that you find more swank;
Or that I now have wealth and rank;
Or that my husband, maimed in battle,
Is held in high esteem at Court?
Or would my fall perhaps be sport,
A cause for all the *monde* to tattle —
Which might in turn bring you some claim
To social scandal's kind of fame?

XLV

«I'm weeping... Oh, at this late hour,
If you recall your Tanya still,
Then know — that were it in my power,
I'd much prefer words harsh and chill,
Stern censure in your former fashion —
To this offensive show of passion,
To all these letters and these tears.
Oh *then* at least, my tender years
Aroused in you some hint of kindness;
You pitied then my girlish dreams....
But *now*!... What unbecoming schemes
Have brought you to my feet? What blindness!
Can you, so strong of mind and heart,
Now stoop to play so base a part?

XLVI

«To me, Onegin, all these splendours,
This weary tinselled life of mine,
This homage that the great world tenders,
My stylish house where princes dine —
Are empty.... I'd as soon be trading
This tattered life of masquerading,
This world of glitter, fumes, and noise,
For just my books, the simple joys

За наше бедное жилище,
За те места, где в первый раз,
Онегин, видела я вас,
Да за смиренное кладбище,
Где нынче крест и тень ветвей
Над бедной нянею моей...

XLVII

А счастье было так возможно,
Так близко!.. Но судьба моя
Уж решена. Неосторожно,
Быть может, поступила я:
Меня с слезами заклинаний
Молила мать; для бедной Тани
Все были жребии равны...
Я вышла замуж. Вы должны,
Я вас прошу, меня оставить;
Я знаю: в вашем сердце есть
И гордость и прямая честь.
Я вас люблю (к чему лукавить?),
Но я другому отдана;
Я буду век ему верна».

XLVIII

Она ушла. Стоит Евгений,
Как будто громом поражен.
В какую бурю ощущений
Теперь он сердцем погружен!
Но шпор незапный звон раздался,
И муж Татьянин показался,
И здесь героя моего,
В минуту, злую для него,
Читатель, мы теперь оставим,
Надолго... навсегда. За ним
Довольно мы путем одним
Бродили пó свету. Поздравим
Друг друга с берегом. Ура!
Давно б (не правда ли?) пора!

XLIX

Кто б ни был ты, о мой читатель,
Друг, недруг, я хочу с тобой
Расстаться нынче как приятель.
Прости. Чего бы ты за мной
Здесь ни искал в строфах небрежных,
Воспоминаний ли мятежных,
Отдохновенья ль от трудов,
Живых картин, иль острых слов,

Of our old home, its walks and flowers,
For all those haunts that I once knew...
Where first, Onegin, I saw you;
For that small churchyard's shaded bowers,
Where over my poor nanny now
There stands a cross beneath a bough.

XLVII

«And happiness was ours... so nearly!
It came so close!... But now my fate
Has been decreed. I may have merely
Been foolish when I failed to wait;
But mother with her lamentation
Implored me, and in resignation
(All futures seemed alike in woe)
I married.... Now I beg you, go!
I've faith in you and do not tremble;
I know that in your heart reside
Both honour and a manly pride.
I love you (why should I dissemble?);
But I am now another's wife,
And I'll be faithfull all my life.»

XLVIII

She left him then. Eugene, forsaken,
Stood seared, as if by heaven's fire.
How deep his stricken heart is shaken!
With what a tempest of desire!
A sudden clink of spurs rings loudly,
As Tanya's husband enters proudly —
And here... at this unhappy turn
For my poor hero, we'll adjourn
And leave him, reader, at his station...
For long... forever. In his train
We've roamed the world down one slim lane
For long enough. Congratulation
On reaching land at last. Hurray!
And long since time, I'm sure you'd say!

XLIX

Whatever, reader, your reaction,
And whether you be foe or friend,
I hope we part in satisfaction...
As comrades now. Whatever end
You may have sought in these reflections —
Tumultuous, fondly recollections,
Relief from labours for a time,
Live images, or wit in rhyme,

Иль грамматических ошибок,
Дай Бог, чтоб в этой книжке ты
Для развлеченья, для мечты,
Для сердца, для журнальных сшибок
Хотя крупицу мог найти.
За сим расстанемся, прости!

L

Прости ж и ты, мой спутник странный,
И ты, мой верный идеал,
И ты, живой и постоянный,
Хоть малый труд. Я с вами знал
Всё, что завидно для поэта:
Забвенье жизни в бурях света,
Беседу сладкую друзей.
Промчалось много, много дней
С тех пор, как юная Татьяна
И с ней Онегин в смутном сне
Явилися впервые мне —
И даль свободного романа
Я сквозь магический кристалл
Еще не ясно различал.

LI

Но те, которым в дружной встрече
Я строфы первые читал...
Иных уж нет, а те далече,
Как Сади некогда сказал.
Без них Онегин дорисован,
А та, с которой образован
Татьяны милый идеал...
О много, много рок отъял!
Блажен, кто праздник жизни рано
Оставил, не допив до дна
Бокала полного вина,
Кто не дочел ее романа
И вдруг умел расстаться с ним,
Как я с Онегиным моим.

КОНЕЦ

Or maybe merely faulty grammar
God grant that in my careless art,
For fun, for dreaming, for the heart...
For raising journalistic clamour,
You've found at least a crumb or two.
And so let's part; farewell ... adieu!

L

Farewell, you too, my moody neighbour,
And you, my true ideal, my own!
And you, small book, my constant labour,
In whose bright company I've known
All that a poet's soul might cherish:
Oblivion when tempests flourish,
Sweet talk with friends, on which I've fed.
Oh, many, many days have fled
Since young Tatyana with her lover,
As in a misty dream at night,
First floated dimly into sight —
And I as yet could not uncover
Or through the magic crystal see
My novel's shape or what would be.

LI

But those to whom, as friends and brothers,
My first few stanzas I once read —
«Some are no more, and distant... others.»
As Sadi long before us said.
Without them my Onegin's fashioned.
And she from whom I drew, impassioned,
My fair Tatyana's noblest trait...
Oh, much, too much you've stolen, Fate!
But blest is he who rightly gauges
The time to quit the feast and fly,
Who never drained life's chalice dry,
Not read its novel's final pages;
But all at once for good withdrew —
As I from my Onegin do.

THE END

Translated by James E. Falen

INDEX OF TRANSLATORS

СОДЕРЖАНИЕ / CONTENTS

Поэмы / Narrative Poems

Сказки / Fairy Tales

Драматические произведения / Dramatic Works

Евгений Онегин / Eugene Onegin

Литературно-художественное издание

Пушкин Александр Сергеевич
«В надежде славы и добра...»
«In Hopes of Fame and Bliss to Come...»
Избранная поэзия
Poetical works

Редакторы
А.Г. Николаевская, Ю.Г. Фридштейн

Младший редактор
Е.Е. Герасимова

Художественный редактор
Т.Н. Костерина

Технолог
С.С. Басипова

Оператор компьютерной верстки
М.Е. Басипова

Оператор компьютерной верстки переплета
В.М. Драновский

Корректор
А.И. Иванова

Подписано в печать 19.10.2007
Формат 70x100 $^1/_{16}$. Бумага писчая. Усл. печ. л. 40,0.
Тираж 3000 экз.
Заказ № 909

ЗАО «Вагриус»
107150, Москва, ул. Ивантеевская, д. 4, корп. 1

Отдел реализации издательства:
(495)510-56-09, 510-56-10
Электронная почта:
vagrius@vagrius.com

Отпечатано в полном соответствии
с качеством предоставленного оригинал-макета
в ОАО «ИПП «Уральский рабочий»
620041, ГСП-148 Екатеринбург, ул. Тургенева, 13.
http://www.uralprint.ru
e-mail:book@uralprint.ru